車両の見分け方がわかる！
関西の鉄道車両図鑑
第2版

来住憲司 著

創元社

はじめに

現代鉄道史が詰まった関西の鉄道

　本書第1版は2017年9月に出版されました。関西の車両を網羅的に扱った本がほとんどなかったこともあり、幸いにして好評を博しましたが、7年も経つと少なからぬ変化があるもので、だんだんと現状に即さなくなってきました。

　このため今回改訂では、新型車両の導入や既存車両の廃止の反映はもとより、諸元や記述内容も全面的に見直して最新の情報を取り入れました。

　なお「関西の現役車両を網羅的に紹介する」という方針はそのままですが、図鑑としての利便性を考慮して構成を少し変更しました。

　JRグループは、第1版ではJR西日本を中心に会社ごとに車両を紹介しましたが、第2版では会社所属を問わず、用途ごとの分類を採用しました。複数社が同一形式を保有している場合もあり、「関西で見られるJR車両」とするほうが読みやすいと考えたためです。

　私鉄は、第1版では鉄道会社の規模にかかわらず、府県ごとにおおむね北から順に紹介していましたが、第2版では大手私鉄を各部の冒頭に配列し、各社概要を全面的に改訂しました。

　収録した車両の数は、見出しの数だけでいえば206形式ですが、複数の形式や番台を1つの見出しでまとめて紹介しているケースもあるため、実際にはそれ以上の形式を取り上げています。

　首都圏と較べると、関西は車両の更新が遅い印象がありますが、7年も経つとさすがに新型車両、引退車両が少なからずあります。さらにリフレッシュ施工や車体色の変更もあるため、写真の撮り直しは当初予想を大幅に超え、最終的に少なくとも400点以上を差し替えました。

　車両更新の考え方は事業者によってさまざまで、各社の社風や状況がうかがえます。それを分析したり、動きを予想したりするのも、鉄道趣味者として楽しいひとときです。

　たとえば近鉄はシリーズ21を登場させたあと、一般車両の置き換えを取り止め、新車投資を特急車両に限定しました。これは、近鉄の一般車両が概して装備レベルが高く更新を先送りしても支障がないこと、一方で定評ある近鉄特急といえども、他社特急がレベルアップを図るなか、さらに磨きをかける必要があることを反映したものといえます。

　こうした楽しみ方はほんの一例で、関西のあらゆる現役車両を収録した本書ならではの楽しみ方があると思います。本書が、読者の皆様の鉄道への理解を深める一助になれば幸いです。

来住憲司

もくじ

はじめに 003
関西の鉄道路線図 006

第1部　JRグループ

- 010　JR西日本／JR東海／JR九州／JR貨物
- 022　新幹線（JR西日本、JR東海、JR九州）
- 028　機関車（JR西日本、JR貨物）
- 042　特急・団臨（JR西日本、JR東海）
- 057　一般形、事業用車（JR西日本、JR東海）

第2部　滋賀・京都・奈良の私鉄

- 080　近畿日本鉄道
- 124　京阪電気鉄道
- 142　近江鉄道
- 146　信楽高原鐵道
- 150　比叡山鉄道（坂本ケーブル）
- 152　京福電気鉄道
- 160　叡山電鉄
- 166　鞍馬寺（鞍馬寺ケーブル）
- 168　嵯峨野観光鉄道
- 170　WILLER TRAINS（京都丹後鉄道）
- 179　丹後海陸交通（天橋立ケーブルカー）
- 181　京都市交通局

第3部　大阪・兵庫・和歌山の私鉄

- 186　阪急電鉄
- 210　阪神電気鉄道

- **220** 南海電気鉄道
- **242** 泉北高速鉄道
- **248** 阪堺電気軌道
- **254** 大阪市高速電気軌道（Osaka Metro）
- **267** 北大阪急行電鉄
- **271** 大阪モノレール
- **275** 能勢電鉄
- **280** 水間鉄道
- **282** 山陽電気鉄道
- **288** 神戸電鉄
- **294** 神戸市交通局
- **298** 神戸新交通（ポートライナー、六甲ライナー）
- **302** こうべ未来都市機構（摩耶ケーブル）
- **304** 神戸六甲鉄道（六甲ケーブル）
- **306** 北条鉄道
- **310** 和歌山電鐵
- **314** 紀州鉄道

COLUMN

第三セクター鉄道とは？　149
ケーブルカー天国の関西　159
座席指定制通勤電車　247
第三軌条式電化を採用した路線　270
関西私鉄から地方私鉄への譲渡車両　279
準大手私鉄とは？　293
鉄輪式リニアモーターカーとは？　297
JRに継承されたキハ40三形態　309

鉄道用語の基礎知識　317
参考文献　326

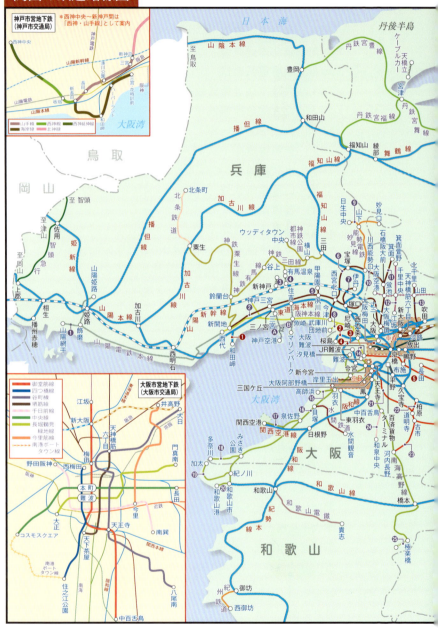

●本書記載のデータについて

　本書では、2024年春の時点で見られる営業用車両のデータを記載している。ただし、新規導入車両や改造車両に関しては、可能なかぎり最新の情報を掲載するようにした。

●車両諸元データについて

全長・幅・全高：先頭車（制御車または制御電動車）の数字を記載。なお「全長」は車体長ではなく、最大長（連結器連結面間の水平距離）を指す。「幅」は最大幅（表示灯や手すりなどの突出部を含む）を記載した。「全高」は原則としてパンタグラフなどの付属設備を含まない車体の高さを記載した。

座席：座席のタイプを記載した。①ロングシート：レールと平行に配置されたシート。通勤型車両用／②転換クロスシート：枕木方向に配置され、背もたれの向きを前後に変更できる／③回転クロスシート：リクライニングシートのように座席全体の向きを変更できるシート／④固定クロスシート：枕木方向に配置されるが、背もたれの向きは変更できない。

主電動機出力：1台当たりの出力。

台車：原則として「軸箱支持方式」＋「枕ばね種類」を記載した。

最高速度：営業運転で出すことが可能な速度。他社線に乗り入れる車両の場合、自社線では出せない速度の場合もある。

製造所：会社名が変更された場合、現存する会社名を記載している場合もある（川崎車両→川崎重工など）。

●優等列車等停車駅一覧図について

　会社データとして、優等列車（JRは快速列車等と特急列車、私鉄では準急〜特急など）の運転系統と停車駅を図示した。記載列車の運転頻度はさまざまで、1日中走っている列車、1日1往復しかない列車、片方向のみしか運転がない列車なども掲載した。

　運転系統は、最大の運転区間を記載した。運転頻度が高い列車種別でも、運転区間末端では、頻度が極端に低い場合もある。

　停車駅は、該当する列車種別の全列車が停車する場合と一部が停車する場合を分けて示した。ただし一部の列車が停車する場合、その頻度は考慮していない。したがって、「一部が停車」というケースも「一部が通過」というケースも同じ表記となっている。

第1部
JRグループ

JR西日本（西日本旅客鉄道）

本社：大阪府大阪市北区芝田2丁目4番24号

設立：1987（昭和62）年4月1日

路線：（近畿地方のみ）山陽新幹線、東海道本線、湖西線、福知山線、JR東西線、山陽本線、加古川線、播但線、姫新線、赤穂線、北陸本線、関西本線、草津線、奈良線、桜井線、和歌山線、片町線、おおさか東線、大阪環状線、桜島線、阪和線、関西空港線、山陰本線、舞鶴線、小浜線、紀勢本線

車両基地：（近畿地方のみ）11ヵ所

営業キロ数：計4903.1km（第一種鉄道事業4865.1km〔新幹線812.6km〕、第二種鉄道業39.7km、第三種鉄道事業28.0km）

駅数：1174駅

車両数：6485両

＊2023年4月1日現在

JR西日本は、旧国鉄線のうち、北陸・近畿地方以西の本州における旅客輸送を継承した鉄道事業者だ。当初は100％政府出資だったが、現在は完全に民間資本となっている。

営業範囲はおおむね、富山・石川・滋賀・奈良・和歌山以西の本州だが、山陽新幹線は博多までの全線、北陸新幹線はJR東日本との境界駅である上越妙高までがJR西日本の運営区間となっている。一方、東海道新幹線は全線をJR東海が運営する。

関西のJR西日本線は、国内で2番目に開業した大阪〜神戸間をはじめ、歴史のある路線が多く、一方で路線によって運行傾向に特徴が見出せる。

まず、北陸本線・湖西線は在来線で長距離輸送が比較的多い。特急の運行に関しては、京都・大阪から北近畿・南紀方面行き、関西空港アクセス輸送に多い。東海道・山陽本線の長距離輸送は東海道・山陽新幹線が担っている。

京阪神圏では、多くの線区に琵琶湖線、JR京都線、JR神戸線、大和路線などの愛称が付けられ、新快速・関空快速・紀州路快速などの快速サービスが提供されている。

車両は、転換クロスシートの3扉クロスシート車が主力で、4扉オールロングシート車が主力の首都圏とはまったく異なることが特徴といえる。

JR西日本の京阪神近郊区間では、通勤電車を中心にさまざまな列車が走っている。以下に主要路線の概要と使用されている列車を簡単にまとめる。

山陽新幹線専用の700系ひかりレールスター編成

●東海道・山陽本線、北陸本線

　東海道本線は、東京と大阪を結ぶ幹線鉄道として明治政府によって建設された。山陽本線は、もとは民間の山陽鉄道が建設した神戸と下関を結ぶ幹線鉄道で、1906（明治39）年に鉄道国有法により国有化された。

　北陸本線は、琵琶湖を介して京都と日本海航路を連絡する路線の一部として整備された。長浜～敦賀港間は、国が建設した鉄道としては４番目にあたる。その後、東海道本線が湖上連絡から琵琶湖東岸の鉄道に切り替えられたことから、東海道本線の米原が起点となり、福井・石川に延伸された。

　最重要幹線となった東海道・山陽本線は、1975（昭和50）年までに並行して新幹線が建設され、輸送量が増加した。一方、北陸本線は山越え区間の改良やバイパスとなる湖西線の開業などで在来線として高規格化が進められた。2024（令和６）年３月に北陸新幹線・金沢～敦賀間が開業したことで東京と関西が北陸経由で結ばれ、不完全ながら東海道新幹線のバイパス機能を担うことが期待される。

　北陸新幹線・金沢～敦賀間の開業により、名古屋や大阪と北陸を結ぶ特急は、敦賀で新幹線接続となる短距離特急となった。なお湖西線は、在来線屈指の高規格路線で高速運転を行う「サンダーバード」と京都近郊路線として運転されるローカル列車が混在する路線となっている。

　JR西日本では、「サンダーバード」「しらさぎ」を除けば、実質的に京阪神の近郊輸送が主要任務となっている。このため同社では、長浜～米原～京都間を琵琶湖線、京都～大阪間をJR京都線、大阪～姫路間をJR神戸線として、レベルの高い施設を活用したサービスを提供している。

　なかでも、敦賀～（湖西線経由または米原経由）～京都～大阪～姫路を結ぶ新快速は、特急に迫る高速運転を行うことで知られる。また、京都以東・明石以西のローカル輸送を担う各停の普通は、京都～西明石間では快速として新快速を補完している。さらに新快速より上位の近郊輸送を担う列車として、通勤特急「らくラクびわこ」「らくラクはりま」が運行されている。

　主に京都～西明石間を走る普通列車には４扉ロングシートの207/321系が充当され、快速・新快速には３扉転換クロスシートの223/225系が充当されている。

●山陰本線

　山陰本線・京都～園部間は、もとは京都～舞鶴間の鉄道建設を予定していた京都鉄道によって建設された区間で、1907（明治40）年に鉄道国有化法により国有化された。園部以西は国が建設し、最終的には日本海沿いに下関まで延伸された。

　山陰本線は関西と鳥取県や島根県を結ぶルートとして整備されたが、陰陽連絡線の智頭急行や伯備線の輸送が強

化されると競争力を失い、そのためもあって近代化が遅れた。

電化区間は京都〜城崎温泉間と伯耆大山〜西出雲間のみで、京都〜園部間の電化は1990（平成2）年、福知山までの電化は1996年に完成した。複線区間も限定的で、京都〜園部間、綾部〜福知山間、伯耆大山〜安来間など一部にとどまる。なお、嵯峨野・嵐山などの観光地がある京都〜園部間には嵯峨野線という愛称がある。

特急用車両は福知山線と共通運用で、吹田総合車両所福知山支所所属の287/289系が運用されている。普通・快速には、同京都支所の221/223系、同福知山支所の113系と223系が運用されている。

●片町線、JR東西線、福知山線

片町線・福知山線はともに私鉄として開業し、鉄道国有法により1907（明治40）年に国有化された。

片町線は、国有化以前に幹線ではなく大阪近郊路線となっていた。これが幸いしたのか、関西の鉄道省路線で初の電化が行われた。また、関西の国鉄で初めて自動改札機を導入したのも同線だった。さらにJR西日本で初のVVVF制御車207系が最初に投入されたのも片町線だ。一方、福知山線は大阪駅をターミナルとする国鉄線で、最後まで蒸気機関車が使用され、電化が遅れた。

近代化の点では対照的な片町線と福知山線だが、両線を新線で直結する片福連絡線構想（のちの東西線）は、福知山線電化前から立案されていた。もっとも国鉄時代は財政悪化のため着工に至らず、JRの発足後、1997（平成9）年にJR東西線として開業した。

片町線の車両は、JR化以前から4扉ロングシート車で統一されていたが、沿線開発の進行と電化区間の延伸に伴い、快速の拡充が進んだ。

一方、福知山線は北近畿と大阪を結ぶ特急も走る幹線だったが、電化の進展で近郊路線としても発展し、現在は丹波路快速や快速が多数走る。こうした路線の性格や経路の変更をふまえ、片町線には学研都市線、福知山線・大阪〜篠山口間にはJR宝塚線という愛称が付けられた。

JR東西線直通列車や、福知山線から東海道線普通となって高槻などへ直通する列車には、網干総合車両所明石支所所属の4扉ロングシート車207/321系が充当されている。丹波路快速を中心とする大阪発着列車は、同宮原支所所属の3扉クロスシート車223/225系の運用となっている。

関空・紀州路快速も走る大阪環状線

●関西本線、大阪環状線

　関西本線と大阪環状線東側（旧・城東線）は、もとは関西鉄道が大阪と名古屋を結ぶために新設と買収により整備した路線で、官設鉄道と激しい競争を繰り広げたことで知られる。両者の競争は鉄道国有法により終止符が打たれたが、東海道本線への投資が優先された結果、関西本線・大阪環状線の近代化は遅れ、名阪間の都市連絡鉄道としての競争力を失うこととなった。

　JRの発足後、関西本線亀山以東はJR東海、以西はJR西日本となったが、亀山〜加茂間は依然として電化されておらず、JR西日本が閑散線区用に導入したキハ120が使われている。

　電化されている加茂以西には大和路線という愛称が付けられ、大阪環状線直通の大和路快速、快速、区間快速、普通が設定されている。

　電化以来、普通車は4扉ロングシート車だったが、近年221系による置換が進み、2024年3月ダイヤ改正で221系化が完了した。これにより、木津〜奈良間に乗り入れる片町線直通列車以外の全列車が221系で統一された。

　大阪環状線は、湊町（現・JR難波）〜柏原間を1889（明治22）年に開業した大阪鉄道が、官設鉄道と連絡するため、1895年に天王寺と大阪を京橋経由で連絡したことに始まる。1961（昭和36）年、西九条〜天王寺間の開業により全通し、1964年3月の西九条駅改良工事の完成を経て環状運転が始まった。

　全通当初は、桜島線と直通運転する以外は線内運転だったが、関西本線の電化後、同線との直通運転が開始された。その後、阪和線との直通も開始され、線内運転は少数となっている。線内運転用車両は、全通以来4扉車だったが、現在は3扉車で統一されている。

●阪和線、紀勢本線

　阪和線は、もとは1929（昭和4）年に開業した阪和電鉄によって建設されたが、戦時買収によって国有化された。紀勢本線は和歌山市から亀山まで、紀伊半島を海岸線沿いに半周する路線で、新宮以東がJR東海、以西がJR西日本の所管となった。和歌山〜新宮間にはきのくに線という愛称がある。

　天王寺駅構内の関西本線と阪和線の連絡線が完成したことで、阪和線と大阪環状線の直通運転が可能になり、さらに梅田貨物線と呼ばれていた東海道支線を経由して新大阪まで直通可能となった。

　関西空港が開港すると、紀勢本線直通の「くろしお」に加え、空港アクセス特急「はるか」も運転されるようになった。さらに関西空港と大阪環状線を結ぶ関空快速の運転が始まり、現在は日根野で分割併合する和歌山直通の紀州路快速も運転されている。

　以前の阪和線は、4扉ロングシート車が普通や快速の主力だったが、現在は普通から関空快速・紀州路快速まで3扉2-1列クロスシート車で統一されている。また、おおむね御坊・紀伊

田辺以南の紀勢本線では、和歌山〜和歌山市間や和歌山線と同じ3扉ロングシート車が使用されている。

関西を走るJR西日本の快速列車

路線		種別	区間
東海道本線	山陽本線 北陸本線	新快速	・敦賀〜近江塩津〜近江今津〜京都〜
			・敦賀〜近江塩津〜長浜〜米原〜野洲〜草津〜京都〜大阪〜西明石
			・姫路〜網干〜上郡/播州赤穂
		快速	・近江塩津〜長浜〜米原〜野洲〜草津〜大阪〜加古川〜姫路〜網干〜上郡
山陰本線		快速	・京都〜園部・胡麻・福知山
			・奈良線
奈良線		みやこ路快速	・京都〜奈良
福知山線	JR東西線 片町線	丹波路快速	・大阪〜篠山口〜福知山
		快速	・大阪〜宝塚・新三田・篠山口
			・奈良・木津・JR三山木・同志社前・松井山手〜塚口・宝塚・新三田・篠山口
		区間快速	・大阪〜新三田・篠山口
			・木津・同志社前・京田辺・松井山手〜尼崎・塚口
			・奈良・木津・京田辺・松井山手〜西明石
関西本線		大和路快速 区間快速	・加茂〜奈良〜（天王寺・大阪経由）〜天王寺
		快速	・加茂〜奈良〜王寺〜JR難波
		直通快速	・奈良〜（おおさか東線経由）〜大阪（うめきた地下ホーム）
阪和線		紀州路快速 直通快速	・天王寺〜京橋〜天王寺〜和歌山〜海南〜湯浅〜御坊
		関空快速	・天王寺〜京橋〜天王寺〜関西空港
		快速 区間快速	・天王寺〜鳳〜熊取〜日根野〜和歌山

関西を走る定期特急の運転区間

列車名	区間
ひだ	大阪〜高山
しらさぎ	名古屋・米原〜敦賀
サンダーバード	大阪〜敦賀
らくラクびわこ	大阪〜野洲・米原
はるか	野洲・草津・京都〜関西空港
くろしお	京都〜白浜・新宮／新大阪〜和歌山・海南・白浜・新宮
らくラクやまと	新大阪〜（天王寺）〜奈良
きのさき	京都〜福知山・豊岡・城崎温泉
まいづる	京都〜東舞鶴
はしだて	京都〜宮津・天橋立・豊岡
こうのとり	新大阪〜福知山・豊岡・城崎温泉
らくラクはりま	京都〜網干
はまかぜ	大阪〜（姫路）〜豊岡・城崎温泉・香住・鳥取
スーパーはくと	京都・大阪〜（上郡）〜鳥取・倉吉

● JR西日本在来線特急 停車駅
※△は一部列車のみ停車

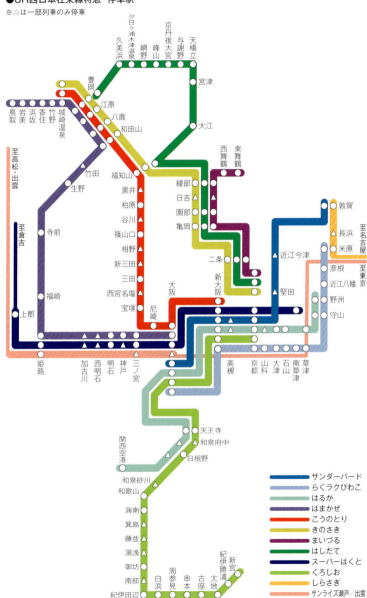

● 関西のJR快速サービスの系統・停車駅
※△は一部列車のみ停車。縦縞は各停区間

●JR 西日本山陽新幹線　停車駅
※△は一部列車のみ停車

	博多	小倉	新下関	厚狭	新山口	徳山	新岩国	広島	東広島	三原	新尾道	福山	新倉敷	岡山	相生	姫路	西明石	新神戸	新大阪
みずほ	●	●						●						●		△		●	●
さくら	●	●	△		△	△	△	●	△	△	△	●	△	●	△	●	△	●	●
のぞみ	●	●					△	●	△	△	△	●	△	●	△	△	△	●	●
ひかり	●	●	●	△	●	●	△	●	△	●	△	●	△	●	△	●	△	●	●
こだま	●	●	●	●	●	●	●	●	●	●	●	●	●	●	●	●	●	●	●

●JR 東海東海道新幹線　停車駅

	新大阪	京都	米原	岐阜羽島	名古屋	三河安城	豊橋	浜松	掛川	静岡	新富士	三島	熱海	小田原	新横浜	品川	東京
のぞみ	●	●			●										●	●	●
ひかり	●	●	△	△	●		●	△		●	△	△	△	△	●	●	●
こだま	●	●	●	●	●	●	●	●	●	●	●	●	●	●	●	●	●

山陽新幹線の「こだま」1往復に充当される「ハローキティ新幹線」

JR東海（東海旅客鉄道）

本社：愛知県名古屋市中村区名駅一丁目1番4号 JRセントラルタワーズ
設立：1987（昭和62）年4月1日
路線：（近畿地方）東海道新幹線
車両基地：（近畿地方）1ヵ所
営業キロ：1970.8km
駅数：405駅
車両数：3439両
＊2023年4月1日現在

JR東海は、主に静岡・愛知・岐阜・三重の旧国鉄在来線と東京〜新大阪間の東海道新幹線を運営する。株式上場は1997（平成9）年。

車両の更新が早いことで知られており、国鉄時代に新製された車両の置き換えはすでに完了している。また機関車はすべて廃車されている。

関西地方では、東海道新幹線のほか、滋賀県内の醒ヶ井、近江長岡、柏原も同社の所属となっている（東海道本線の境界駅は米原）。また、JR西日本に直通する特急「ひだ」「南紀」は、JR東海所有車両で運転される。さらに、寝台特急「サンライズ瀬戸/出雲」の車両も、一部はJR東海が保有する。

雪の米原駅を通過する「のぞみ」

JR九州（九州旅客鉄道）

本社：福岡県福岡市博多区博多駅前3丁目25番21号
設立：1987（昭和62）年4月1日
営業キロ：2342.6km
駅数：571駅
車両数：1515両
＊2023年4月1日現在

JR九州は、九州内の旧国鉄在来線と九州新幹線を運営する。株式上場は2016（平成28）年。

かつては関西から九州方面に直通する寝台特急があったが、すでに廃止されたため、関西の在来線で運転されるJR九州所属車両はない。ただし、九州新幹線から山陽新幹線に直通し、新大阪まで運転される「みずほ」「さくら」の一部には、JR九州所属車両が使用されている。

関西を走る定期新幹線列車の運転区間

のぞみ	東京・品川・名古屋〜博多／東京〜新大阪・西明石・姫路・岡山・広島
ひかり	東京〜新大阪・岡山／新横浜〜広島／名古屋・新大阪〜博多
こだま	東京・三島・静岡・名古屋〜新大阪／新大阪〜岡山・福山・三原・広島・博多／姫路〜博多
みずほ	新大阪〜鹿児島中央
さくら	新大阪〜熊本・鹿児島中央

JR貨物（日本貨物鉄道）

本社：東京都渋谷区千駄ヶ谷五丁目33番8号 サウスゲート新宿
設立：1987（昭和62）年4月1日
路線：新湊線（能町〜高岡貨物）、東海道線（吹田貨物ターミナル駅〜大阪貨物ターミナル）、関西線（平野〜百済貨物ターミナル）
車両基地：（近畿地方）1ヵ所
営業キロ：計7829.1km（第一種鉄道事業35.3km、第二種鉄道事業7794km）
駅数：239駅
車両数：機関車534両（電気404両、ディーゼル130両）、貨物電車42両、貨車7186両、私有貨車1598両
＊2023年4月1日現在

JR貨物は国鉄の貨物輸送部門を承継したが、営業線区のほとんどは旅客会社のもので、第二種鉄道事業者として貨物列車を運行する。

自社で線路を保有する第一種鉄道事業者として貨物列車を運行する区間は多くないが、関西では関西本線平野〜百済貨物ターミナル間（1.4km）と東海道本線吹田貨物ターミナル〜大阪貨物ターミナル間（8.7km）があり、後者はJR貨物の第一種鉄道事業者線区としては最長だ。

関西における定期貨物列車の運転区間は、以下のとおり。

- 東海道・山陽本線（吹田貨物ターミナル〜大阪〜尼崎間を除く）
- 東海道支線：吹田貨物ターミナル〜大阪貨物ターミナル間
- 東海道支線：吹田貨物ターミナル〜宮原操車場〜尼崎間
- 東海道支線・大阪環状線・桜島線：吹田貨物ターミナル〜安治川口間
- 片町支線・おおさか東線・関西支線：吹田貨物ターミナル〜百済貨物ターミナル間
- 北陸本線
- 湖西線

JR貨物が関西で保有する車両基地は吹田機関区のみで、EF66とEF210が在籍している。しかし、同社の機関車は広範囲で運用されるため、関西では以下の車両基地の機関車・電車も定期運用が行われている。

- 新鶴見機関区　　EF65、EF210
- 大井機関区　　　M250系
- 富山機関区　　　EF510
- 吹田機関区　　　EF66、EF210
- 岡山機関区　　　EF210

JR貨物でも高車齢化した機関車の置き換えが進み、国鉄が新製したED76、EF64、EF65、EF81やJR貨物の発足後最初に発注したEF66の運用がかなり削減された。2024年度もEF210、EF510の増備が続く見込みなので、国鉄世代の機関車は近く見られなくなると予想される。

JR貨物発足後に量産されたEF66形100番台の置き換えも始まっている

JR貨物のEF65形で最も国鉄時代に近い外観を保つ2101号機

▼ 新幹線N700S 0番台（東海）／3000番台（西日本）

諸元　［量産車］車体構造：アルミ製ダブルスキン構造／全長：27.35m（先頭車）／幅：3.36m／車体高：3.60m／座席種別：回転クロス（リクライニングシート）／制御方式：VVVF制御／主電動機出力：305kW／制動方式：回生ブレーキ併用電気指令式／台車：ウイング式ボルスタレス台車／営業最高速度：300㎞/h／製造初年：2020年／製造所：日立製作所、日本車輌

　N700Sは、JR東海が開発した新幹線用車両で、2020年7月に営業運転を開始した。東海道・山陽新幹線以外の線区や輸出車両のベースとなることを考慮した設計で、西九州新幹線には6両編成が投入されている。

　関西で見られる東海道・山陽新幹線用車両はすべて16両編成で、主に東海道新幹線の「のぞみ」「ひかり」「こだま」で運用される。JR東海所属の0番台はJ編成、JR西日本所属の3000番台はH編成となっている。

　前頭部形状の変更により空力性能が向上し、騒音や動揺が低減している。さらに車体断面形状の改良により客室が拡大されている。前灯は、新幹線用車両で初めてLEDが採用された。

　普通車全席の肘掛けに電源が装備され、座席のリクライニング機構や空調吹き出し口の改良、防犯カメラの増設なども行われた。J13編成以降では11号車の車いすスペースが拡大された。

　走行装置は一層の軽量小型化が図られた。さらに、大容量リチウムイオン電池を搭載し、非常時に旅客避難に適した場所までの自力走行が可能となった。また、先頭車とグリーン車、パンタ搭載車にはフルアクティブ制御制震装置が搭載され、乗り心地の改善が図られている。

新幹線N700A 1000・2000番台（東海）/4000・5000番台（西日本）

諸元　［新製車］車体構造：アルミ製ダブルスキン構造／全長：27.35m（先頭車）／幅：3.36m／車体高：3.60m／座席種別：回転クロス（リクライニングシート）／制御方式：VVVF制御／主電動機出力：305kW／制動方式：回生ブレーキ併用電気指令式／台車：ウイング式ボルスタレス台車／営業最高速度：300㎞/h／製造初年：2012年／製造所：日立製作所、日本車輌、川崎重工

　N700Aは、N700系をマイナーチェンジした車両。ブレーキの改良や定速走行装置の搭載、車体傾斜装置の改良などにより、東海道新幹線での最高速度を285㎞/hに向上させた。すべて16両編成で、「のぞみ」「ひかり」「こだま」の主力車両だが、徐々にN700Sに置き換えられている。

　N700Aとして新製された1000番台（JR東海G編成）・4000番台（JR西日本F編成）とN700系を改造してほぼ同等の性能とした2000番台（JR東海X編成）・5000番台（JR西日本K編成）が在籍しており、新製車か改造車かは側面のロゴで見分けられる。

　なお、N700Aとして新製された編成に対しては、地震時の停止距離の短縮などを目的として、N700Sのブレーキシステムに近づける改造が進められている。

1000・4000番台のロゴ

2000・5000番台のロゴ

新幹線N700系7000番台(西日本S編成)/8000番台(九州R編成)

[諸元]　[量産車] 車体構造：アルミ製ダブルスキン構造／全長：27.35m(先頭車)／幅：3.36m／車体高：3.60m／座席種別：回転クロス(リクライニングシート)／制御方式：VVVF制御／主電動機出力：305kW／制動方式：回生ブレーキ併用電気指令式／台車：軸梁式ボルスタレス台車／営業最高速度：300km/h／製造初年：2010年／製造所：日立製作所、近畿車輛、川崎重工

　N700系は東海道・山陽新幹線の主力車両として開発され、東海道新幹線内での曲線通過速度を向上させるため、車体傾斜装置が搭載された(ただし、最急曲線が緩い山陽新幹線内では同装置は使われない)。最高速度は500系に続いて300km/hとなった。

　東海道・山陽新幹線用16両編成に続いて開発された山陽・九州新幹線用7000番台(JR西日本S編成)/8000番台(JR九州R編成)は8両編成となった。山陽・九州新幹線は東海道新幹線ほど最急曲線がきつくないため、車体傾斜装置は非搭載となったが、最高速度は16両編成と同じ300km/h(九州新幹線では260km/h)。

　これまで山陽新幹線用として短編成化された0系・100系・500系や新製された700系7000番台レールスターはすべてモノクラス編成だったが、本形式では半室グリーン席の合造車が登場した。さらに普通車指定席は700系7000番台や九州新幹線800系を踏襲し、4列シートを採用している。

　なお、16両編成のN700系はすべてN700Aに改造されたため、N700系は7000/8000番台のみとなった。

　九州新幹線線に直通する「みずほ」「さくら」を中心に、山陽新幹線「こだま」や九州新幹線「つばめ」で運用されている。

▼ 新幹線700系7000番台（西日本）

諸元 車体構造：アルミ製ダブルスキン構造／全長：27.35m（先頭車）／幅：3.38m／車体高：3.65m／座席種別：回転クロス（リクライニングシート）／制御方式：VVVF制御／主電動機出力：275kW／制動方式：回生ブレーキ併用電気指令式／台車：軸梁式ボルスタレス台車／営業最高速度：285km/h／製造初年：1999年／製造所：川崎重工、近畿車輛、日立製作所、日本車輌

　700系は、東海道・山陽新幹線用主力車両として、JR東海とJR西日本により共同開発された。16両編成で登場したが、すでにN700系以降の車両に置き換えられている。

　一方、山陽新幹線の短編成化された0系を置換するため、8両編成の700系も開発された。本形式の「ひかり」には「ひかりレールスター」という愛称が付けられ、16両編成とはまったく異なるカラーリングが採用された。

　走行性能は16両編成の700系と同等だが、接客設備がグレードアップされた。普通車指定席は4列座席となり、5列座席の自由席との差別化が図られた。さらに8号車にはパーテーションで仕切った4人用個室が設置された。また、指定席車の最前列は、ノートPC使用を考慮してテーブルが大型化された。なお、グリーン車がないモノクラス編成となっている。

　九州新幹線博多開業により、山陽新幹線内のみの「ひかり」は大幅に削減され、原則としてN700系8両編成が投入された。これに伴い、「ひかりレールスター」は大幅に減便され、主に「こだま」運用で使用されている。なお「こだま」運用の場合、一部の4列座席車は自由席となり、個室の発売は行われない。

▼ 新幹線500系7000番台（西日本）

諸元　車体構造：アルミハニカム構造／全長：27.0m（先頭車）／幅：3.38m／車体高4.49m／座席種別：回転クロス（リクライニングシート）／制御方式：VVVF制御／主電動機出力：285kW／制動方式：回生ブレーキ併用電気指令式／台車：軸梁式ボルスタレス台車／営業最高速度：285km/h／製造初年1996年／製造所：日立製作所、川崎重工、近畿車輛、日本車輛

500系は、山陽新幹線の所要時間短縮を目的としてJR西日本が開発した車両で、1997年に営業運転を開始した。空力向上や軽量化のために独特の形状の車体が採用され、山陽新幹線の最高速度を300km/hに引き上げた。

JR西日本500系「ハローキティ新幹線」の車内

N700系の登場に伴い、2010年に「のぞみ」運用から引退し、東海道新幹線での運転がなくなった。これにより16両編成は8両編成に減車、さらに300km/h運転のために開発された翼状パンタグラフがシングルアームパンタグラフに変更された。最高速度は285km/hに引き下げられ、7000番台に改番された。原則として山陽新幹線の「こだま」に充当されている。

なお2016年6月末から、内外装にハローキティをあしらった「ハローキティ新幹線」が運行されており、国内外の観光客の人気を集めている。

新幹線923形（西日本・東海）

諸元 車体構造：アルミ製ダブルスキン構造／全長：27.35m／幅：3.38m／車体高：3.65m／制御方式：VVVF制御／主電動機出力：275kW／制動方式：回生ブレーキ併用電気指令式／台車：ウイング式ボルスタレス台車／最高速度：270㎞/h／製造初年：2000年／製造所：日立製作所、日本車輌

923形は「ドクターイエロー」という愛称で知られる東海道・山陽新幹線の電気軌道総合試験車。0系車両をベースに開発された922形電気軌道総合試験車を置き換えるため、700系車両をベースに開発された。

JR東海がT4編成を2000年に、JR西日本がT5編成を2005年に新製し、両編成ともJR東海東京交番検査車両所をベースとして検測を行う。700系では、JR東海車とJR西日本車で構造の異なる台車を採用していたが、923形では、JR西日本車もJR東海車と同じ台車を使用している。

通常の検測業務のほか、JR西日本のT5編成の全般検査などもJR東海に委託されている。

定例の検測は「のぞみ」に準じたダイヤで走行し、信号設備やレール・架線の状態を検測する。この「のぞみダイヤ」での検測はおおむね10日おきに行われるが、これ以外に3ヵ月に1回程度各駅に停車する俗に「こだまダイヤ」と呼ばれる検測も行われる。

どちらの検測パターンでも、往路・復路ともに新大阪に到着すると、いったんは大阪交番検査車両所に入庫する。その後、あらためて新大阪に回送され、検測作業を再開するというスケジュールが一般的だ。

JR西日本／JR貨物EF65形1000・2000番台

諸元　[1000番台]　車体構造：鋼製車体／全長：16.5m／幅：2.8m／全高：3.819m／電気方式：直流1500V／制御方式：抵抗制御／制動方式：自動空気ブレーキ／主電動機出力：425kW／台車：円筒ゴム案内式コイルばね台車／営業最高速度：110km/h／製造初年：1969年／製造所：汽車会社、東洋電機、川崎重工、富士電機

　EF65は、国鉄が開発した標準型直流電気機関車。先に量産が行われたEF60を改良し、牽引力と高速性能の両立が図られた。それゆえ、特急旅客列車の牽引が可能な高速性能を備えているが、貨物列車牽引用として開発されたため、客車暖房用の熱源の供給機能はない。

　このため、暖房する必要がない寝台特急の牽引に起用され、ブレーキ性能を強化し、車掌との連絡電話などを装備した500番台P形が登場した。さらに、重連総括制御で高速貨物列車の牽引を可能とした500番台F形も登場している。

　重連総括制御で運行する場合、貫通路を装備するほうが使い勝手が向上する。このため、貫通路付き運転台を備え、寝台特急牽引用の装備を有する1000番台PF形の量産に切り替えられた。

　ブルートレインがブームとなった1970年代後半、P形は東京と九州を結ぶ寝台特急の牽引を担当していたが、ハードな仕業により老朽化が進んだためPF形に置き換えられた。関西と九州を結ぶ寝台特急の牽引に当たっていたEF58はEF65PF形で置き換えられ、東海道・山陽本線の寝台特急牽引はEF65が独占することになった。

　また、客車急行や団体列車でも、暖房用熱源を供給する必要がない12系・

14系客車への置き換えが進んだため、国鉄末期には、EF65PF形が東海道・山陽本線の客車列車牽引の主力となった。

JR発足時には、JR貨物が貨物用として、JR東日本・東海・西日本が1000番台を中心に寝台特急・臨時列車用として承継し、いまもJR貨物・西日本・東日本の3社に残る。

JR西日本では「サロンカーなにわ」を使用する臨時列車のほか、保線用工事列車や車両の回送などに使われる。

JR貨物では、100km/h運転対応のコキ50000系の牽引に充当するため、一部の1000番台に常用減圧促進改造を施し、ナンバープレートを赤色にしている。また、保安装置の都合で最高速度を100km/hに抑え、2000番台に改番した常用減圧促進改造非施工車は、青色ナンバーとなった。

なお、以前行われていた更新工事施工車に対する塗装変更は中止され、全検時に国鉄色に戻されている。

EF210の増備によるEF65の淘汰が進められた結果、更新色機や青ナンバー機は運用をはずれ、定期運用は大幅に減少した。また、甲種輸送での起用も減っている。

JR西日本には、トワイライトエクスプレス用客車を使用したツアー列車用として、客車に合わせた塗装を施した車両が1両在籍する

JR貨物では、全検時のJR貨物更新色への変更をやめ、国鉄色で再塗装を行った

JR貨物EF66形100番台

諸元 ［100番台］車体構造：鋼製車体／全長：18.2m／幅：2.8m／全高：3.872m／電気方式：直流1500V／制御方式：抵抗制御／制動方式：自動空気ブレーキ／主電動機出力：650kW／台車：円筒ゴム案内式空気ばね台車／最高速度：110km/h／製造初年：1989年／製造所：川崎重工、三菱電機

　EF66は国鉄が開発した高速貨物列車用直流電気機関車で、国鉄の機関車で最大出力となった。1966年に試作されたEF90を母体とし、東海道・山陽本線における10000系高速貨車で組成された高速貨物列車牽引用として1968～74年に量産された。

　国鉄末期には、寝台特急にロビーカーが増結され、編成重量が増加したため、EF65に代わりEF66が寝台特急牽引に起用された。このため、JR発足時にはJR貨物・西日本の2社が承継したが、寝台特急の廃止に伴い、一部がJR西日本からJR貨物に譲渡され、残存車はのちに廃車となった。

　一方JR貨物では、貨物需要の回復により機関車の増備が必要となったため、1989年から車体形状や機器などを見直した100番台を開発し、33両を新製した。

　101～108号機は前灯が丸形、109～133号機は一部機器を変更するとともに前灯が角形となり、車体裾部に青ラインが入れられた。

　標準型ではないため固有の機器が多く、老朽化が進むと保守面の負担が大きいのが難点で、0番台と100番台初期型はすでに全車が運用から離脱し、現在は109号機以降のみが運用に入る。山陽本線東福山以西の入線は原則としてなく、主に東海道本線で使用される。

JR貨物EF210形

諸元　[0番台] 車体構造：鋼製車体／全長：18.2m／幅：2.887m／全高：3.98m／電気方式：直流1500V／制御方式：VVVF制御／制動方式：電気ブレーキ併用電気指令式空気ブレーキ／主電動機出力：565kW／台車：軸梁式ボルスタレス空気ばね台車／最高速度：110㎞/h／製造初年：1998年／製造所：川崎重工、三菱電機

　EF210は、EF65およびEF66に代わる標準型直流電気機関車としてJR貨物が開発した。

　1996年に試作機901号機が新製され、新鶴見機関区で各種試験を実施。その後、岡山機関区に転属し、1997年12月に営業運転を開始した。機関車の愛称を公募した結果、岡山にちなんで「ECO-POWER 桃太郎」と命名された。

　主電動機出力はEF66の650kWより小さい565kWだが、定格出力3540kW（30分）の設定で、東海道・山陽本線用機関車において性能の目安となる関ヶ原付近下り線の連続10‰勾配においてEF66の置き換えが可能とされた。

　1998年7月には量産機が登場し、助士席側側窓下部に「ECO-POWER 桃太郎」のロゴマークが小さく書かれた。最初に量産された0番台は、901号機と同様、GTO素子を使用した1基のインバータで2軸を制御する1C2M方式を採用し、18両が新製された。

　2000年から、インバータをIGBT素子に変更し、制御を1C1M方式に改良した100番台の量産が始まった。制御方式の変更だけでなく、「ECO-POWER 桃太郎」のロゴマークが側面に大きく描かれた。さらに109号機以降は、パンタグラフが下枠交差式からシングルアーム式に変更された。100番台は、2011年1月に川崎重工を出場した173号機まで増備された。

2012年9月、瀬野八用の補機EF67を置き換えるために300番台が登場した。走行性能は100番台と同等だが、後補機運用時に発生する衝撃力に対応するため、連結器の緩衝器を新型に変更した。これにより全長が400㎜延長され、側面の塗装も変更された。

　なお、補機運用のほかに通常の貨物列車牽引の運用にも就く。現在も増備が続けられ、EF65・EF66を淘汰している。

　また、2017年から全社的にJRFロゴの使用を取りやめ、さらに2018年からは0番台や100番台の全般検査時の再

今では少数派の0番台原形塗装。桃太郎のロゴマークは、後位の運転室側窓下部に描かれている

0番台は新塗装が多数派。100番台と同じデザインで、使用中止となったJRFロゴマークが消され、桃太郎ロゴマークにキャラクターのイラストが添えられた。300番台とは側面のライン色が異なるほか、正面窓下の塗装が異なる

塗装時も、300番台と似た新デザインに変更された。

　関西地区でのEF210は、東海道・山陽本線の貨物列車の主力機で、大阪駅うめきた地下ホームを通過する貨物列車の後補機としても使用される。

初期の300番台はJRFのロゴマークが描かれ、キャラクターのイラストはない

300番台の増備途中でJRFロゴマークが廃止され、キャラクターのイラストが添えられるようになった

JR貨物EF510形

新製時の姿をとどめる5号機

 車体構造：鋼製車体／全長：19.8m／幅：2.887m／全高：4.28m／電気方式：直流1500V、交流20000V（50/60Hz）／制御方式：VVVF制御／制動方式：発電ブレーキ併用電気指令式／主電動機出力：565kW／台車：軸梁式ボルスタレス空気ばね台車／最高速度：110km/h／製造初年：2002年／製造所：川崎重工、三菱電機

　EF510は、EF81に代わる標準型交直流電気機関車としてJR貨物によって開発された。すでに量産されていたEF210をベースとしたため、試作機は製造せず、先行量産機として1号機を2002年に新製した。各種試験の実施ののち、2003年から量産が始まった。

　走行性能はEF210とほぼ互角だが、耐雪構造とするため、冬季と夏季で冷却風の取り入れ方式を変更するなど、車体構造に差異が生じている。

　JR貨物が量産した交直流機関車は、東北本線経由で首都圏から函館まで直行でき、さらに青函トンネルの連続勾配に対応する動軸8本のEH500となった。その後、日本海縦貫線用として動軸6本の交直流機関車EF510を富山機関区に配置し、愛称を「ECO-POWERレッドサンダー」とした。2号機以降は側面にロゴマークがある。

　EF81の老朽化対策はJR東日本でも課題となっていたため、同社でも「北斗星」「カシオペア」用としてEF510-500番台を新製し、東北本線に投入している。その後、北海道新幹線の開業に伴って両列車が廃止されると、500番台全機がJR貨物に譲渡され、0番台と共通運用されている。

　関西地区では、吹田貨物ターミナルや百済貨物ターミナル発着のほか、異常時の冗長性を向上させるため、岡山貨物ターミナルまでの運用もある。

JR貨物

近年、全般検査で入場した車両はJRFロゴマークが消されている

500番台は、寝台客車と統一感をもたせるため、車体色の青を維持している

509・510号機のみ「カシオペア」に合わせた銀色の車体を維持している

▼ JR貨物M250系コンテナ電車

諸元 ［先頭車］車体構造：鋼製車体／全長：20.5m／幅：2.931m／全高：3.98m／電気方式：直流1500V／制御方式：VVVF制御／制動方式：発電ブレーキ併用電気指令式空気ブレーキ／主電動機出力：220kW／台車：軸梁式ボルスタレス台車／最高速度：130km/h／製造初年：2002年／製造所：川崎重工、日本車輌、東芝

　M250系はJR貨物が保有する唯一の電車で、「スーパーレールカーゴ」という愛称をもつ。最高速度130km/hの高速コンテナ貨物列車の専用車両で、東京貨物ターミナルと大阪・安治川口を6時間12分で結ぶ。

　ちなみに、東海道新幹線の開業前、東京駅と大阪駅を結んでいた在来線電車特急の「こだま」「つばめ」などの所要時間は6時間30分だったので、それよりも速く、東京〜大阪の在来線最速列車となる。

　先頭車2両と最後部2両は、主電動機を装備する電動コンテナ車で、31フィートコンテナ1個を搭載。中間の12両は付随コンテナ車で、31フィートコンテナ2個を搭載。以上で組成された16両編成で運転される。電動車の動力台車上は、床面高と車両重量の関係で機器室となっている。

　走行装置は、旅客用電車で実績がある機器で構成されており、高速運転を実現するため、ヨーダンパとアンチローリング装置付きの空気ばね台車という旅客車と同等の機器を採用している。

　なお、「スーパーレールカーゴ」は佐川急便の私有コンテナ列車で、1列車貸切で運用されている。上下列車ともに深夜発早朝着のダイヤが組まれており、昼間は貨物駅内に留置されているため、撮影は容易ではない。

JR西日本DD51形

諸元 [量産型] 車体構造：鋼製車体／全長：18.0m／幅：2.971m／全高：3.956m／動力伝達方式：液体式／制動方式：自動空気ブレーキ／機関出力：1100ps／台車：ウイング式台車／営業最高速度：95㎞/h／製造初年：1965年／製造所：日立製作所、川崎車輛、三菱重工

DD51形ディーゼル機関車は、無煙化を推進するために国鉄が開発した液体式大型ディーゼル機関車。1967年に試作車が登場し、1965年から本格的に量産が行われた。

それまで幹線用ディーゼル機関車で採用されていた電気式での高出力機開発は、日本の脆弱な線路では重量が問題となるため、液体変速機を使用する液体式ディーゼルが採用された。また、エンジン2台を前後のボンネットに搭載し、中央部に運転室を配置するセンターキャブ式を採用することで軽量化が図られた。

試作機、先行量産機ではエンジン出力は1000PS/台だったが、量産機では1100PS/台にパワーアップし、全国（四国を除く）の非電化幹線で主力機として活躍した。

関西では、山陰本線・福知山線・播但線・関西本線・草津線・城東貨物線などで活躍し、とりわけ山陰本線で寝台特急「出雲」を牽引していた姿が印象深い。

最後まで定期運用があったJR貨物所属機も廃車となり、工事列車や臨時列車用としてJR東日本とJR西日本に残るだけとなっている。JR東日本では工事列車の新型車両への置き換えが進んでいるが、JR西日本では回送や工事列車、「サロンカーなにわ」牽引などに活用されている。

JR西日本／JR貨物DE10形

諸元　［1000・1500番台］車体構造：鋼製車体／全長：14.15m／幅：2.95m／全高：3.965m／動力伝達方式：液体式／制動方式：自動空気ブレーキ／機関出力：1350PS／台車：インサイドフレーム方式台車／営業最高速度：85km/h／製造初年：1969年／製造所：日本車輌、汽車会社、日立製作所、川崎重工

　DE10は、国鉄が開発した中型液体式ディーゼル機関車。全国のローカル線・亜幹線に投入され、JR発足時にJR全社が継承した。客車・貨物列車の削減で廃車が進み、関西では定期運用が消滅している。JR西日本では車両基地の入換用と工事列車用、JR貨物では臨時列車用で使用される。

　JR貨物では後継機としてDD200を開発し、関西の臨時列車運用も基本的にDD200に置き換えられた。

　また、JR西日本の子会社・嵯峨野観光鉄道でも使用されているが、梅小路運転区配置の2両は、嵯峨野観光鉄道の予備機となっており、1両は塗装を同社に合わせている。

更新工事に伴い、塗装が変更されたJR貨物のDE10

嵯峨野観光鉄道所属の1104号機と同じ塗装のJR西日本の1156号機

JR貨物DD200形

 試作機　車体構造：鋼製車体／全長：15.9m／幅：2.974m／全高4.079m／動力伝達方式：電気式／制動方式：電気指令式／機関出力：270PS／台車：軸梁式ボルスタレス台車／最高速度：110km/h／製造初年：2017年／製造所：川崎重工、川崎車両

　DD200は、非電化ローカル線の貨物列車牽引と駅構内の入換作業用に開発された中型電気式ディーゼル機関車。従来、同用途に使用されていた液体式ディーゼル機関車DE10とDE11が老朽化したため、その置き換えに充てるために開発された。

　発電機は、保守性に優れたコマツ製の汎用エンジンを採用。水冷V型12気筒排気量30.48Lで、出力は895kW（1217PS）、4台搭載する主電動機出力は160kW/台。

　高効率の機器や制御により、燃料消費の低減だけでなく、排ガス中の有害物質の低減も実現した。騒音レベルも抑制されている。

　車体形状はセミセンターキャブ式で、運転室内は入換作業時の操作性に配慮したレイアウトを採用する。運転台はDE10などと同様に横向き配置となっている。

　愛知機関区に集中配置され、コンテナ列車などに併結されて運用地に回送される。関西では定期運用が行われていないが、2022年から川崎重工（現・川崎車両）を出場する甲種輸送列車の牽引に充当されるようになった。

　DD200はJR貨物のほか、京葉臨海鉄道、水島臨海鉄道でも導入されている。さらにJR九州でもDE10の置き換え用に導入しており、JR西日本でも導入する可能性がある。JR西日本が運行する「SLやまぐち号」や、同車が運行に関わる嵯峨野観光鉄道はディーゼル機関車と密接に関わるので、今後注視したい機関車だ。

▼ JR貨物HD300形ハイブリッド機関車

諸元　車体構造：鋼製車体／全長：14.3m／幅：2.95m／全高4.088m／制御方式：シリーズハイブリッド方式／制動方式：回生ブレーキ併用電気指令式／機関出力：270PS／台車：軸梁式ボルスタレスコイルばね台車／最高速度：45km/h（無動力回送時110km/h）／製造初年：2010年／製造所：東芝

　HD300は、貨物駅での入換用にJR貨物が新製したハイブリッド機関車。従来、同用途に使用されていたDE10形ディーゼル機関車を置き換えるために開発されたもので、排気ガス削減や騒音レベルの低減のため、ハイブリッド方式を採用している。

　本線上での貨物列車牽引を考慮しない入換に特化した設計のため、自走時の最高速度は45km/hと低めだが、1300トンのコンテナ列車を引き出すことが可能だ。一方、貨物列車などに連結されて回送する場合の最高速度は110km/hとされている。これは遠隔地での運用を想定したもので、移動時間の短縮と配置基地の限定に寄与する。

　リチウムイオン電池の充電には、小型エンジンを使用した発電モジュールと、入換作業中の発電ブレーキで発生した電力が使われる。

　2010年に試作機901号機が落成し、北海道や信州、東京近郊の駅などさまざまな環境下で各種試験を行ったあと、2012年から量産が始まった。

　関西では、岡山機関区に配置された本形式が、吹田貨物ターミナル、大阪貨物ターミナル、安治川口駅での入換作業に充当されており、安治川口駅では旅客ホームからその様子が見えることもある。

JR西日本キイネ87系「TWILIGHT EXPRESS 瑞風」

諸元　車体構造：鋼製車体／全長：21.67m／全幅：2.9m／全高：4.7m／動力伝達方式：ハイブリッドシステム電気式／制動方式：回生ブレーキ併用電気指令式／主電動機出力：130kW／台車：軸梁式軽量ボルスタレス台車／製造初年：2016年／製造所：近畿車輛

　キイネ87系ディーゼルカーは、JR西日本のクルーズトレイン「TWILIGHT EXPRESS 瑞風」用に開発された電気式ハイブリッドディーゼルカー。

　全個室式を採用し、1両1室でバスタブを備えたバスルームがある最上級個室「ザ・スイート」のほか、シャワールームを備えた「ロイヤルツイン」と「ロイヤルシングル」を備える。

　10両編成で、両先頭車は展望室、編成中央にラウンジカー「サロン・ドゥ・ルゥエスト」と食堂車「ダイナープレヤデス」を連結する。先頭車の前頭部に設けられた展望オープンデッキは、最後部となる場合は、走行中も開放されている。

　ディーゼルエンジンを搭載する先頭車キイテ87とラウンジカーのキラ86、食堂車キシ86の4両と7号車ザ・スイートのキサイネ86-501は鋼製車体で近畿車輛製、残る5両キサイネ86-1・101・201・301・401の車体はアルミダブルスキン構造で川崎重工が製造した。

　動力はシリーズ式ハイブリッドシステムを採用し、ディーゼル発電による電力とリチウムイオン電池の電力を組み合わせて駆動する。

　山陰本線の一部区間が不通となっているため、2023年後半からは、山陰コースと周遊コースは山口線経由で運行されている。

▼ JR西日本117系7000番台「WEST EXPRESS 銀河」

諸元 車体構造：鋼製車体／全長：20.28m（先頭車）・20m（中間車）／全幅：2.946m／全高：4.066m／電気方式：直流1500V／制御方式：抵抗制御／制動方式：発電ブレーキ併用電磁直通ブレーキ／主電動機出力：120kW／台車：ボルスタ付きウイングばね式／改造年：2020年／改造所：JR西日本吹田総合車両所

　「WEST EXPRESS銀河」は、117系近郊形直流電車の7000番台を長距離列車用に改装した列車だ。117系は新快速用として1980年に登場し、国鉄近郊形電車普通車で初めて転換式クロスシートを採用した2扉車だった。

　原形車の内装はすべて撤去し、側扉1ヵ所も撤去して1扉車となった。大規模な改造により寝台車に準じた設備となったが、全席座席扱いのため、夜行特急に使われる場合でも寝台料金は不要となっている。

　グリーン指定席「ファーストシート」はプルマン式寝台と似た設備で、普通車ノビノビ座席「クシェット」は開放式2段B寝台相当。普通車指定席のリクライニングシートはグリーン車相当の仕様となっている。個室の名称は、普通車は「ファミリーキャビン」、グリーン車は「プレミアルーム」という。座席・個室以外にも、共有設備のフリースペースが多数ある。

　1編成しかないため、原則として期間を定めたうえで、2往復/週の臨時特急で運行する。これまでに、関西と山陰中部をめぐるコース（上下列車とも夜行）、関西と山陽をめぐるコース（下り夜行・上り昼行）、関西と南紀をめぐるコース（同前）が実施されている。

　当初は旅行会社の旅行商品として発売されていたが、日程を限定して「みどりの窓口」や「e5489」でも販売されるようになった。

▼ JR西日本14系客車「サロンカーなにわ」

諸元 車体構造：鋼製車体／全長：21.3m／全幅：2.9m／全高：4.0626m／扉数：2／座席：リクライニングシート／制動方式：自動空気ブレーキ／台車：軸ばね式空気ばね台車／改造年：1983年／改造所：国鉄高砂工場

14系「サロンカーなにわ」は、14系特急型客車を改造した欧風客車で、1983年に国鉄大阪鉄道管理局により施工された。

国鉄時代には、団体列車用に畳敷き風に改造した和式客車が人気を博し、観光バスでも、豪華サロンバスなどのハイグレード仕様の人気が高まっていた。こうした需要をふまえ、多客臨でも使い勝手のよいサロン風の欧風客車を登場させることになり、東京南鉄道管理局の「サロンエクスプレス東京」とほぼ同時期に「サロンカーなにわ」が登場した。

種車となった14系特急形客車は、1969年に登場した12系新系列客車を改良して特急形座席車とした車両で、1972年に登場すると、臨時特急や団臨などで使用された。その後、夜行急行の座席車などでも使われるようになり、北海道用に改造された車両も登場し、全国で使用された。

夜行列車の縮小で、14系座席車の運用が減り、全国各地で運用されていたジョイフルトレインも、大規模団体による利用の減少などで大半が廃車となった。この結果、現在も残る14系客車は、JR北海道でSL列車用に改造された4両と「サロンカーなにわ」のみとなった。

なお、国鉄時代のお召列車用車両はJR東日本に継承されたため、JR西日本の非電化線区のお召列車に起用された実績がある。この際、両陛下がお乗りになる車両の窓は防弾ガラスに交換されている。

JR西日本281系

諸元　車体構造：鋼製車体／全長：20.74m（先頭車）・20m（中間車）／全幅：2.915m／全高：3.55m／扉数：1～2／座席：リクライニングシート／電気方式：直流1500V／制御方式：VVVF制御／制動方式：回生抑速ブレーキ併用電気指令式／主電動機出力：180kW／台車：軸梁式ボルスタレス台車／製造初年：1994年／製造所：近畿車輛・川崎重工

　281系特急形直流電車は、関西空港アクセス特急「はるか」用車両として開発された。関西国際空港が開港した1994年9月4日から京都～関西空港間で営業運転を開始している。

　当初は基本編成の5両編成のみだったが、翌年4月に中間車1両を増結した6両編成となり、同年7月には3両編成の付属編成が3本増備され、多客時には基本編成+付属編成の9両編成で運行されるようになった。

　京都駅構内に京都シティエアターミナル（K-CAT）があった時は、預かり手荷物の輸送のため、クハ281に荷物室が設置されたが、K-CATの廃止に伴い、荷物輸送も停止された。

　当時、特急は喫煙可能な車両を連結するのが一般的だったが、「はるか」は全席禁煙となり、一部車両に喫煙コーナーが設置された。2007年からは全車禁煙となり、喫煙コーナーはフリースペースに改装された。

　普通車の座席は2+2の4列シートで、シートピッチは970㎜。グリーン車の座席は、1+2の3列シートでピッチは1160㎜。空港アクセス特急らしく、デッキには大型荷物に対応する荷物置場が新製時から設置されている。

　なお、現在は全編成にハローキティのラッピングを施している。

JR西日本271系

 諸元　車体構造：ダブルスキン構造アルミ車体／全長：20.85（先頭車）・20m（中間車）／全幅：2.915m／全高：3.585m／扉数：2／座席：リクライニングシート／電気方式：直流1500V／制御方式：VVVF制御／制動方式：回生抑速ブレーキ併用電気指令式／主電動機出力：220kW／台車：軸梁式ボルスタレス台車／製造初年：2019年／製造所：近畿車輛

　271系特急形直流電車は、関西国際空港アクセス特急「はるか」用に開発された車両。281系は基本編成9本に対し、付属編成は3本しか新製されなかったので、「はるか」の輸送力を増強するため、271系付属編成6本が投入された。そのため、通常は281系と併結して運用に就く。

　車体はダブルスキン構造のアルミ製を採用し、前面形状は高運転台で貫通路を備えた683系・287系と同タイプ。走行性能は、近年のJR西日本の直流電車で標準仕様となった、0.5Mシステムを採用した。

　旅客設備は281系よりも洗練され、案内表示装置には大型液晶ディスプレイを採用。荷物置場はデッキから客室内に移り、手荷物の大型化に対応するために拡幅され、仕切り扉は両開きとなった。

　シートピッチは281系と同じだが、無段階調整式リクライニングシートに改良された。また、電源コンセントは肘掛け部に設置され、全席に電源が備わった。

　ハローキティラッピングは、281系基本編成のみに施されていたが、271系の営業開始に合わせ、281系の付属編成とともにラッピングが施工された。

▼ JR西日本283系「くろしお」

新宮方の非貫通式の先頭車

 諸元　車体構造：鋼製車体／全長：21.55m（クロ）、21.3m（クハ・中間車）／全幅：2.85m／全高：3.39m／扉数：1～2／座席：リクライニングシート／電気方式：直流1500V／制御方式：VVVF制御／制動方式：抑速回生ブレーキ併用電気指令ブレーキ／主電動機出力：220kW／台車：円筒案内式ボルスタレス制御付振子台車／製造初年：1996年／製造所：川崎重工、近畿車輛、日立製作所

　283系は、紀勢本線特急のさらなる高速化のために導入された制御付振子式直流電車で、1996年に営業運転を開始した。

　紀勢本線では、電化開業時から特急「くろしお」用として381系振子式電車が使用されていたが、並行する高速道路の整備が進んだことを受けて、競争力の維持のために283系が投入されることになった。

　制御付振子の採用による乗り心地の改善のほか、グリーン車を1-2列の3列座席に変更し、客室構造も前面展望を考慮したものにするなど、客室環境の改善も図られた。普通車はシートピッチが970mmに拡大され、大型窓を備えた展望ラウンジも設置された。

　6両編成の基本編成と3両編成の付属編成があり、多客時は白浜以北で付属編成を併結する。

京都方の先頭車は、通常はこの貫通式先頭車となる

JR西日本／JR東海285系「サンライズ瀬戸・出雲」

諸元 車体構造：鋼製車体／全長：21.24m（先頭車）・20.8m（中間車）／全幅：2.935m／全高：4.09m／扉数：1／電気方式：直流1500V／制御方式：VVVF制御／制動方式：抑速回生ブレーキ併用電気指令式／主電動機出力：220kW／台車：軸梁式ボルタレス台車／製造初年：1996年／製造所：近畿車輛・川崎重工・日本車輌

285系特急形直流電車は、新世代の寝台特急用車両として、JR西日本とJR東海が共同開発した車両。

到着時刻の関係で、片道は夜行列車、片道は新幹線を利用するケースが多く、新幹線を補完する夜行列車が必要という判断により開発された。

JR東海所有編成は大垣車両区の所属だが、通常はJR西日本後藤総合車両所出雲支所で両社の編成を共通運用する。

7両編成のうち2両のみが平屋構造の電動車で、残る5両は2階建て車。電動車のうち1両は、2段式のカーペット敷き指定席「ノビノビ座席」と、車端部にB寝台個室シングルを備える。もう1両には小型個室が2段に並ぶB寝台個室ソロがあり、車端部にシャワー室を備えている。

2階建て車のうち1両は、2階がA寝台個室シングルデラックス、1階が2人用B寝台個室サンライズツインとなっている。残る4両は、1・2階とも大半がB寝台個室シングル、平屋の車端部などは上段が補助ベッド扱いの2段ベッドを備えるB寝台個室シングルツインとなっている。

東京〜高松・出雲市間（岡山で分割併合）の寝台特急「サンライズ瀬戸・出雲」で運用される。

▼ JR西日本287系「くろしお」「こうのとり」「きのさき」など

非貫通型のクモロハ286の「くろしお」

 車体構造：ダブルスキン構造アルミ車体／全長：20.67m（先頭車）・20.6m（中間車）／全幅：2.915m／全高：3.49m／扉数：1〜2／座席：リクライニングシート／電気方式：直流1500V／制御方式：VVVF制御／制動方式：抑速回生ブレーキ併用電気指令式／主電動機出力：270kW／台車：軸梁式ボルスタレス台車／製造初年：2010年／製造所：近畿車輛・川崎重工

　287系特急形直流電車は、京阪神地区と北近畿および南紀を結ぶ特急用として開発された。

　福知山線・山陰本線の京都〜城崎温泉間などで使用され、老朽化が進んでいた183系（485系改造）や紀勢本線方面などで運用されていた381系を置き換えるため、2010〜12年に新製された。

　ダブルスキン構造アルミ車体の車体には、衝突事故対策として前面上部にクラッシャブルゾーンを設けるとともに、側面にオフセット衝撃対策を施した。先頭車は貫通型先頭車と貫通型準備工事先頭車の2種類があるが、前面形状はほぼ同一で、遠目では見分けにくい。ただ前頭部を近くで見ると、貫通型は外板が一枚板ではなく、観音開きできるようになっていることがわかる（右ページの上段写真参照）。

　塗装は、側窓まわりがライトグレーで、窓下に細いラインが入っている。このラインは投入場所によって色が変わる。北近畿方面へ運用される吹田総合車両所福知山支所配置編成はダークレッド、南紀方面へ運用される吹田総合車両所日根野支所配置編成はオーシャングリーンのラインが施されている。

　走行システムは、JR西日本で321系以降の直流電車で標準となった0.5Mシステムを採用。片側台車は主電動機

貫通型のクモハ287を先頭に宮津を発車する「はしだて」

を装着した電動台車、反対側は主電動機を装着しない付随台車となっている。

本システムの採用とアルミ車体の採用により低重心化を達成しており、非振子式でありながら、曲線通過時の乗り心地の改善を実現させた。

福知山支所には、クモロハ286を組込んだ4両編成の基本編成とモノクラス3両編成の付属編成が配置され、京都～城崎温泉・豊岡・福知山間「きのさき」、京都～天橋立間「はしだて」、京都～東舞鶴間「まいづる」、新大阪～福知山間「こうのとり」で運用する。

一方、日根野支所には、クモロハ286を組込んだ6両編成の基本編成とモノクラス3両編成の付属編成が配置され、新大阪～和歌山・白浜・新宮間の「くろしお」で運用する。

沿線にパンダの育成で知られる白浜のアドベンチャーワールドがあることにちなんだ、パンダくろしお車両

▼ JR西日本289系「くろしお」「こうのとり」「きのさき」など

非貫通型の先頭車で走る「くろしお」

 諸元　車体構造：ダブルスキン構造アルミ車体／全長：21.16m（クロ）・20.67m（クハ・クモハ）・20.6m（中間車）／全幅：2.915m／全高：3.49m／扉数：1～2／座席：リクライニングシート／電気方式：直流1500V／制御方式：VVVF制御／制動方式：抑速回生ブレーキ併用電気指令式／主電動機出力：245kW／台車：軸梁式ボルスタレス台車／改造年：2015年／改造所：吹田総合車両所、福知山電車区

　289系特急形直流電車は、名古屋と北陸を結ぶ特急「しらさぎ」用として開発された683系2000番台特急形交直流電車（2002年就役）を直流専用に改造したもので、塗装は287系に準じている。

　2015年3月の北陸新幹線金沢開業に伴うダイヤ改正で「しらさぎ」を681系化して683系2000番台の一部を捻出し、289系化改造が実施された。「しらさぎ」は、基本編成は8両、付属編成は5両だったが、289系では287系に合わせて、基本編成を4両ないし6両、付属編成を3両に組み替えられた。また、クロ288は半室グリーン車化され、クロハ288となった。

　交流機器は基本的に撤去されたが、使用停止にとどまっていた一部の車両は683系に復帰している。

新大阪～姫路間の「らくラクはりま」は、「くろしお」用289系で運転されている

▼ JR西日本681系量産車「しらさぎ」「サンダーバード」

非貫通のクハ681を先頭とする「しらさぎ」

 車体構造：鋼製車体／全長：21.41m（流線形）・21.17m（貫通型）・21.1m（中間車）／全幅：2.92m／全高：3.55m／扉数：1／座席：リクライニングシート／電気方式：直流1500V・交流20000V60Hz／制御方式：VVVF制御／制動方式：回生ブレーキ併用電気指令式／主電動機出力：220kW／台車：軸梁式ボルスタレス台車／製造初年：1995年／製造所：川崎重工・近畿車輛・日立製作所・新潟鐵工所

　681系特急形交直流電車は、北陸本線用にJR西日本が開発した車両。在来線での160km/h運転をめざして開発され、北陸新幹線の金沢延伸前には、北越急行線で160km/h運転を行っていた。

　試作車が1992年に登場し、95年に量産を開始。同年4月から「スーパー雷鳥（サンダーバード）」の定期運行に入っている。

　北越急行が開業すると、同線経由の「はくたか」に投入されたが、新幹線の延伸で名古屋・米原〜金沢間「しらさぎ」に転用された。

　現在の681・683系は「しらさぎ」用と「サンダーバード」用で、塗装が変更されている。

側窓下のオレンジラインが「しらさぎ」用の印

▼ JR西日本683系「しらさぎ」「サンダーバード」

非貫通型のクロ683を先頭とする「サンダーバード」

諸元 車体構造：ダブルスキン構造アルミ車体／全長：21.41m（流線形）・21.17m（貫通型）・21.1m（中間車）／全幅：2.915m／全高：3.49m／扉数：1～2／座席：リクライニングシート／電気方式：直流1500V・交流20000V60Hz／制御方式：VVVF制御／制動方式：回生ブレーキ併用電気指令式／主電動機出力：245kW／台車：軸梁式ボルスタレス台車／製造初年：2001年／製造所：川崎重工・近畿車輛・日立製作所・日本車輌・新潟トランシス

　683系は、681系の後継車両として開発された。北陸本線に残存していた485系特急形電車を置き換えるため、2001年から投入された。

　車体構造は、681系は鋼製車体だったが、683系はダブルスキン構造アルミ車体となった。また681系は最高速度160km/hを考慮した仕様だったが、683系は130km/h仕様となった。さらに流線形前頭部はクロのみで、ほかの先頭車は貫通形となった。

　「しらさぎ」用として登場した2000番台や、基本編成を9両編成とする4000番台は、クロの前頭部を貫通型準備構造となった。また、北陸急行8000番台が160km/h仕様で製造された。

　前頭部デザインは681系をベースとしているが、非貫通式は連結器が露出していて、運転台側窓が三角形になっているなどの相違点がある。

　一方、貫通式は2000番台から腰部前灯上部に小型手すりが設けられた点以外は形状の差異がない。

　車体側面の差異は目立たないわりに大きく、681系は連続窓で車体側面下部が一直線であるのに対し、683系は非連続窓で台車間の車体側面下部が下がっている。

683系4000番台の「サンダーバード」。正面前灯下や側窓下の青ラインから、リフレッシュ工事を経ていることがわかる

683系4000番台と併結され、先頭に立つ683系2000番台付属編成

▼ JR西日本キハ189系「はまかぜ」

諸元 車体構造：ステンレス車体／全長：21.3m／全幅：2.9m／全高：3.65m／扉数：1～2／座席：リクライニングシート／動力伝達方式：液体式／制動方式：電気指令式／機関出力：450kW／台車：軸梁式軽量ボルスタレス台車／製造初年：2010年／製造所：新潟トランシス

　キハ189系特急形ディーゼルカーは、特急「はまかぜ」に使用されていた国鉄開発のキハ181系特急形ディーゼルカーを置き換えるため、JR西日本が開発した車両。2010年に登場し、吹田総合車両所京都支所に21両配置されている。

　キハ189形0番台（運転台・WCあり）、キハ189形1000番台（運転台あり・WCなし）のあいだに、キハ188形（運転台なしWCあり）が入る3両編成が標準。

　通常期は3両編成で運転されるが、多客期やカニ目当ての利用が多い晩秋から早春までは、平日でも3両編成を2組連結した6両編成で運転されることが多い。

　ステンレス車体を採用し、出力450PSの駆動用エンジンを1両につき2台搭載する。照明・空調などのサービス電源は駆動用エンジンから供給するため、サービス電源用エンジンは搭載していない。

　3両編成を組んだ場合、最高速度は130km/h（2両の場合120km/h）となり、大阪～姫路間を新快速と同等に走行できる性能を有する。

　大阪と兵庫県北部を播但線経由で結ぶほか、車両基地への回送を利用して、上り「らくラクびわこ」に充当される。

　2024年春の北陸新幹線敦賀開業を受け、同年秋に登場する敦賀～城崎温泉間の観光列車「はなあかり」に使用する観光車両への改造が発表されている。

JR東海 HC85系ハイブリッドディーゼルカー「ひだ」

諸元

[試験走行車] 車体構造：ステンレス車体／全長：21.3m／全幅：2.918m／全高：3.75m／扉数：1／座席：リクライニング／動力伝達方式：シリーズハイブリッド方式／制動方式：回生ブレーキ併用電気指令式／機関出力：336kW／主電動機出力：145kW／台車：タンデム式ボルスタレス台車／製造初年：2019年／製造所：日本車輌

　HC85系特急形ハイブリッドディーゼルカーは、キハ85系特急形ディーゼルカーを置き換えるためにJR東海が開発したもので、同社初のハイブリッド気動車となった。大阪〜高山間の特急「ひだ」に2023年3月ダイヤ改正から充当され、関西でも毎日走るようになった。

　動力は、安全性・快適性の向上と環境負荷の低減のため、エンジンで発電した電力と主蓄電池の電力により主電動機を駆動するハイブリッド方式が採用された。

　キハ25のカミンズ製エンジンを発電エンジンとするC-DMF14HZFを1両に1台搭載し、主発電機には永久磁石同期発電機を採用。リチウムイオン電池を採用した主蓄電池は、1両あたり40kWhの大容量を確保した。主電動機は1両につき2台を装着する。

　力行時は、エンジンで発電した電力と主蓄電池から供給された電力をVVVF制御で主電動機を駆動する。制動時は、主電動機で発生した電力を蓄電池に充電することで制動力とする。従来のディーゼルカーより効率的な駆動システムとなり、従来のキハ85系に比べ、エンジン搭載数の半減を実現した。

　さらに国内の鉄道用システムで初めて、電動機と発電機の両方に全閉式永久磁石同期機を採用した。従来のハイブリッドシステムよりも高効率なシステムを実現し、ハイブリッド車両では国内初となる120km/h運転を実現している。

▼ 智頭急行HOT7000系ディーゼルカー「スーパーはくと」

非貫通型のHOT7000形を先頭に走る「スーパーはくと」

 諸元　車体構造：ステンレス車体／全長：20.8m／全幅：2.845m／全高：3.77／扉数：1／座席：リクライニングシート／動力伝達方式：液体式／制動方式：電気指令式／機関出力：355kW／台車：制御式自然振子装置付き円錐積層ゴム式ボルスタレス台車／製造初年：1994年／製造所：富士重工

　智頭急行HOT7000系は、「スーパーはくと」用車両として開発された特急用ディーゼルカー。

　本車両を所有する智頭急行は、鳥取・岡山・兵庫県などが出資する第三セクター鉄道。鳥取市など鳥取県東部と京阪神を短絡する智頭急行の開業に伴い、新型特急用車両として計画された。

　曲線部での高速走行を可能とするため、JR四国の制御付振子式ディーゼルカー、2000系特急形ディーゼルカーをベースとして開発されている。

　更新工事により、モバイル用コンセント取り付けなど、車内の利便性や快適性の向上が図られているが、後継車の検討時期となっており、今後の動向が気になるところだ。

予備の先頭車は貫通型となっており、必要に応じて方向転換（方転）して使用される

JR西日本103系3500・3550番台

播但線用3500番台

 諸元　車体構造：鋼製車体／全長：20.0m／全幅：2.858m／全高：4.09m／扉数：4／座席：ロングシート／電気方式：1500V／制御方式：抵抗制御／制動方式：電気ブレーキ併用電磁直通ブレーキ／主電動機出力：120kW／台車：ウイング式コイルばね台車／改造年：1998年／改造所：JR西日本鷹取工場・吹田工場

　103系通勤形直流電車は、国鉄を代表する通勤形電車。JR西日本では、原形に近いスタイルで残っていた車両はすでに引退し、体質改善工事と称する大規模リニューアルと短編成化工事を行った編成のみが残る。

　3500番台は播但線南部の電化時に投入された。中間車の先頭車改造車だが、原形の先頭車に近いスタイルなので、103系の雰囲気をよく残している。

　3550番台は加古川線電化に登場した車両で、西脇市以南で使用される。3500番台と同様、先頭車改造を受けた中間車だが、貫通型先頭車なので、103系らしさがあまり感じられない。

加古川線の3550番台。体質改善工事のおかげで、車齢のわりに古さを感じないが、消費電力や保守の問題があり、先行きが心配な車両のひとつ

JR西日本113系・115系

山陽地区の地域色をまとう115系

諸元　[115系] 車体構造：鋼製車体／全長：20.0m／全幅：2.9m／全高：4.077m／扉数：3／座席：セミクロスシート／電気方式：直流1500V／制御方式：抵抗制御／制動方式：抑速ブレーキ併用電磁直通ブレーキ／主電動機出力：120kW／台車：ウイング式コイルばね台車／製造初年：1963年／製造所：汽車製造、日本車輌、川崎車輛、川崎重工、近畿車輛、東急車両、日立製作所

平坦線用の113系と勾配線区用の115系は、国鉄を代表する近郊形直流電車。

吹田総合車両所京都支所所属の113系が引退し、滋賀県での運用がなくったため、関西では以下の2ヵ所でしか見られなくなった。

まず、舞鶴線・山陰本線綾部～城崎温泉間で運用される吹田総合車両所福知山支所の113系（モスグリーン）。

もうひとつは山陽本線姫路以西で運用される下関総合運転所岡山支所の115系（黄色・2編成のみ湘南色）だが、こちらは2023年度から順次227系500番台への置き換えが決まっており、いつまで見られるかわからない。

京都地区地域色のモスグリーンとなっている福知山の113系

JR西日本201系・205系

奈良線で運行される205系0番台。運転台側の窓が大きい

諸元 車体構造：ステンレス車体／全長：20.0m／全幅：2.87m／全高：4.086m／扉数：4／座席：ロングシート／電気方式：直流1500V／制御方式：界磁添加励磁制御／制動方式：回生ブレーキ併用電気指令式／主電動機出力：120kW／台車：円錐積層ゴム式軽量ボルスタレス台車／製造初年：1985年／製造所：東急車輛、川崎重工、日本車輌、日立製作所、近畿車輛

　201系は103系に代わる通勤形電車として開発された電機子チョッパ制御車だ。同制御方式を地上線主力電車に採用した例はめずらしい。メンテナンスの問題などから置き換えが進み、関西本線でわずかに残るが2024年度中に全廃の見込み。

　205系は、製造コストが高価だった201系に代わる通勤形電車の主力として開発された。界磁添加励磁制御を採用することで、新製費用を抑えながら省エネ性能を向上させた。国鉄量産車両として初めてステンレス車体と電気指令式ブレーキを採用した。

　関西では、国鉄時代に東海道・山陽

関西本線でわずかに残る201系

緩行電車に投入され、JR西日本発足後に助士席前面窓を大型化した1000番台が阪和線に投入された。現在は、0番台・1000番台ともに奈良線で使用されている。

JR西日本207系

体質改善施工車では、窓下の青色の帯が太くなっている

 諸元

[2000番台] 車体構造：ステンレス車体／全長：20.0m／全幅：2.95m／全高：3.7m／扉数：4／座席：ロングシート／電気方式：直流1500V／制御方式：VVVF制御／制動方式：回生ブレーキ併用電気指令式／主電動機出力：220kW／台車：円筒積層ゴム式ボルスタレス台車／製造初年：2002年／製造所：川崎重工、近畿車輛

207系通勤形直流電車は、JR東西線開業に備えてJR西日本が開発した、同社初のVVVF制御電車。通勤形電車では、JRグループ初の広幅車体を採用したことでも知られる。

1991年3月に試作車7両編成1本が片町線に登場、同年12月から量産を開始した。主に機器関係の変更によるマイナーチェンジを受けながら2003年まで増備が続いた。さまざまな編成が組まれた。現在は和田岬線用の6両編成1本と東海道・山陽本線、福知山線、JR東西線、片町線などで運用する3両編成と4両編成と併結した7両編成がある。

2014年以降、大規模リニューアルを行う体質改善工事が行われている。

体質改善工事未施工の編成。施工済みの車両は前灯・尾灯・行先表示・種別表示が交換され、運転台側前面窓の小型化などで前面デザインが異なる。車内も改装された

▼ JR西日本321系

諸元 車体構造：ステンレス車体／全長：20.0m／全幅：2.95m／全高：3.63m／扉数：4／座席：ロングシート／電気方式：直流1500V／制御方式：VVVF制御／制動方式：回生ブレーキ併用電気指令式／主電動機出力：270kW／台車：軸梁式ボルスタレス台車／製造初年：2005年／製造所：近畿車輛

　321系通勤形直流電車は、207系の後継車として開発された、新世代の通勤形電車。

　オールロングシートの4扉車で、ステンレス車体を採用したVVVF制御車という点では207系と変わらないが、技術の進化と利用者のニーズをふまえ、おもに快適性の向上が図られた。

　座席は、腰掛の座面高さを再検討し、6人掛けとして1人分の幅を拡大した。また、荷棚の高さも下げた。側扉上方の案内表示は、扉間天井部の大型液晶画面に変更するなど、接客設備も改善された。

　非常換気窓も見直され、207系では下降式妻窓だったが、大型側窓の4ヵ所が下降式となった。これにより、貫通路を中央に設置できるようになった。

　走行装置は、1両に2台ある台車の一方を動力台車、もう一方を付随台車とする0.5Mシステムを採用し、主要機器配置を各車同一とした。これにより編成構成の自由度の向上と、車両重量の均一化を図った。

　ただし、本系列では編成出力に余裕があるため、7両編成中1両を付随車としている。

　車体断面は、223系をベースとした通勤・近郊形共通断面を採用。前面の灯具は前灯・フォグランプ・尾灯をまとめ、前面下部に左右に分けて配置している。

JR西日本323系

諸元 車体構造：ステンレス車体／全長：20.0m／全幅：2.95m／全高：3.93m／扉数：3／座席：ロングシート／電気方式：直流1500V／制御方式：VVVF制御／制動方式：抑速回生ブレーキ併用電気指令式／主電動機出力：220kW／台車：軸梁式ボルスタレス台車／製造初年：2016年／製造所：近畿車輛、川崎重工

　323系通勤形直流電車は、大阪環状線を3扉車に統一するために開発された大阪環状線専用電車。2016〜19年に8両編成22本176両が新製された。

　従前の大阪環状線では、環状線専用の4扉車と、関西本線・阪和線直通快速の3扉車が混在していたため、整列乗車の促進のため、3扉車への統一が検討された。2014年2月にラッシュ時の全列車を近郊形とする実験を行い、良好な結果を得たことから、全列車の3扉化が決まった。このため、323系はJR西日本が開発した通勤形では初めての3扉車となった。

　駅施設の関係などから、外回りで先頭車となる8号車が混雑することが多い。このため、8号車では側扉付近を広く開けるなどレイアウトが若干変更された独自仕様となっている。

　また、これまでの通勤形207系・321系では、快速運用を考慮して最高速度は120km/hだったが、323系では100km/hに抑えられた。

　321系・225系と同様に0.5Mシステムを採用し、オール電動車の8両編成となっている。増結を行うことはないため、先頭部には転落防止幌はなく、電気連結器も装備していない。

　なお、101系時代から使用されている朱色1号を側扉横のアクセントカラーに使用するなど、大阪環状線のイメージを維持している。

JR西日本221系

諸元

車体構造:鋼製車体／全長:20.1m(先頭車)・20.0m(中間車)／全幅:2.95m／全高:4.09m／扉数:3／座席:転換(一部固定)クロスシート／電気方式:直流1500V／制御方式:界磁添加励磁制御／制動方式:抑速回生ブレーキ併用電気指令式／主電動機出力:120kW／台車:円錐積層ゴム式ボルスタレス台車／製造初年:1989年／製造所:近畿車輛、川崎重工、日立製作所、JR西日本鷹取工場・後藤車両所

　221系近郊形直流電車は、JR西日本が初めて新規設計した新型電車。新快速用として国鉄が1979年に登場させた117系、快速用として関西地区各線で使用されていた113系の後継車として開発され、1989年に登場した。

　制御方式は、国鉄末期に開発され、205系・211系などで使用された界磁添加励磁制御が採用され、回生ブレーキ併用の省エネ車となった。

　車内設備の改善も図られ、3扉車だが、2扉車の117系と同等の座席定員が確保された。また、転換クロスシートを基本とするオールクロスシート車だが、シート間の通路部分(のちに側扉部も)にも吊り革を配置するなど、国鉄時代とは異なる仕様となった。

　車体塗装は、ピュアホワイトを基調に、新快速のシンボルカラーであるブラウンと、コーポレートカラーのブルーのラインを腰板部に配し、前頭部は大型の曲面ガラスを使用した半流線形という独自デザインに仕上げられた。

　さらに、さまざまな両数の編成を組むため、MMユニットと1M方式を組み合わせられるようにされた。

　2023年度末までに、吹田総合車両所京都支所、同奈良支所に集中配備され、関西本線電化区間を221系に統一する予定だったが、転属計画が予定どおり進まず播但線の運用が残り、関西本線の統一も遅れている。

JR西日本223系

尾灯が低い位置にある1000番台原型車

 2000番台　車体構造:ステンレス車体／全長:20.1m(先頭車)・20.0m(中間車)／全幅:2.95m／全高:3.64m／扉数:3／座席:転換(一部固定)クロスシート／電気方式:直流1500V／制御方式:VVVF制御／制動方式:抑速回生ブレーキ併用電気指令式／主電動機出力:220kW／台車:軸梁式ボルスタレス台車／製造初年:1999年／製造所:近畿車輛、川崎重工

　223系近郊形直流電車は、221系に代わる近郊形として開発された。転換式を主体とするオールクロスシートの接客設備を有する点では221系を引き継いだが、VVVF制御とステンレス車体を採用した点が大きく異なる。

　1994年9月の関西国際空港開港に合わせ、アクセス快速用として0番台が登場した。続いて、東海道・山陽本線の輸送力増強と接客設サービスのレベル向上を図り、1995年に1000番台が投入された。

　0番台では、空港利用者の大型手荷物に対応するため、シート配列を1-2列として座席横に荷物を置くスペースを確保した。また、221系と同様、戸袋窓を設け、扉間の座席は6列配置となった。最高速度は120km／h。

　1000番台は、阪神・淡路大震災の復興需要で輸送力増強が必要となった東海道・山陽本線の新快速・快速用として投入された。競争力を高めるため、最高速度は130km／hに向上された。また、側扉付近のスペースを拡大するため、大部分の戸袋窓を廃止して扉間5列配置とし、さらにロック機能をもつ折りたたみ式補助シートを設置した。

　車体は、0番台ではビードレスだったが、1000番台では幕板部と腰板部に少数のビードが入り、前灯は丸灯2灯からフォグランプ併設の角形となった。腰板部のラインはブルーのグラデーシ

1999年に投入された2000番台は、尾灯位置が変更された。また、UVカットガラスの採用によりカーテンが廃止されたが、のちに復活した

ョンから221系を意識した茶・青・白のラインとなった。

2000番台は、新快速の130km/h運転化を実現と、老朽化が進む113系などを経済的に置き換えるために開発され、1999年に投入が始まった。製造コストを抑えるために車体構造が変更され、側面のビード、戸袋窓が廃止された。さらに補助シートのロック表示・収納式背もたれも省略された。また、換気用側窓は下降式から内倒れ式となった。なお、側窓ガラス色は増備途中で茶色から緑色に変更された。

2000番台の登場により、朝ラッシュ時の新快速は130km/h運転と

なり、2000年には終日130km/h化された。

2500番台は、0番台の増備車として2000番台と同時期に阪和線に投入された。先頭部デザインは2000番台と共通化され、接客設備0番台に準じたものとなった。側扉間の座席は5列化され

「関空紀州路快速」に充当された223系2500番台。0番台や225系と混結で走ることも多い

山陰本線京都口で運用される221系と併結する5500番台。先頭貫通路扉や乗務員扉の下部に入るオレンジラインは221系性能車の目印

たが、補助シートは設置されていない。2500番台を混結することで、阪和線用223系を組み替え、関空快速と併結する紀州路快速が登場した。

2018年頃から、行先・種別表示装置のフルカラーLED化、尾灯の位置変更、前灯のLED化などのリニューアル工事が始まり、0番台のみの編成ではほぼ終了し、1000番台でも4両編成は完了、8両編成の工事が進行中だ。

5500番台は、福知山地区を中心に運用されていた113系を置き換えるために開発され、2008年に新製された。車体は2000番台がベースだが、2000番台では非常用扉となっている先頭部貫通扉が変更され、連結時に貫通路として使用できる先頭部貫通扉・幌を備えており、ワンマン運転仕様となっている。

223系は、当初から走行性能を221系と同等とする機能を備えているが、この設定を221系側に固定した2000番台車両が6000番台。百の位以下は変更していないため、原番を容易に推測できる。221系性能固定をやめて、原番に復帰した車両もある。

福知山線で使用される宮原支所所属の6000番台。JR東西線対応のためダブルパンタで登場したが、JR東西線乗り入れ運用は2011年に終了した

JR西日本225系

0番台と5000番台は、前面の灯具配置がほかの番台と異なる

 車体構造：ステンレス車体／全長：20.0m／全幅：2.95m／全高：3.63m／扉数：3／座席：転換（一部固定）クロスシート／電気方式：直流1500V／制御方式：VVVF制御／制動方式：抑速回生ブレーキ併用電気指令式／主電動機出力：270kW／台車：軸梁式ボルスタレス台車／製造初年：2010年／製造所：近畿車輛、川崎重工

　225系近郊形直流電車は、2010年に登場した223系の後継車両。JR西日本の直流電車の標準仕様となった0.5Mシステムを採用している。

　JR西日本が最初に開発した近郊形電車221系以降続く、転換クロスシートを主体とするオールクロスシートの3扉車で、233系に引き続きステンレス車体を採用した。

　0.5Mシステムは、各車両に補助電源装置と一体の1C2M方式の制御装置を備え、電動台車と付随台車を各1台装着する。主要機器は全車両共通で、補助電源装置の故障時も編成全体でバックアップが可能なシステムとなっている。全電動車による低重心化で安全性が向上し、乗り心地も改善された。

　さらに先頭部上部にクラッシャブルゾーンを設け、オフセット衝撃対策としてガイド板構造を採用。側面衝突対策としては、側板・天井・台枠をリング構造として一体化して構体強度を向上させている。なお、構体共通化により、製造コストが低減されている。

　前灯は、フォグランプも含めてHIDを採用。前頭部は平面形状になったが、前面扉は非常用で、貫通路としての使用は考慮されていない。

　側面扉間は、側扉寄り1列に下降式小窓、中間の3列が大型固定窓が設置

225系6000番台。225系 0 番台を最高速度120km/hの福知山線仕様に改造して改番。前面貫通扉等の黄色細線が目印

されている。

2016年、225系 2 次車100番台が網干本所に投入された。走行性能は 0 番台と変わらないが、前灯の位置がフォグランプよりも外側でやや高くなり、その外側に尾灯が配置された。また、腰板部のラインは灯具配置に合わせた曲線となったため、1 次車とは印象がかなり異なる。また、行先・種別表示器はフルカラー LED となった。

2020年に登場した 3 次車からは前灯がLED化された。なお、2023年 1 月には、Aシート車が新製されている。

5000番台・5100番台は、0 番台・100番台の阪和線バージョンで、最高速度は120km/h。腰板部のラインデザインや走行性能、座席配置などは223系2500番台に準じるが、前面形状や車体設計などは225系 0 ・100番台と同等。大型手荷物対応のため、座席は 1 - 2 列配置となっている。

なお、233系2500番台の一部は、2023年春に吹田総合車両所京都支所に転属し、山陰本線・湖西線に投入された。

2020年に登場した 3 次車。前灯がHIDからLEDに変わり、前面や側面の種別表示がフルカラーLED化された

225系5100番台 4 両編成を 2 本併結した関空・紀州路快速

225系5000番台 4 両編成を 2 本併結した関空・紀州路快速

JR西日本227系500・1000番台

諸元 ［1000番台］車体構造：ステンレス車体／全長：20.0m／全幅：2.95m／全高：3.63m／扉数：3／座席：ロングシート／電気方式：直流1500V／制御方式：VVVF制御／制動方式：抑速回生ブレーキ併用電気指令式／主電動機出力：220kW／台車：軸梁式ボルスタレス台車／製造初年：2018年／製造所：川崎重工、近畿車輛

　227系近郊形直流電車は225系をベースに開発された車両で、2015年に新製が始まった。セミクロスシートの０番台は広島地区に投入された。

　関西では、桜井線、和歌山線、紀勢本線の105系・113系・117系を置き換えるため、2018年に登場した1000番台が吹田総合車両所日根野支所新在家派出所に配置され、2020年までに２両編成34本が配置された。

　０番台と同様にステンレス車体を採用し、側窓も同様の配置だが、座席は扉間10人掛けのオールロングシートになった。扉間の側窓は、扉寄りが下降式小型窓、中央部が大型固定窓になり、側扉横の側板などに配されるアクセントカラーは緑色となった。

　動力システムは、321系以降のJR西日本の直流電車で標準となった0.5Mシステムを採用し、最高速度は110km/hとされた。なお、霜取り用にダブルパンタとなっている編成が８本配置されている。

　また、０番台ではHIDだった前灯とフォグランプはLEDに変更され、主電動機も220kWの全閉かご形三相誘導電動機に変更された。

　2023年には、岡山にセミクロスシートの500番台「Urara（うらら）」が配置され、徐々に運用区間を拡大し、2024年１月20日からは姫路まで運用されるようになった。

JR西日本125系

諸元 車体構造：ステンレス車体／全長：20.34m／全幅：2.95m／全高：4.03m／扉数：2／座席：セミ転換（一部固定）クロスシート／電気方式：直流1500V／制御方式：VVVF制御／制動方式：回生ブレーキ併用電気指令式／主電動機出力：220kW／台車：軸梁式ボルスタレス台車／製造初年：2002年／製造所：川崎重工

　125系一般形直流電車は、2003年3月に開業した小浜線電化に合わせ、JR西日本が開発したローカル線用の両運転台電車。

　ローカル線用の電車は、改造車を使用することが多いが、小浜線では電化工事費用を地元が負担したため、新製車が投入された。

　2004年12月に電化が完成した加古川線も、地元や民間の寄付で相当額の負担があり、需要の少ない北部用として125系が新製投入された。

　車体は、223系2000番台の中間車の構体をベースとしたステンレス車体で、2扉車だが中扉を設置して3扉化が可能な設計になっている。前面は貫通形で、最大5両編成が可能。

　1M方式だが、1両に2台ある台車の一方は主電動機を装架した電動台車、もう一方は電動機のない付随台車で、1C1M方式の制御装置を2系統搭載することで冗長性を高めている。

　投入線区では高速運転を行うことはないが、幹線で回送運転を行う可能性を考慮し、設計最高速度は120km/hとされている。

　転換クロスシートが主体で、シートレイアウトは車いすの通行を考慮して通路幅を広くした1-2列配置だが、小浜線用車両は、着席定員を増加させるため、2-2列配置に改造された。

▼ JR西日本521系

諸元 車体構造：ステンレス車体／全長：20.1m／全幅：2.95m／全高：3.69m／扉数：3／座席：セミ転換（一部固定）クロスシート／電気方式：直流1500V・交流20000V60Hz／制御方式：VVVF制御／制動方式：回生ブレーキ併用電気指令式／主電動機出力：220kW／台車：軸梁式ボルスタレス台車／製造初年：2006年／製造所：川崎重工、近畿車輛

521系近郊形交直流電車は、北陸本線の普通列車用に開発された交直流電車。2006年9月に完成した北陸本線長浜～敦賀間、湖西線永原～近江塩津間直流化工事に合わせて投入された。

それまで北陸本線のローカル列車には、急行形や急行形・特急形を近郊形に格下げ改造した電車が使用されていた。北陸本線の大部分は交流電化だったため、大阪近郊で使用されていた直流電車を転用することが難しかったが、直流化により晴れて新製車が投入された。

その後も本形式の投入が続き、北陸新幹線開業に伴う経営分離で発足したあいの風とやま鉄道、IRいしかわ鉄道の主力車両となっている。また2024年春、北陸新幹線敦賀延伸に伴う経営分離で開業したハピラインふくいにも、JR西日本から同形車両が譲渡された。

車体は223系6000番台をベースとした3扉前面貫通形を採用するが、通勤形近郊形共通車体断面として設計された321系と同形となり、組立工法にも321系の手法を取り入れた。

521系は改良を重ねながら増備されたため、新製年次で前面形状が異なるグループもあるが、関西圏の米原や湖西線北部まで運用されるのは、第1次車のみとなっている。

JR東海311系・313系

米原駅に停車する313系

 ［313系］車体構造：ステンレス車体／全長：20.1m（先頭車）・20.0m（中間車）／全幅：2.978m／全高：4.02m／扉数：3／座席：転換（一部固定）クロスシート／電気方式：直流1500V／制御方式：VVVF制御／制動方式：回生ブレーキ併用電気指令式／主電動機出力：185kW／台車：円錐積層ゴム式ボルスタレス台車／製造初年：1999年／製造所：日本車輌、近畿車輛、東急車両

JR東海311系近郊形電車は、1989年に登場した界磁添加励磁制御のオールクロスシート車。3扉ステンレス車体を採用し、側扉横と妻部を除き転換クロスシートとなっている。

JR東海313系近郊形電車は、JR東海の在来線普通列車用の主力車両。1999年に登場して以来、投入線区などの状況に合わせさまざまな仕様の区分番台が登場し、2014年まで新製が続いた。

VVVF制御のステンレス車体3扉車で、米原までの運用には転換クロスシートが主体のオールクロスシート車が充当されることが多いが、固定クロスシートのセミクロスシート車が充当されることもある。

米原に入線する311系の運用は少ない。正面の形状は211系をベースに曲面で構成したデザイン

JR西日本キハ40・41・47形ディーゼルカー

豊岡地区でしか見られないキハ41形

 [キハ41] 車体構造：鋼製車体／全長：21.3m／全幅：2.93m／全高：4.03m／扉数：2／座席：セミクロスシート／動力伝達方式：液体式／制動方式：自動空気ブレーキ／機関出力：265PS／台車：ウイング式コイルばね台車／改造初年：1998年／製造所：JR西日本鷹取工場・後藤総合車両所

キハ40系と総称される、キハ40・41・47形一般形ディーゼルカーは、国鉄時代にローカル列車用として開発され、全国各地に投入された。片運転台で両開き側扉がキハ47、両運転台で片開き側扉がキハ40、キハ47の両運転台化の改造車がキハ41。

最初に新製されたキハ47は、山陰本線京都口用に配置されており、関西に縁が深いディーゼルカーといえる。

播但線寺前以北でキハ41とともに活躍するキハ40

各社で淘汰を進むなか、JR西日本では、観光列車への改造車を含めるとキハ40系の大多数が健在している。

客席は、各形式とも新製時はセミクロスシートだったが、使用線区の状況に応じてロングシートを増やすなど、改造された車両も多い。

JR西日本キハ120形ディーゼルカー

リニューアル工事未施工車

 [300番台] 車体構造：ステンレス車体／全長：16.3m／全幅：3.188m／全高：4.045m／扉数：2／座席：セミクロスシート／動力伝達方式：液体式／制動方式：自動空気ブレーキ／機関出力：330PS／台車：山形緩衝ゴム式空気ばね台車／製造初年：1994年／製造所：新潟鐵工所

　キハ120形一般形ディーゼルカーはローカル列車用として製造された車両で、とりわけ多くの利用者が見込めない閑散路線に投入された。独自開発の車両ではなく、新潟鐵工所（現・新潟トランシス）のNDCシリーズの第一世代に相当する16m級モデルだ。

　1992年からJR西日本管内の非電化ローカル線向けに導入が始まり、関西では関西本線・亀山〜加茂間に投入された。

　JR西日本管内では、1992年に鋼製車体、セミクロスシートの200番台8両が越美北線と木次線に導入された。

　次いで1993年には、ステンレス車体、ロングシート、固定窓の0番台22両が関西本線、木次線、美祢線などに投入された。また1994〜96年には、ステンレス車体、セミクロスシート、固定窓の300番台59両が導入され、うち6両が関西本線に配置された。

　200番台の車体は投入線区のオリジナル塗装で登場したが、現在はキハ40系と同じ朱色5号に統一されている。

　0番台・300番台は、鋼製の前面部と側面のラインに所属区所別に独自色が使用されており、関西線では紫色となっている。

　新製から25年を経過したため、2017年から体質改善工事に着手し、2024年に終了した。

JR西日本キハ122・127系ディーゼルカー

諸元 [キハ122] 車体構造:ステンレス車体／全長:20.8m／全幅:2.9m／全高:4.04m／扉数:2／座席:セミクロスシート／動力伝達方式:液体式／制動方式:電気指令式／機関出力:450PS／台車:ウイングばね式ボルスタレス台車／製造初年:2008年／製造所:新潟トランシス

　キハ122・127系一般形ディーゼルカーは、沿線自治体の支援を得て行った姫新線（姫路〜上月間）輸送改善事業の一環として、2008〜09年に投入された。

　新潟トランシスで新製され、キハ122系が両運転台車、キハ127系がWC付とWCなしがユニットを組む片運転台車となっている。

　ディーゼルカーと電車を可能なかぎり機器を共通化するという方針のもと、321系電車や521系電車との共通化を図るため、ステンレス車体を採用している。また、ブレーキは電気指令式、冷暖房も電気化するなど、電車システムとの共通化が図られた。こうした電気を動力とする機器の増加への対応として、発電機も大容量化された。

　エンジンは、排出ガスの有害物質を削減するため、コモンレール燃料噴射システムを採用するコマツ製SA6D140HE-2を1台搭載し、動台車は2軸駆動だ。走行性能はキハ121・126系と同等だが、スイッチ操作で加速性能をキハ40系相当とすることができる。

　両開きの側扉は片側2ヵ所、バリアフリー対策としてステップレスとした。WCの横にフリースペースがあり、側扉寄りの座席はロングシート、車両中央は転換クロス主体の1-2列クロスシートが設置されている。側窓は一部が固定窓、それ以外は内倒れ式。

▼ JR西日本キヤ141系総合試験車

諸元 車体構造：ステンレス車体／全長：21.75m／全幅：2.911m／全高：4.05m／動力伝達方式：液体式／制動方式：電気指令式／機関出力：331kW／台車：円筒積層ゴムウイング式ボルスタレス台車／製造初年：2006年／製造所：新潟トランシス

　キヤ141系総合試験車は、「ドクターWest」の愛称で呼ばれる軌道電気総合試験車で、2006年に2編成を新製した。国鉄から継承した高速軌道試験車マヤ34と電気検測車キヤ191系の代替検測車として新製された。

　マヤ34は、客車列車や貨物列車に連結して検測を行っていた。しかし国鉄が分割民営化され、貨物列車を運行するJR貨物が原則として線路保全に関わらなくなると、マヤ34を貨物列車に連結することができなくなった。さらに客車列車も激減したため、マヤ34で検測するには、マヤ34のみを牽引する臨時列車を設定する必要があったが、機関車の保有台数も、機関車を運転できる運転士の数も減っていた。このため、マヤ34の運用が難しくなっていた。

　キヤ191系は、信号やATSなど保安施設の状況を検測する車両と、架線など電化施設の状況を検測する車両の2両を連結した車両だった。

　JR西日本には、キヤ191系とは別にクモヤ443系電気検測車があったので、架線関係の検測はクモヤ443系に集約し、信号通信関係はキヤ141系とクモヤ443系が分担することとし、マヤ34とキヤ191系をキヤ141系で置き換えた。キヤ141系は、信号通信検測車キヤ141と軌道検測車キクヤ141の2両1ユニットとする車両で、2編成が新製され、吹田総合車両所京都支所に配置されている。

　JR西日本管内だけでなく、JR四国やJR九州、第三セクター鉄道が借用して検測を行う。

▼ JR西日本キヤ143形事業用ディーゼルカー

諸元　車体構造：鋼製車体／全長：26.808m（ラッセル形態）／全幅：2.989m／全高：4.087m／動力伝達方式：液体式／制動方式：電気指令式／機関出力：450PS／台車：ウイングばね式ペデスタル台車／製造初年：2014年／製造所：新潟トランシス

　キヤ143事業用ディーゼルカーは、既存の除雪用ディーゼル機関車の置換用車両として開発された事業用ディーゼルカー。

　機関車列車の減少と機関車の運転ができる運転士が減っていることをふまえ、ディーゼルカータイプのラッセル車として開発された。

　降雪期以外は事業用車両として工事列車などで使用できるように、前頭部のラッセル翼は着脱式とされた。このため、キヤ143重連での使用や、2両のキヤ143で事業用車両などを挟むプッシュプル運転が可能になっている。

　最高速度は75km/hで、1両あたり150トン、2両で300トンを牽引して35‰勾配で起動できる。除雪性能は、比重0.2で最大約10万立方メートル/時、最大除雪幅は4500㎜。

　駆動エンジンは、キハ189系と同じコマツ製コモンレール式SA6D140HE-2（450PS）2台を機器室に床上搭載し、床下に排気する。

　前面は非貫通式の3枚窓で、乗務員室の定員は、運転士1名、ラッセル操縦者2名、添乗者2名。エンジン故障時に備え、非常用暖房装置を搭載している。WCもある。

　関西で使用されるキヤ143は、吹田総合車両所福知山支所豊岡派出所と金沢総合車両所敦賀支所に配置されている。

▼ JR西日本DEC741形事業用電気式ディーゼルカー

諸元 車体構造：鋼製車体／全長：21.75m／全幅：2.86m／全高：4.08m／動力伝達方式：電気式／制動方式：電気指令式／機関出力：331kW／台車：軸梁式ボルスタレス台車／製造初年：2021年／製造所：近畿車輛

　事業用電気式気動車DEC741形は、電気設備の検測と線路施設の検測を行う総合検測車。

　もともと、キヤ141系に増結する電気設備検測車の製造が予定されていたが、本形式の登場により当初計画が変更され、本形式がその代替となった。

　本形式は、140kWの主電動機4台を搭載するDEC741-1と、主電動機を搭載しないDEC741-101の2両でユニットを構成する。走行システムとして、両車とも床下に331kWのディーゼルエンジンに245kWの永久磁石同期発電機を直結した主発電装置と車両制御装置を搭載している。また屋根上には、主にエンジン始動時に使用する主蓄電装置を搭載している。

　測定用の電源は、DEC741-1の発電機室に設置したエンジン発電機で供給する。

　電気設備診断システムとしては、DEC741-101は検測用パンタグラフを含む電力測定装置、4台のカメラで架線関係の診断を行う電気設備測定装置を搭載する。DEC741-1には屋根上と側方に50台の特殊カメラと照明を備える電気設備撮像装置を搭載する。

　画像を解析して線路設備を検診する施設・電気設備診断システムとして、直上から軌道を撮影する軌道検査測定装置と、レールの斜め上方向に設置したカメラで軌道の軌間内外方向からレール側面を撮影する継目板検査装置装置を備える。

第2部
滋賀・京都・奈良の私鉄

近畿日本鉄道

本社：大阪府大阪市天王寺区上本町6-1-55

設立：2014（平成26）年4月30日（近畿日本鉄道分割準備（株）設立）

路線：大阪線、難波線、山田線、鳥羽線、志摩線、名古屋線、鈴鹿線、湯の山線、京都線、奈良線、けいはんな線、橿原線、天理線、信貴線、生駒線、田原本線、南大阪線、吉野線、道明寺線、長野線、御所線

車両基地：五位堂検修車庫、高安検修センター、高安検車区、東花園検車区、西大寺検車区、明星検車区、富吉検車区、塩浜検修車庫、古市検車区

営業キロ：計501.1km（第一種鉄道事業487.4km、第二種鉄道事業8.6km、軌道5.1km）

駅数：286駅（鉄道・軌道）

車両数：1895両（鉄道・軌道）

電気方式：直流1500V、直流750V（第三軌条式）

軌間：1435mm／1067mm

＊2023年3月31日現在

● 概要

近畿日本鉄道（以下、近鉄）は、大阪・京都・奈良・三重・愛知の2府3県に500km以上の路線網を展開する日本最大の私鉄として知られる。

近鉄グループは、傘下に奈良交通や三重交通、防長交通などの交通事業や近畿日本ツーリストなどの旅行業のほか、不動産・流通・物流など、幅広い事業展開を行っている。

営業路線は全線電化されているが、各線区建設の経緯から第三軌条式を採用している線区がある。軌間も同様で、1435mmが主力だが、南大阪線など1067mmの区間もある。

大阪・京都・名古屋の大都市近郊鉄道色が強い区間がある一方、大阪～名古屋間を筆頭に都市間連絡に力を入れている。伊勢志摩や奈良、吉野など全国的に知られた観光地と大阪・京都・名古屋を結ぶだけでなく、新幹線と連絡することで、全国と結びつける役割を果たす。

このような路線の性格から、私鉄で有数の有料特急網を形成している。特急用車両は、一時は合理的な運用を優先した設計の車両が目立っていたが、近年は快適性を優先したハイグレードな車両を登場させ、有料特急車両のなかで差別化が図られるようになった。

● 近鉄の歴史

近鉄の線区は、歴史的な経緯などから以下の3グループに分けられる。

- 大阪電気軌道を母体とする「奈良線・大阪線」
- 大阪鉄道（2代目）を母体とする「南大阪線」
- 伊勢電気鉄道を母体とする「名古屋線」

大阪電気軌道が伊勢神宮の参拝客輸送のため、伊勢方面への路線延伸を計画した際、大阪鉄道や伊勢電と競合関係となり、最終的に両社が大阪電気軌道の傘下に入り、近畿日本鉄道が成立した。

◇**大阪電気軌道の発展**

1895（明治28）年、京都電気鉄道が国内初の路面電車を軌道法に基づいて開業させて以来、市街地での路面電車運営は有望な事業として各地で実現した。

その一方、既設の鉄道路線と競合する私鉄の建設は認められていなかった。しかし、1905年に阪神電鉄が軌道法の特許で開業すると、蒸気鉄道と競合する電化鉄道を軌道として建設する計画が各地で立案された。

その一つが、大阪と奈良を結ぶ電気鉄道だ。既存の蒸気鉄道が生駒山地の北側または南側を迂回するルートだったのに対し、生駒山地を横断するルートで計画された。

この計画に対しては起業家3グループが競合していたが、軌道を管轄する大阪府と奈良県の斡旋で3グループが合同し、奈良電気鉄道発起人105名が、大阪市東区上本町〜奈良市三条町間の軌道特許を申請した。

1907年に特許を得たが、社名を「軌道」とするように指導を受け、奈良軌道として1910年に設立された。同年10月には社名を大阪電気軌道（以下、大軌）と改称した。

生駒山地の横断にあたり、鋼索鉄道を利用する案も検討されたが、長大トンネルでの建設に決定し、1911年に「生駒トンネル」案への変更が認可され、掘削工事が始まった（全長3,388m。完

大阪電気軌道が開業時に汽車製造などで新製した18両のデボ1形の1両。五位堂検修車庫内で保存されている

成当時、国内トンネルでは第2位、複線トンネルとしては最長だった）。

1914（大正3）年4月に生駒トンネルが竣工し、上本町（現・大阪上本町）〜奈良仮駅間が開業した。その後、大阪電気軌道は奈良県下で新線建設や既存私鉄を買収し、路線網を拡充させた。1922（大正11）年には、前年買収した天理軽便鉄道の一部区間を改良して天理まで直通を可能とし、1923年には西大寺（現・大和西大寺）〜橿原神宮前間を全通させた。さらに1925年3月には、現在の大阪線の一部となる布施〜八木（現・大和八木）間を開業させている。

◇大阪鉄道の成長

近鉄を構成する路線で最も古い区間は、1898年3月に河陽鉄道として開業した柏原〜古市間だ。河陽鉄道は東高野街道の交通需要を取り込むべく柏原〜河内長野間の路線を計画し、軌間1067㎜の蒸気鉄道として開業した。

その後、大阪市内までの延伸を計画し、1919年に大阪鉄道（2代目。以下、大鉄）と改称した。1923年には道明寺〜大阪天王寺（現・大阪阿部野橋）間の電化新線を全通させ、大阪直通が実現している。なおこの時、国内で初めて直流1500Vを採用した。

その後、堺〜桜井間の免許を保有する南大阪鉄道と合併し、この免許を活用して1929年に古市〜久米寺（現・橿原神宮前）を開業した。

◇伊勢電登場

伊勢で最初に鉄道を開業したのは関西鉄道で、同線は東海道沿いに建設された。これとは別に、地元の有力者によって設立され、津と四日市の直結を目論んだのが伊勢鉄道で、1924年に全通している。国鉄との貨車の直通を考慮し、1067㎜軌間を採用した蒸気鉄道だった。

1926（大正15）年、電化したうえで名古屋と伊勢神宮への延長を計画し、伊勢電気鉄道（以下、伊勢電）と改称。1930年に桑名〜大神宮前間を完成させた。

◇近畿日本鉄道の誕生

大鉄は、桜井までの免許を利用し、さらに伊勢神宮まで延長する構想をもっていた。一方、伊勢神宮への延伸を計画していた大軌は、大鉄との競合を回避するため大鉄に出資を進め、大軌は1927（昭和2）年に桜井〜宇治山田間を建設する参宮急行電鉄（以下、参急）を設立した。こうして1931年3月に参急桜井〜宇治山田間が全通し、上本町〜宇治山田間の直通運転が開始された。

一方、ひと足早く伊勢神宮に達していた伊勢電は、世界恐慌の影響や木曽三川の旧橋梁払い下げに絡む汚職事件の影響で経営難に陥り、同社の経営権をめぐって複数の私鉄が争奪戦に加わった。最終的に大軌・参急が桑名〜名古屋間を建設する関西急行電鉄（以下、関急電）を1936年に設立し、同年に伊勢電と参急が合併することとなった。

関急電の開業は1938年6月で、これにより、大軌・参急・関急電の3社連絡で名阪間が結ばれた。その後、1940年1月に関急電が参急に吸収され、1941年3月に参急と大軌が合併し、関

西急行鉄道（以下、関急）が成立した。

さらに1943年2月には大鉄が関急と合併し、1944年6月に関急と南海鉄道が戦時統合で合併した。そして、この最後の合併で社名が改められ、近畿日本鉄道（以下、近鉄）となった。

なお、旧南海鉄道は1947年3月に南海電鉄として分離した。

◇**戦後も拡大する近鉄**

京都線は、奈良電気鉄道（以下、奈良電）によって1928年に全通した。当初の計画では、京都側は京阪電鉄（以下、京阪）に直通し、奈良側は大軌に直通して市街中心部に乗り入れる予定だった。こうした経緯から、京阪側と大軌側の双方から出資を受けたが、京阪の運転本数が増加し、奈良電を直行させることが難しくなった。このため、旧奈良鉄道廃線敷きを利用して独自に京都駅への路線を建設することとなった。

一方、近鉄は、京都へ進出する足がかりとして奈良電を傘下に収めようと動いていた。これに対し、京阪は滋賀方面への進出などの懸案を抱えていたこともあり有効な対抗策を打ち出せず、結局1962年に自社が保有する奈良電株を近鉄に譲渡した。奈良電は1963年10月に近鉄と合併し、奈良電京都線は近鉄京都線となった。

近鉄の拡大はこの後も続き、1965年には三重電気鉄道を合併し、1970年3月に鳥羽線を開業した。また、志摩線を1435mmに改軌開業した。同年3月15日には上本町〜難波間の難波線も開業している。

さらに、大阪市営地下鉄（現・Osaka Metro）中央線の延伸区間にあたる東大阪線（現・けいはんな線）長田〜生駒間を1986年に開業し、2006年には同線を学研奈良登美ヶ丘まで延長している。

ほかの大手私鉄でも、新線開業による勢力圏拡大を図った例はあるが、近鉄ほど大規模な例は非常にめずらしいといえよう。

● **各線区の現状**

◇**特急列車**

現在、特急列車が走っているのは大阪線、山田線、鳥羽線、志摩線、名古屋線、奈良線、京都線、橿原線、南大阪線、吉野線。一般列車が直通しない線区同士の直通が見られることが特徴だ。さらに特急同士の乗継を考慮したダイヤで運行され、この場合の特急料金は通算で計算される。

車両面でも、国内でいち早く2階建て車を開発し「ビスタカー」という愛称を与えた。また私鉄ではめずらしい軽食供食設備を備えた「スナックカー」も導入した。

こうした車両の利用には付加料金は不要だったが、これとは別に特別車両料金が必要になるデラックス席も導入した。皮切りは名阪ノンストップ用に投入したアーバンライナーのデラックス席で、その後も特別車両料金が必要な車両を連結した「伊勢志摩ライナー」「さくらライナー」を投入している。

さらに、全車とも特別車両料金のいる観光特急「しまかぜ」「青のシンフォニー」「あをによし」を相次いで投入し、名阪特急用として特別車両料金（レギュラーとプレミアムの2クラス制）が必要となる「ひのとり」を登場させている。

◇奈良・京都線

奈良線は、阪神なんば線と相互直通運転を行っており、近鉄奈良〜神戸三宮間では快速急行が、近鉄奈良〜尼崎間では準急・区間準急・普通が運転されている。なお、阪神に直通しない大阪難波〜近鉄奈良間を走る快速急行・急行・準急・区間準急・普通は同線内で運転を完結するが、一部は阪神なんば線桜川駅引上線で折り返すため、回送で阪神線に入線する。

奈良線は、Osaka Metro中央線の延伸区間のあたり、奈良線のバイパスとなるけいはんな線と生駒で接続するが、電化方式の違いなどで直通運転は行っていない（近鉄は、けいはんな線と直通可能な車両を開発すると公表している）。

京都線は、竹田で接続する京都市地下鉄烏丸線と相互直通を行っており、急行は近鉄奈良〜国際会館間、普通は新田辺〜国際会館間で運転される。

京都線から近鉄奈良直通列車は少なく、急行は橿原神宮前直通が主流だ。

◇大阪・山田線

大阪線の列車は、特急を除き、大阪上本町地上ホームの発着で、大阪難波には直通しない。

大半の快速急行・急行は、私鉄ではめずらしい長距離列車で、大阪上本町から約70kmの名張以遠まで足を伸ばす。私鉄の料金不要列車ではめずらしいWC付編成で運用されることも多い。

山田線直通の快速急行・急行は、以前より本数は減ったものの、いまも運行されており、大阪上本町〜鳥羽間列車が平日ダイヤでは下り1本、土休日ダイヤでは上下2本設定されている。

◇南大阪・吉野線

南大阪線と吉野線は橿原神宮前で接続し、特急以外でも一部列車は直通運転を行っている。また、大阪阿部野橋から長野線河内長野へ直通する準急もある。

なお、南大阪線・吉野線と橿原線では軌間が異なるため、直通運転はできないが、接続を考慮したダイヤになっている。

名阪特急復権の立役者21000系

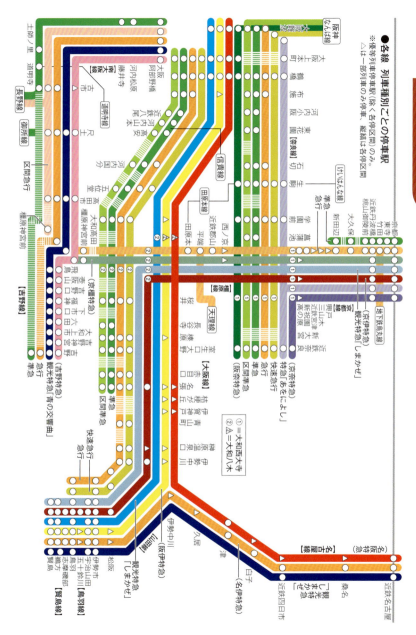

近鉄80000系「ひのとり」

諸元　車体構造：鋼製車体／全長：21.6m（先頭車）・20.5m（中間車）／全幅：2.8m／全高：4.15m／扉数：1／座席：リクライニングシート／電気方式：直流1500V／制御方式：VVVF制御／制動方式：抑速回生併用電気指令式／主電動機出力：230kW or 240kW／台車：積層ゴムブッシュ片側支持式ボルスタレス／製造初年：2019年／製造所：近畿車輛

80000系は、「くつろぎのアップグレード」をコンセプトに開発された新型名阪特急。「ひのとり」という愛称を与えられ、2020年から営業運転に就いている。

2021年2月には、名阪甲特急全列車の80000系化と名阪乙特急の21000系・21020系化が完了した。

編成前後の先頭車は、ハイデッカー構造のプレミアム車両で、1-2列に配置した電動リクライニングシートがシートピッチ130cmで設置されている。2-2列配置のレギュラー車両のリクライニングシートのシートピッチは116cm。

プレミアム車両の車内。ハイデッカー構造の車内に大型電動リクライニングシートがゆったりと配置されている

大阪方・名古屋方の両先頭車はハイデッカー構造のプレミアム車両で、最前列から前面展望を楽しめる

中間車は、2-2列配置のリクライニングシートを備えたレギュラー車両

バックシェルのシートは、プレミアム車両だけでなく、レギュラー車両にも備わっている。近鉄のレギュラー車両最大のシートピッチを採用しているので、後席に遠慮せずに背もたれを倒すことができる

近鉄50000系「しまかぜ」

諸元 車体構造：鋼製車体／全長：21.6m（先頭車）・20.5m（中間車）／全幅：2.8m／全高：4.15m／扉数：1／座席：リクライニングシート／電気方式：直流1500V／制御方式：VVVF制御／制動方式：抑速回生併用電気指令式／主電動機出力：230kW／台車：積層ゴムブッシュ片側支持式ボルスタレス／製造初年：2012年／製造所：近畿車輛

「しまかぜ」と命名された50000系は、「最高級のくつろぎとともに、伊勢志摩へ。」というコンセプトのもと、上質感と快適性を追求した観光特急として開発された。

先頭車最前列シートからの光景。先頭車はハイデッカー構造を採用したため視界が開けている

座席は、セミコンパートメントのサロン席と個室を除き、すべて1-2列配置のプレミアムシートで、シートピッチは125cm。軽食やドリンクを供するカフェ車両が連結されている。

賢島まで1日1往復しかできないことを承知で、快適に乗車できる時間帯にこだわったダイヤを設定したため、運用効率よりも利用者の満足度を優先する贅沢な列車となった。

2012年に大阪・名古屋から賢島へ、それぞれ1往復する運行を始め、1編成増備した2014年から京都発着も開始した。

▼ 近鉄16200系「青の交響曲（シンフォニー）」

諸元　車体構造：鋼製車体／全長：21.22m／全幅：2.74m／全高：4.04m（先頭車）・4.15m（中間車）／扉数：1／座席：リクライニングシート・ボックス席／電気方式：直流1500V／制御方式：抵抗制御／制動方式：電気ブレーキ併用電磁直通ブレーキ／主電動機出力：135kW／台車：シュリーレン式空気ばね台車／改造年：2016年／製造所：近畿車輛

　2016年に登場した16200系「青の交響曲（シンフォニー）」は、6200系一般形電車を格上げ改造した観光特急。

　「上質に乗って、奈良の懐へ。」というキャッチコピーで、南大阪・吉野線沿線の観光振興を図る。全席が特別車両料金が必要となるツイン席かサロン席となっており、バーカウンターを備えたラウンジ車両1両が連結されている。

ラウンジに相応しい落ち着いた車内を演出するため、あえて小さい側窓が採用されている

近鉄19200系「あをによし」

諸元 車体構造：鋼製車体／全長：20.5m／全幅：2.8m／全高：3.8m／扉数：1〜2／座席：ソファ／電気方式：直流1500V／制御方式：抵抗制御／制動方式：抑速ブレーキ併用電磁直通ブレーキ／主電動機出力：180kW／台車：シュリーレン式空気ばね台車／改造年：2022年／製造所：近畿車輛

19200系「あをによし」は、昭和天皇のお召列車や英国エリザベス女王専用列車に使用された12200系12256Fを観光特急用に改装した観光特急。

大阪・奈良・京都の三都を結ぶ観光特急に相応しい内外装を備え、2022年4月に運行を開始した。平城京・奈良を象徴する列車として、奈良にかかる枕詞「あをによし」を愛称とした。

外装は、紫をベースに金色のラインを配し、車内は洋風のなかに和を取り入れた。2号車には半個室となったサロンシートと飲み物などを販売するカウンターが設置され、ほかの3両は、一人掛けソファーを窓に向けて配置したツインシートとなっている。

近鉄奈良経由で大阪難波と京都を結ぶほか、京都〜奈良間を往復運転する。

観光特急ならではのくつろげる特注シートが配置された車内

近鉄21000系「アーバンライナー plus」

 車体構造：鋼製車体／全長：21.2m（先頭車）・20.5m（中間車）／全幅：2.8m／全高：4.05m／扉数：1～2／座席：リクライニングシート／電気方式：直流1500V／制御方式：抵抗制御／制動方式：抑速ブレーキ併用電磁直通ブレーキ／主電動機出力：125kW／台車：シュリーレン式空気ばね台車／製造初年：1988年／製造所：近畿車輛

　21000系「アーバンライナー plus」は、名阪ノンストップ特急（名阪甲特急）用として1988年に登場した。登場時の愛称は「アーバンライナー」だったが、2003～2005年に更新工事を受け、愛称が改められた。

　名阪ノンストップ特急は、運転開始以来、近鉄特急の象徴的存在だったが、東海道新幹線の開業で競争力を失い、一時は12200系スナックカーの2両編成で運行されるほど利用が低迷する時期もあった。

　しかし、1970年代後半から国鉄運賃・料金のたび重なる値上げがあり、名阪特急の競争力が回復した。こうした状況のなか投入されたのが21000系で、通常の特急料金に加えて特別料金が必要なデラックス車両を連結するなど、従来のイメージが一新された。

　近鉄特急といえば、オレンジ色と紺色のツートンカラーが定番だったが、21000系ではクリスタルホワイトにオレンジのラインを配した、流線形のスマートなボディに似つかわしいデザインとなった。

　2003年からの大規模リニューアル工事で、新型シートへの交換、喫煙コーナーの新設による全席禁煙化、バリアフリー設備の導入など、アメニティの改善が図られた。

▼ 近鉄21020系 アーバンライナー next

諸元　車体構造：鋼製車体／全長：21.1m（先頭車）・20.5m（中間車）／全幅：2.8m／全高：4.135m／扉数：1～2／座席：リクライニングシート／電気方式：直流1500V／制御方式：VVVF制御／制動方式：回生抑速ブレーキ併用電気指令式／主電動機出力：230kW／台車：積層ゴムブッシュ片側支持式ボルスタレス台車／製造初年：2002年／製造所：近畿車輛

　21020系「アーバンライナーnext」は、名阪ノンストップ特急（名阪甲特急）用として2002年に登場した。

　21000系が大規模リニューアル工事の時期を迎えたため、工事期間中の代替となるように新造され、21000系の接客設備の更新を先取りするかたちで6両編成2本が新造された。

　21000系では、抵抗制御で青山越えの連続勾配区間に対応するため、全電動車方式を採用したが、21020系ではVVVF制御を採用、主電動機出力を230kWに増強し、MT比1：1となる3M3Tの編成を組んだ。

　21000系で導入された1-2列配置のデラックス車両は2両から1両になり、レギュラー車両は5両となったが、いずれの車両もシートはリクライニングの角度に応じて座面腰部が沈む、ゆりかご型リクライニングシートが採用された。なお、デラックス車両の電動リクライニングシートは1座席ずつの独立タイプだが、2列側のシートは回転時は2席同時に動く（レギュラー車両は手動リクライニングシート）。

　全席禁煙となり、喫煙コーナーが編成中3ヵ所に設けられたが、現在は2ヵ所になった。

　21000系と共通運用で、主に名阪乙特急で使用される。

近鉄23000系「伊勢志摩ライナー」

諸元 車体構造：鋼製車体／全長：21.2m（先頭車）・20.5m（中間車）／全幅：2.8m／全高：4.135m／扉数：1～2／座席：リクライニングシート・ボックス席／電気方式：直流1500V／制御方式：VVVF制御／制動方式：抑速回生ブレーキ併用電気指令式／主電動機出力：200kW／台車：積層ゴムブッシュ片側支持式ボルスタレス台車／製造初年：1993年／製造所：近畿車輛

23000系「伊勢志摩ライナー」は、1994年4月の志摩スペイン村の開業に合わせ、大阪・京都・名古屋〜賢島間特急用として開発された。1993〜95年に6両編成6本が新製された。

営業運転は1994年3月15日のダイヤ改正からで、大手私鉄初の130km/h運転を開始した。なお、21000系・22000系など、既存の130km/h運転対応車両も同時に最高速度を向上させた。

2012〜13年にリニューアル工事が施工され、外部塗色は赤色と白色、または黄色と白色のツートンカラーに変更された。

現在の編成は、1-2列のシートを備えたデラックス車両1両、セミコンパートメントのサロン席・ツイン席を備えた車両が1両、2-2列のシートを備えたレギュラー車両4両。

リニューアルの塗色変更でイメージを大きく変えたサンシャインレッドの奇数編成（偶数編成はサンシャインイエローの塗色）

近鉄26000系「さくらライナー」

諸元 車体構造：鋼製車体／全長：20.7m（先頭車）・20.5m（中間車）／全幅：2.8m／全高：4.05m／扉数：1〜2／座席：リクライニングシート／電気方式：直流1500V／制御方式：抵抗制御／制動方式：発電ブレーキ併用電磁直通ブレーキ／主電動機出力：95kW／台車：シュリーレン式空気ばね台車／製造初年：1990年／製造所：近畿車輛

26000系「さくらライナー」は、吉野特急25周年を記念した車両で、1990年に4両編成2本が新製された。

名阪ノンストップ特急の21000系を意識した車体デザインで、前頭部は流線形の非貫通式となっている。そのためか、ほかの形式との併結運用は行わず、使用列車を特定した固定運用となっている。

2011年のリニューアル工事により、1両がデラックス車両に改装され、座席はレギュラー車両も含め、すべてがゆりかご型リクライニングシートとなった。先頭車の運転室直後にフリースペースとデッキ・側扉が新設され、前面展望がより楽しめるようになった。また、喫煙室の設置により全席が禁煙化された。

リニューアル時に新設されたデラックス車両の車内

近鉄16000系特急車両

 諸元　［第7編成以降］車体構造：鋼製車体／全長：20.5m／全幅：2.74m／全高：3.8m／扉数：1〜2／座席：リクライニングシート／電気方式：直流1500V／制御方式：抵抗制御／制動方式：発電ブレーキ併用電磁直通ブレーキ／主電動機出力：135kW／台車：シュリーレン式空気ばね台車／製造初年：1970年／製造所：近畿車輛

　16000系は、1067㎜軌間（以下、狭軌）の南大阪・吉野線用の特急形車両で、1965年に登場した。

　それ以前の同線では、養老線で使用されていたクニ5421形（元・伊勢電が長距離列車用に新製したデハニ231形を電装解除）を再電装したモ5820形を使用した季節特急「かもしか」が1960年に登場したが、利用低迷により61年に快速に格下げされていた。

　しかし近鉄では、東海道新幹線開業に対応して1964年に京橿特急を新設しており、橿原神宮前で接続する吉野特急の設定は、新幹線接続特急網拡充の一環として急務だった。

　16000系は、標準軌線区特急用として1963年に登場した11400系新エースカーをベースとする車体と、狭軌線用6900系（現6000系）一般用電車の走行システムを組み合わせるかたちで開発され、2両編成2本が登場した。

　利用状況が好調だったため、翌66年に1本増備され、1977年までに2両編成8本、4両編成1本の計20両が新製された。

　初期の2両編成3本が大井川鐵道に譲渡され、一方で6両が廃車されたが、1970年度以降に新製された残る8両は2度の更新工事を受けた。近鉄特急の最古参として活躍していたが、2024年3月のダイヤ変更で4両編成1本の定期運用が終了した。

近鉄12400・12410・12600系 サニーカー

諸元 ［12400系］車体構造：鋼製車体／全長：20.5m／全幅：m2.8／全高：3.805m／扉数：1〜2／座席：リクライニングシート／電気方式：直流1500V／制御方式：抵抗制御／制動方式：発電ブレーキ併用電磁直通ブレーキ／主電動機出力：180kW／台車：シュリーレン式空気ばね台車／製造初年：1977年／製造所：近畿車輛

　12400・12410・12600系特急用車両は、標準軌線区におけるスタンダードタイプの特急車両のうち、最も車齢が高いグループだ。愛称の「サニーカー」は近鉄発案ではなかったが、のちに近鉄でも使われるようになった。

　まず、12200系新スナックカーの新製が1976年に終了したのを受け、同系をマイナーチェンジした12400系4両編成3本が1977年に登場した。

　走行システムは12200系と同等で、前面貫通型の採用も同じだが、前面後退角を大きくし、幌カバーが面一となった。前面の塗り分けも変更されたため、見た目の印象がかなり変わった。

　3両編成での新製やマイナーチェンジを経て、12410系・12600系と形式を変えながら1986年までに4両編成10本計40両が新製された。

　12410系は3両編成で新製され、のちに中間車を増備して4両編成となった。急行灯・尾灯の形状が変わり、30000系と同一になった。

　12600系は京都・柏原線用の特急車両18000系の淘汰用として4両編成2本が新製された。12410系とはWCの配置や乗務員扉の位置などが異なる。

　なお、サニーカー3形式は1988年に最高速度を120km/h化する改造が行われている。また2015〜18年頃に喫煙室が新設されたが、2024年3月に廃止された。

▼ 近鉄30000系 ビスタEX

諸元 [ビスタEX] 車体構造：鋼製車体／全長：20.8m（先頭車）・20.5m（中間車）／全幅：2.8m／全高：4.14m／扉数：1／座席：リクライニングシート・ソファ／電気方式：直流1500V／制御方式：抵抗制御／制動方式：発電ブレーキ併用電磁直通ブレーキ／主電動機出力：180kW／台車：シュリーレン式空気ばね台車／改造初年：1996年／製造所：近畿車輛

　30000系ビスタEXは、近鉄特急伝統の2階建て車両を継承する車両で、1978年に登場した。

　1958年に登場した近鉄初の特急用カルダン車10000系は、7両編成中2両が2階建てで、「ビスタカー」という愛称が付けられた。翌1959年に量産を開始した名阪直通特急用10100系も2階建て車を連結し、「新ビスタカー」と命名され、2階建て車両が近鉄特急のイメージリーダーとなった。

　この10100系が1979年に引退することとなったため、新たな2階建て特急車両として30000系が開発された。登場当時はニュービスタカーや新ビスタカーと呼ばれたが、10100系との混同を避けるため、のちに「ビスタ3世」と呼ばれるようになった。

　10100系は連接車構造だったが、取扱を簡素化するため、4両編成の中間車2両は2階建ての20m車、側扉は中間1ヵ所とされ、2階建て車をつなぐ貫通路は2階と同じ高さとなった。これによりデットスペースが減った。

　1996〜2000年に、リニューアル工事を受け、2階側窓の一部に曲面ガラスが採用されて大窓になった、また、階下席はサロン風に改装されグループ席となった。なお、リニューアル後に愛称が変更され「ビスタEX」となった。

▼ 近鉄16010系特急車両

 諸元　車体構造：鋼製車体／全長：20.5m／全幅：2.74m／全高：3.876m／扉数：1～2／座席：リクライニングシート／電気方式：直流1500V／制御方式：抵抗制御／制動方式：電気ブレーキ併用電磁直通ブレーキ／主電動機出力：135kW／台車：シュリーレン式空気ばね台車／製造初年：1981年／製造所：近畿車輛

　16010系は狭軌線用特急用車両で、16000系の増備車として1981年3月に2両編成1本が新製された。

　16000系の最終増備から4年後の新製で、車体は、同時期に標準軌線の汎用特急車だった12410系の車体をベースに設計された。

　走行システムなどは16000系とほぼ同一とされたが、台車はシュリーレン式のKD-69B・KD-69Cから乾式円筒案内式のKD-88・KD-88Aに変更された。また12410系に準じて、前頭部貫通路には幌カバーが付けられ、スマートな印象を受ける。

　新製時の塗り分けは16000系に準じていたが、現在は12410系の塗装に統一されているため、同系の車体であることがわかりやすくなった。

　新製車体で登場したが、座席は廃車となった10100系新ビスタカーから転用された回転クロスシートが使用された。また、以前の近鉄特急形によく見られた、側扉部のデッキを省略する仕様が踏襲された。

　数度にわたる接客設備の改良を経て、座席は11400系から転用したリクライニングシートとなり、デッキも新設され居住性が向上した。

　なお、全席禁煙化のため、喫煙室も設置されたが、これは2024年3月1日に廃止されている。

▼ 近鉄22000系 ACE

近畿日本鉄道

諸元 車体構造：鋼製車体／全長：20.5m／全幅：2.8m／全高：4.135m／扉数：1～2／座席：リクライニングシート／電気方式：直流1500V／制御方式：VVVF制御／制動方式：抑速回生ブレーキ併用電磁直通ブレーキ／主電動機出力：135kW／台車：積層ゴムブッシュ片側支持式ボルスタレス台車／製造初年：1992年／製造所：近畿車輛

22000系ACE（エーシーイー）は、サニーカーに代わるスタンダードタイプの特急車両として1992～94年に投入された。愛称ACEは"Advanced Common Express"の略で、10400系・11400系と置き換えられた。

近鉄の特急車両では初めてボルスタレス台車とVVVF制御を採用し、130km/h運転に対応するべく、オールMに変更したうえで、主電動機を135kWの三相誘導電動機に変更した。なお、回生失効に備え、ブレーキ用に抵抗器も搭載された。

在来車との併結を行うため、電気演算式電磁直通ブレーキを装備したが、交流モーターによる小型化を利用し、電動台車も1ディスクブレーキを採用してブレーキ性能を強化した。また、台車は軸ばねと積層ゴムを組み合わせたボルスタレス台車となり、軽量化・メンテナンスフリーを達成した。

前面形状も一新し、前面窓は熱線入り三次曲面防曇ガラスを使用、自動開閉式幌カバーとなった。

2015年からリニューアル工事が施工され、座席の交換やモバイル機器用のコンセント新設などが実施された。さらに大型荷物置場の新設やバリアフリー対策も強化された。

この際、全席禁煙化のため喫煙室の設置も行われたが、これは2024年3月1日に廃止され、車内での喫煙は全面的に禁止された。

近鉄16400系 ACE

諸元 車体構造：鋼製車体／全長：20.5m／全幅：2.8m／全高：4.135m／扉数：1～2／座席：リクライニングシート／電気方式：直流1500V／制御方式：VVVF制御／制動方式：回生ブレーキ併用電気指令式／主電動機出力：160kW／台車：積層ゴムブッシュ片側支持式ボルスタレス台車／製造初年：1996年／製造所：近畿車輛

　16400系ACE特急用車両は、狭軌線区用の特急車両とし開発された。標準軌線の22000系をベースとし、16000系初期投入編成の置換用として、1996年に2両編成2本が投入された。

　将来の速度向上を考慮した仕様で、VVVF制御を採用しつつ、回生ブレーキ失効時に備えた抵抗器を搭載する点は22000系と同じだ。ただし、南大阪・吉野線では130km/h運転の構想はなく、オールMの22000系と異なり、160kWモーターを採用して1M1Tとなった。台車も、積層ゴムブッシュ片側支持式ボルスタレス台車を踏襲したが、ディスクブレーキは採用せず踏面ブレーキとなった。また、電気指令ブレーキを装備するが、電磁直通ブレーキ装備のの16000・16010系との併結に備えてブレーキ読替装置を装備する。

　22000系にある公衆電話は設置されていないが、車いす対応スペースは引き続き設置され、真空式のWC、シートピッチ1000mmの自動回転式リクライニングシートも踏襲している。

　2015年の更新工事により、座席はゆりかご式リクライニングシートに交換され、喫煙室が新設されたが、後者2024年3月1日に廃止されている。

▼ 近鉄22600系 Ace

諸元 車体構造：鋼製車体／全長：20.5m／全幅：2.8m／全高：4.135m／扉数：1～2／座席：リクライニングシート／電気方式：直流1500V／制御方式：VVVF制御／制動方式：抑速回生ブレーキ併用電気指令式／主電動機出力：230kW／台車：積層ゴムブッシュ片側支持式ボルスタレス台車／製造初年：2009年／製造所：近畿車輛

　22600系Ace（エース）は、12200系置換用として2009年に32両が新製された。車体は21010系をベースとしているが、貫通型の前頭部は22000系がリファインされている。

　電気指令式ブレーキを採用しているが、読替装置を装備しているため、電磁直通ブレーキ車との混結が可能となっている。

　21020系に引き続き、ゆりかご式リクライニングシートを継承した（喫煙室は2024年3月に廃止）。また、阪神線への乗り入れのため、近鉄特急の車両のなかで、阪神線用のATSを唯一搭載する。

優れた性能や設備が評価され、ローレル賞を受賞した。写真は受賞記念列車の出発式

近鉄16600系 Ace

諸元 車体構造：鋼製車体／全長：20.5m／全幅：2.8m／全高：4.135m／扉数：1～2／座席：リクライニングシート／電気方式：直流1500V／制御方式：VVVF制御／制動方式：抑速回生ブレーキ併用電気指令式／主電動機出力：185kW／台車：積層ゴムブッシュ片側支持式ボルスタレス台車／製造初年：2010年／製造所：近畿車輛

　16600系Ace（エース）は、22600系の狭軌線バージョン。16000系初期車の置換用として、2010年に2両編成2本が新製された。

　愛称のAceは、標準軌用22600系と同じコンセプトAdvanced Comfortable（またはCommon Easy-Operation）Expressの頭文字による。

　鋼製車体の基本構造・主要寸法は22600系と同一とされ、狭軌線特急車では16400系に続いて2形式目となるプラグドアを採用し、快適性向上が図られた。

　客室は、天井中央に冷風吹き出し口、その両側に間接照明の室内灯を配置し、さらに荷物棚下部を照らす間接照明を併設することで、落ち着きのある高級感を演出している。

　シートピッチは16400系より50㎜広い1050㎜で、さらにモバイル用コンセントやシート背面に大型テーブルを設置し、ビジネス利用を意識した接客設備を拡充した。

　走行システムは、通勤車シリーズ21の狭軌線版6820系をベースとするVVVF制御、22600系とは異なり1C2M制御を採用し、単独編成運用時の冗長性を確保した。電気指令式ブレーキを装備するが、読替装置があるため、16000・16010系と併結できる。

近鉄20000系 楽

 諸元　車体構造：鋼製車体／全長：21.02m／全幅：2.8m／全高：4.14m／扉数：1／座席：転換クロスシート／電気方式：直流1500V／制御方式：抵抗制御／制動方式：電気ブレーキ併用電磁直通ブレーキ／主電動機出力：180kW／台車：シュリーレン式空気ばね台車／製造初年：1990年／製造所：近畿車輛

　20000系「楽」は、1990年に運転を開始した団体専用車。4両編成で、先頭車は2階建て、中間車は床高を先頭車階上席に合わせたハイデッカー構造となっている。

　近鉄では、1962年に登場した2階建て車を基本とする修学旅行用20100系「あおぞら」を保有していたが、老朽化と旅客設備の陳腐化のため、本形式と特急用車両を転用した団体専用車に置き換えられた。

　2020年のリニューアル工事前は、先頭車運転台寄りが展望席、連結面寄りの平屋部分にサロンを配置し、2階建て部分や中間車は転換クロスシートだった。

　リニューアル後は、運転台寄りのスペースが、階上席より一段下がったフラットフロアのフリースペース「楽VISTAスポット」となり、ソファやスツールが配置された。

　階下席は腰掛が撤去され、絨毯敷き（1号車）、フローリング（4号車）かつ土足禁止のフリースペースに転用された。また、中間車は定員が減り、転換クロスシートのシートピッチが拡大され、大型テーブルが配置された。

　通常は団体貸切列車やツアー列車で使われるが、まれに臨時列車に起用されることもある。

近鉄15200系 あおぞらⅡ/15400系 かぎろひ

諸元 車体構造：鋼製車体／全長：20.5m／全幅：2.8m／全高：3.915m／扉数：1～2／座席：リクライニングシート／電気方式：直流1500V／制御方式：抵抗制御／制動方式：電気ブレーキ併用電磁直通ブレーキ／主電動機出力：180kW／台車：シュリーレン式空気ばね台車／製造初年：1971年／製造所：近畿車輛

15200系「あおぞらⅡ」は、修学旅行やツアーなどに用いられていた18400系「あおぞらⅡ」を置き換えるため、12200系特急用車両を改装した団体専用列車で、2005年に登場した。

その後、15200系同士の世代交代も行われ、現在は2両編成4本となっている。

15400系「かぎろひ」は、近鉄グループの旅行会社クラブツーリズムが自社ツアー専用車両として借り入れ、塗装も専用仕様となっている。

専用塗装となっている15400系

▼ 近鉄2013系「つどい」

2024年2月のデザイン変更後の「つどい」

 車体構造：鋼製車体／全長：20.72m／全幅：2.74m／全高：4.04m／扉数：1／座席：車外向け固定シート／電気方式：直流1500V／制御方式：抵抗制御／制動方式：電気ブレーキ併用電磁直通ブレーキ／主電動機出力：132kW／台車：シュリーレン式空気ばね台車／製造初年：1979年／製造所：近畿車輛

　2013系「つどい」は2000系を改造した観光列車用。2013年に行われた伊勢神宮の式年遷宮に合わせて、地元自治体の要請で運行を開始した。

　車窓を眺めながらの飲食を想定した客席とイベント車両がある。伊勢志摩での観光列車運行の終了後は、車体色を変更し、ビール列車や足湯列車などとして使用されている。

　2024年2月には、「自然と人が集まりワイワイにぎやかに楽しんでいただく」というテーマに沿ったデザインに変更されている。

座席は窓下のテーブルに向かって外向きに固定されている

近鉄2410系ほか一般形（旧標準車体平側面）

諸元　［2610系］車体構造：鋼製車体／全長：20.72m／全幅：2.74m／全高：4.032m／扉数：4／座席：ロング（一部／C）／電気方式：直流1500V／制御方式：抵抗制御／制動方式：電気ブレーキ併用電磁直通ブレーキ／主電動機出力：155kW／台車：シュリーレン式空気ばね台車／製造初年：1972年／製造所：近畿車輛

　昭和30年代中期に量産が始まった標準型通勤車グループ。貫通形鋼製車体の4扉20m車で、側面は車両限界に合わせて裾絞りがない。

　現存車は、ラインデリアを装着した非冷房車で登場したが、あとから冷房機を搭載したグループと、新製時から冷房機付きの車両がある（後者は近鉄の通勤型で初の冷房車）。

　先頭部形状は隅に丸みのある切妻型で、前灯は前面幕板部で左右に分かれた2灯、尾灯と急行灯は腰板部下部に大きく離れて配置されている。非冷房車には行先表示器がなかったが、冷改時に貫通路上部に装着された。

　非冷房で登場した車両を中心に廃車が進んでいるが、冷房車として登場した車両の多くはいまも健在だ。ただし、昭和40年代製造の一般形約450両を置き換える計画があるため（2024年秋から置換用の新型車を投入予定）、このタイプの車両の淘汰は進んでいくと思われる。

　2410系は2両編成で、大阪線青山越えに対応するため155kWの主電動機を搭載し、抑速ブレーキを採用。2430系は2410系の3・4両編成版。2610系は急行・団体用の4扉ボックスシート車として新製、その後改造によりロングシート化またはL/Cカー化、WC付とされている。2800系は一部L/Cカーで、WC付改造を受けている。

▼ 近鉄6020・6200系一般形（旧標準車体平側面）

諸元　［6200系］車体構造：鋼製車体／全長：20.72m／全幅：2.74m／全高：4.04m／扉数：4／座席：ロングシート／電気方式：直流1500V／制御方式：抵抗制御／制動方式：電気ブレーキ併用電磁直通ブレーキ／主電動機出力：135kW／台車：シュリーレン式空気ばね台車／製造初年：1974年／製造所：近畿車輛

6020系と6200系は近鉄狭軌線用一般形電車で、南大阪・吉野線などで使用される。

近鉄の一般形高性能電車の標準となった6800系ラビットカーの後継車として製造された（6800系は1957年から製造。両開き4扉20m車、貫通型で前灯は幕板部に2灯配置というスタイルを最初に採用した）。

6900系が新ラビットカーという愛称で登場したが、ラビットカーの由来となった高加減速性能は継承されず、のちに独自塗装も取り止めたため、愛称は使われなくなった。

6900系は編成替えにより6000系となり、これを母体としてラインデリアを装着した6020系が1968年から投入された。6020系の初期車の車体幅は2.709mだったが、1971年の増備車から2.74mに拡幅された。ただし側板は平面構造なので、寸法変更はわかりくい。6020系は1979～84年に冷房化が行われ、扉間側窓の一部が1枚化および固定窓化されている。

6200系は最初から冷房機を搭載し、正面貫通路上部に行先表示器が取り付けられた。1974・78年に35両が新製された。2009年から更新工事が始まり、16年以降の施工車では、ロングシートの中間部にスタンションポールが新設されている。

▼ 近鉄8000系ほか一般形（旧標準車体裾曲側面）

 諸元　［8600系］車体構造：鋼製車体／全長：20.72m／全幅：2.8m／全高：4.04m／扉数：4／座席：ロングシート／電気方式：直流1500V／制御方式：抵抗制御／制動方式：直流1500V／主電動機出力：145kW／台車：シュリーレン式空気ばね台車／製造初年：1973年／製造所：近畿車輛

8000系一般形車両は、1964年の奈良線の建築限界拡幅工事の完了と1969年の電車線電圧1500V昇圧に対応する車両として、1964年に登場した。

建築限界拡幅に備えた車両としては先に900系が登場しており（南大阪線6800系をベースとし、車体幅2.8mで側面裾部が絞られた）、8000系では同一の車体を採用した。一時は奈良線の主力として200両以上が所属していたが、現存は34両のみとなった。

1969年に機器配置を見直した8400系が登場し、73〜79年に8400系をベースとした冷房車8600系が新製された。同系では冷房機以外に正面貫通路上部に行先表示装置も装備された。

1980年には、電機子チョッパ制御に代わる省エネ車両のモデルとして、界磁位相制御の8800系が4両編成2本新製された。

内外装は8600系とほとんど同じだが、車内貫通扉が片開きに統一され、パンタグラフが下枠交差式となった点が異なる。本形式をモデルに、8000系、8400系、8600系の一部が界磁位相制御に改造され、回生ブレーキ車となっている。

昭和40年代に製造された一般車は2024年秋から新型車と置き換えられる予定で、本グループはその第一陣にあたると思われる。

▼ 近鉄1400系/1420系ほか一般形（角形標準車体平側面）

諸元 ［1400系］車体構造：鋼製車体／全長：20.72m／全幅：2.74m／全高：4.055m／扉数：4／座席：ロングシート／電気方式：直流1500V／制御方式：界磁チョッパ制御／制動方式：抑速回生ブレーキ併用電磁直通ブレーキ／主電動機出力：160kW／台車：乾式円筒案内式空気ばね台車／製造初年：1981年／製造所：近畿車輛

　1400系は、大阪線用界磁チョッパ制御車として、1981年に4両編成4本が新製された。

　車体は従来同様、鋼製20.72mの4扉車だが、屋根が浅くなり、前面幕板部にはステンレスの化粧板が付き、前面ガラスが大きくなった。また、前灯の間隔が拡がり、貫通路上部の行先表示装置は幕板部に埋め込まれた。尾灯・急行灯のデザインも一新された。

　1400系の2両編成版が1200系で、12本が1982〜84年に新製され、ワンマン運転改造された車両は1201系となった。3両編成版が2050系で、83年に2本新製された。登場時は大阪線を中心に運用されていたが、現在は1400系の一部を除き、山田線や名古屋線での運用がメインとなっている。

　1420系は、国内初の1500V線区用のVVVF制御車として、三菱電機製制御装置を搭載した試作車。1984年に2両編成1本のみが新製された。

　界磁チョッパ制御は複巻電動機を用い、分巻界磁電流をチョッパ制御することで回生ブレーキを有効に活用する。電機子チョッパ制御より安価で省エネ効果があるため、私鉄で普及した。一方、VVVF制御は保守に有利な交流電動機を用い、使用電力を節減できることが評価されている。

▼ 近鉄6600系一般形（角形標準車体平側面）

諸元 車体構造：鋼製車体／全長：20.72m／全幅：2.74m／全高：4.055m／扉数：4／座席：ロングシート／電気方式：直流1500V／制御方式：界磁チョッパ制御／制動方式：回生ブレーキ併用電磁直通ブレーキ／主電動機出力：150kW／台車：乾式円筒案内式空気ばね台車／製造初年：1983年／製造所：近畿車輛

　6600系は、南大阪線などの狭軌線用界磁チョッパ制御車。1983〜84年に2両編成4本が新製された。同時期に登場した大阪線の1400系界磁チョッパ制御車と同一の車体が採用された。

　南大阪線の界磁チョッパ車はこの1形式のみで、次に登場したVVVF制御車の車体は、前面形状など本形式とほぼ同一だが、車体幅を拡げたため側板は裾絞り形状となっており、車体形状で形式の区別がつく。

　南大阪線車両で初めて回生ブレーキを搭載したが、抑速ブレーキ機構は搭載していない。これは、在来車に抑速ブレーキの回路がなかったためと思われる（勾配区間が比較的短く、抑速ブレーキを使う必要がなかった）。仮に抑速ブレーキ機構を搭載しても、在来車と併結すると抑速ブレーキを使えない。他形式との併結が多い南大阪線では、抑速ブレーキ機構の搭載は実用性に欠けると判断されたようだ。

　主電動機は、1400系よりも出力の低い150kWの三菱電機MB-3287ACを採用したが、外形寸法の関係で電動台車の車輪径は1400系などより大きい910mmとなっている。

　なお、2020年に施工されたリニューアル工事により、前灯がLED化されている。

▼ 近鉄8810系ほか（角形標準車体裾曲側面）

大阪線に転属して活躍する8810系

 ［8810系］車体構造：鋼製車体／全長：20.72m／全幅：2.8m／全高：4.0550m／扉数：4／座席：ロングシート／電気方式：直流1500V／制御方式：界磁チョッパ制御／制動方式：抑速回生ブレーキ併用電磁直通ブレーキ／主電動機出力：160kW／台車：乾式円筒案内式空気ばね台車／製造初年：1981年／製造所：近畿車輛

　8810系は奈良線用の界磁チョッパ制御車。大阪線1400系同様モデルチェンジが行われ、角形車体と呼ばれるスタイルとなったが、車体幅が異なるため、裾曲形状は継続された。

　1987年から投入された量産VVVF制御車は、この車体形状のアルミ製車体が採用され、標準軌線区全線にこの裾曲車体が投入された。

　形式は細かく分かれるが、大別すると、日立製制御装置の1020系グループ・1220系グループ、三菱製制御装置の1420系グループ・1620系グループがある。

　近鉄では、2024年から新車による置き換えを行うが、この車体形状の車両はリニューアルを施工し残置する予定だ。

前灯・尾灯・標識灯を移設交換、行先案内表示器の交換、転落防止幌の取付が行われた1233系

▼ 近鉄6400系ほか（角形標準車体裾曲側面）

諸元 ［6400系］車体構造： アルミ車体／全長:20.72m／全幅:2.8m／全高:4.04m／扉数： 4 ／座席：ロングシート／電気方式：直流1500V／制御方式：VVVF制御／制動方式： 回生ブレーキ併用電磁直通ブレーキ／主電動機出力：155kW／台車：乾式円筒案内式 空気ばね台車／製造初年：1986年／製造所：近畿車輛

　6400系は、南大阪線など狭軌線区向けのVVVF制御車として1986年に登場した。南大阪線で初となるアルミ車体を採用した。

　車体のベースは、京都地下鉄直通用として登場した3200系だが、他編成との併結を考慮し、前頭部形状は6600系をベースとし、車体幅2.8mに対応している。

　塗装は、3200系に続き、現在の近鉄が一般車の標準塗装としているマルーンと白色のツートンカラーを採用。

　6407系では、電動台車が軸距離を変えた台車に変更された。1990年に登場した6413系は、マイナーチェンジにより全線標準車体となり、電動台車と付随台車の軸距離が2100㎜に統一された。また1992年製の6419系以降は、補助電源が東芝製のSIVになった。

　6422系では台車がボルスタレスに変更され、重量が２トン軽減した。6432系は、6422系をワンマン運転対応に改造したもの。

　1993〜98年に6422系の４両編成バージョンである6620系が７本新製され、6000系と置き換えられた。

　淘汰された6000系の一部は、600系・620系として養老線に移り、その一部は養老鉄道となったいまも現役だ。

近鉄3200系

諸元 車体構造：アルミ車体／全長：20.5m／全幅：2.8m／全高：4.04m／扉数：4／座席：ロングシート／電気方式：直流1500V／制御方式：VVVF制御／制動方式：回生ブレーキ併用電気指令式／主電動機出力：165kW／台車：乾式円筒案内式空気ばね台車／製造初年：1986年／製造所：近畿車輛

3200系は、京都市営地下鉄烏丸線との直通運転用に新製された。1986年に登場し、88年8月から烏丸線で直通運転に入っている。

近鉄では、烏丸線直通運転を見越して1979年に電機子チョッパ制御の3000系試作車を新製していた。3000系では、近鉄初のステンレス車体を採用し、電気指令式ブレーキやデスクタイプ運転台など、従来の近鉄車両にはなかった新技術が導入された。

電機子チョッパ制御は地下鉄ではメリットが多く、烏丸線の10系でも採用されていたが、地上線では欠点も多く、近鉄では3000系のみにとどまっていた。

一方、烏丸線の竹田延伸を待つ間にVVVF制御が実用化され、3200系で本格的に採用された。車体技術も進歩し、大型中空押出形材や大型押出形材を使用することでコストカットや一層の軽量化が可能となったアルミ車体が採用された（近鉄でのアルミ車体の採用は、1969年に8000系1本で試験導入して以来）。

前面扉は非常口用で貫通路としては使わないため、向かって左側に配置され、左右非対称の前面形状となった。

本形式は、烏丸線直通運行以外の京都線・奈良線・難波線・橿原線・天理線全線で運行している。

近鉄5200系/5209系/5211系

 諸元

[5200系] 車体構造：鋼製車体／全長：20.72m／全幅：2.8m／全高：4.022m／扉数：3／座席：転換クロスシート／電気方式：直流1500V／制御方式：VVVF制御／制動方式：抑速回生ブレーキ併用電磁直通ブレーキ／主電動機出力：165kW／台車：コイルばね併用円筒積層ゴムブッシュ式空気ばね台車／製造初年：1988年／製造所：近畿車輌

5200系は、大阪線・名古屋線・山田線の長距離急行・団体用として1988年に4両編成で登場した。

扉・座席配置は、従来は4扉ボックスシートだったが、3扉オールクロスシートとなった。側扉横と車端の座席は固定シート、それ以外は自動転換クロスシートを採用。側扉横の仕切りには、団体列車時に使用するロック機能付きの折りたたみ式補助席が付いていたが、2007年度に撤去された。なお、先頭車にはWCがある。このレイアウトは、JR西日本・東海・九州の近郊形のモデルになったといわれている。

車体は鋼製で、前頭部は貫通式だが、既存の一般車と異なる独特の前面形状をもつ。窓は、貫通扉を含め、天地方向に大型化され、前面窓には曲面ガラス使用のパノラミックウインドウが採用された（これにより1988年度のグッドデザイン賞を受賞している）。

なお、VVVF制御だが、連続勾配区間での回生失効に備えて抵抗器も搭載している。1991年に増備された2本は、補助電源装置がMGからサイリスタインバータに変更されて5209系となり、さらに、93年増備の2本と96年の1本はボルスタレス台車に変更されて5211系となっている。

近鉄7000系/7020系

Osaka Metro中央線を走る7020系

 諸元

[7020系] 車体構造：鋼製車体／全長：18.7m／全幅：2.9m／全高：3.745m／扉数：4／座席：クロスシート／電気方式：直流750V／制御方式：VVVF制御／制動方式：抑速回生ブレーキ併用電気指令式／主電動機出力：145kW／台車：軸コイルばね併用円筒積層ゴムブッシュ式空気ばね台車／製造初年：2004年／製造所：近畿車輛

7000系は、1986年に開業した東大阪線（現・けいはんな線長田〜生駒間）用VVVF制御車として、86〜89年に6両編成9本が新製された。

大阪市営地下鉄（現・Osaka Metro）中央線と直通するため第三軌条式を採用し、車体幅は地下鉄側の規格に合わせた2900㎜となっている。

ただし、車両検査時に近鉄線を回送する際にホームと接触しないように車体下部が絞られている。また、側扉のドアステップ（靴ずり）は回送時に取り外される。

2006年のけいはんな線全通に合わせて7020系が4本増備された。7020系の側窓は内折れ窓だが、のちに7000系の側窓も内折れ窓に交換されたため、両者はほぼ同じ外観となっている。

7000系。7020系との相違点はワイパーくらいしかない

▼ 近鉄3220系 シリーズ21

諸元 車体構造：アルミ車体／全長：20.5m／全幅：2.8m／全高：4.11m／扉数：4／座席：ロングシート／電気方式：直流1500V／制御方式：VVVF制御／制動方式：抑速回生ブレーキ併用電気指令式／主電動機出力：185kW／台車：積層ゴムブッシュ片側支持式ボルスタレス台車／製造初年：1999年／製造所：近畿車輛

　近鉄は、21世紀を迎えるにあたり一般車の設計を一新「人に優しく、地球に優しい」をテーマとする「シリーズ21」を以下のコンセプトで登場させることになった。

　①本格的高齢化社会を迎え「人に優しい」車両とすること、②環境問題を重視した「地球に優しく環境負荷が少ない」車両とすること、③製造コストも保守コストも削減を図ること、④乗務員や車両係員にとって扱いやすい優しい車両とすること、⑤通勤車両として、性能、旅客サービスの両面で21世紀のスタンダードとなる車両とすること。

　一方、2000年3月から京都市営地下鉄烏丸線直通の近鉄奈良～国際会館前急行を新設することになったため、烏丸線直通車両3編成の増備が必要となり、「シリーズ21」の第1弾として新型車両3220系を1999年に新製した。

　編成単独で運用するので、3200系と同様に正面非常口は向かって左側に設けられ、前面窓はより大型となった。

　前面形状は3200系の影響を受けているが、支持ゴムを大型化した積層ゴムブッシュ片側支持式ボルスタレス台車や塗装は「シリーズ21」の共通仕様となっている。

▼ 近鉄5820系ほか シリーズ21

諸元 車体構造:ダブルスキン構造アルミ車体／全長:20.72m／全幅:2.8m／全高:4.11m／扉数:4／座席:ロングシート／電気方式:直流1500V／制御方式:VVVF制御／制動方式:抑速回生ブレーキ併用電気指令式／主電動機出力:185kW／台車:積層ゴムブッシュ片側支持式ボルスタレス台車／製造初年:2000年／製造所:近畿車輛

　5820系は、近鉄が21世紀を迎えるにあたり、「人に優しく、地球に優しい」をテーマに一般形の設計を一新した新型車両「シリーズ21」として新製したL/Cカー。

　2000～03年に6両編成5本が奈良線に、同2本が大阪線に投入された。奈良線の編成は阪神線直通運転が可能で、大阪線の編成はWCを編成中2ヵ所に備える。

　9020系は5820系の2両編成ロングシート車版で、2000～08年に20本が大阪線、奈良線に投入された。9820系は、9020系の6両編成版で、01～08年に10本が奈良線に配置された。

　9020系、9820系のロングシートは、3220系と同様、1人分の寸法は55㎜拡大した485㎜となった。なお、側扉寄りの1人分は、両肘掛付きの「らくらくコーナー」が設定されている。

　車体材料はリサイクルが容易な6N系アルミ材を使用し、強度が必要な部分に使用する7N系アルミ材とは、刻印により分別を容易とした。

　塗色は、従来のマルーンレッドとシルキーホワイトのツートンカラーから、アースブラウンとクリスタルホワイトの境目にサンフラワーイエローのラインが入る「シリーズ21」色となった。

近鉄6820系 シリーズ21

諸元 車体構造：ダブルスキン構造アルミ車体／全長：20.72m／全幅：2.8m／全高：4.11m／扉数：4／座席：ロングシート／電気方式：直流1500V／制御方式：VVVF制御／制動方式：回生ブレーキ併用電気指令式／主電動機出力：160kW／台車：積層ゴムブッシュ片側支持式ボルスタレス台車／製造初年：2002年／製造所：近畿車輛

　6820系は、シリーズ21の南大阪線バージョン。6000系の残存車を淘汰するため、2002年に2両編成2本が新製配置された。

　車体の仕様は標準軌線のシリーズ21と共通で、行先表示装置はLED、種別表示装置は字幕式となっている。前灯も在来車のシールドビームからHIDとなり、扉間の側窓は、非常換気用を除き、複層ガラスの固定窓となった。

　電気指令式ブレーキを採用するが、読替装置で電磁直通ブレーキ装備の在来車との併結運用を可能としている点は、6600系や6400系のシステムを引き継いでいるといえる。

　本形式独自の仕様はVVVF制御装置で、1C2Mの2群構成として冗長性を向上させ、単独運用時の不調に備えている。

　パンタグラフは、シリーズ21で共通のシングルアーム式だが、主電動機は160kWを採用している（標準軌用シリーズ21では185kWを採用）。

　ほかの形式と同じく、南大阪線を中心に狭軌線各線で使用されるが、ワンマン運転対応の仕様になっていないため、全列車がワンマン運転を行っている道明寺線には入線しない。

　現時点では、南大阪線に所属する一般車では、最も新しい車両となっている。

近鉄生駒ケーブル宝山寺1号線　コ11形

 諸元　車体構造：鋼製車体／全長：11.725m／全幅：2.6m／全高：3.6m／扉数：2／座席：山麓向き固定クロスシート／製造初年：2000年／製造所：近畿車輛

　生駒ケーブル宝山寺1号線は、1918年に開業した日本初の鋼索鉄道（ケーブルカー）として知られる。

　1926年に2号線が開業し、複線化された。国内で複線化されている鋼索鉄道は本路線のみだ。また踏切が3ヵ所あり、うち1ヵ所は自動車の通過が可能となっている。

　コ11形は、開業時の木造車を車体更新したコ1形を置き換えるため、2000年に登場した。車体前面には、FRP製の「お面」を装着し、ブルドッグを模したコ11号は「ブル号」、ネコを模したコ12号は「ミケ号」の愛称が付いている。

「ミケ」の愛称があるコ11形12。交換所で「ブル」とすれ違う際、車内にお互いの鳴き声が流れる

近鉄生駒ケーブル宝山寺2号線 コ3形

諸元 車体構造：鋼製車体／全長：10.79m／全幅：2.54m／全高：3.625m／扉数：3／座席：クロスシート／製造初年：1953年／製造所：近畿車輛

生駒ケーブル宝山寺2号線は、1926年に宝山寺線を複線化するために開業した、1号線に並行する鋼索鉄道。戦時撤去されていたが、1953年に運転を再開した。

コ3形は運転再開時に入線した車両で、コ3号は「すずらん」、コ4号は「白樺」の愛称が付いている。

コ3形は非冷房車だが、扇風機が装備されている。なお、宝山寺1号線のコ11形、山上線の15形にはラインデリアが装備されている。

通常は1号線のみで営業されており、2号線は正月などの多客が予想される日と、1号線の定期点検時に運転される。

国内のケーブルカーで最も古い車両となったコ3形4「白樺」

近鉄生駒ケーブル山上線 コ15形

 車体構造：鋼製車体／全長：13.643m／全幅：2.64m／全高：3.6m／扉数：3／座席：山麓向き固定クロス／製造初年：2000年／製造所：近畿車輛

　生駒ケーブル山上線は、1929年に開業した生駒山上遊園地のアクセス路線として、遊園地と同時に開業した鋼索鉄道。途中に中間駅として梅屋敷、霞ヶ丘の2駅がある。

　コ5形が使用されていたが、2000年にコ15形が代替新製され、交代した。

　コ11形と同様、車両前後にはFRPの「お面」が取り付けられている。コ15号はオルガンをイメージしたお面、コ16号はケーキをイメージしたお面が取り付けられ、「ドレミ」「スイート」の愛称をもつ。

　なお、交換所で両車がすれ違う際には、車内にファンファーレや拍手の音が流れる。

　夏季など生駒山上遊園地がナイター営業する時は、中間駅を通過する直行便が増発される。

遊園地の乗り物のようだが、れっきとした鉄道車両の「ドレミ」

近鉄西信貴ケーブル線 コ7形

諸元 車体構造：鋼製車体／全長：13.8m／全幅：2.74m／全高：3.571m／扉数：3／座席：クロスシート／製造初年：1957年／製造所：日立

　西信貴ケーブルは1930年に信貴山電鉄が開業した鋼索鉄道。戦時休業中に関急と合併したため、1957年に近鉄信貴鋼索線として運行を再開した。

　開業時には朝護孫子に接続する山上鉄道線が運行されていたが、この山上線は戦時中に休止された。戦後、ケーブルカーの運行を再開するにあたり、その休止路線を利用してバス路線が新設された。

　コ7形は、運行再開時に日立で新製した車両で、同時に高安山駅に水を運搬する貨車コニ7形が近畿車輛で製造された。

　コ7号には「ずいうん（瑞雲）」、コ8号には「しょううん（勝運）」という愛称が付いている。

　2010年の寅年を迎えるにあたり、2009年に寅のイラストを描いた塗装に変更され、以後もそのままだったが、2021年に1957年の運行再開時の塗装に復元された。

コニ7形7を連結したコ7形7「ずいうん」

近鉄モワ24系検測車「はかるくん」

養老鉄道線で検測する「はかるくん」

［クワ25］車体構造：鋼製車体／全長：20.72m／全幅：2.709m／全高：4.11m／制動方式：電磁直通ブレーキ／台車：乾式円筒案内式空気ばね台車／製造初年：1968年／製造所：近畿車輛

モワ24系は、電車線（架線）の摩耗や高さ、ATSなどの保安装置を検測する電気検測車で、「はかるくん」という愛称が付けられている。

2410系2411-2511の改造車両で、2006年に牽引車モワ24と検測車クワ25として完成した。

標準軌線はモワ24系単独で検測するが、南大阪線や養老鉄道などの狭軌線の検測はクワ25が担当する。この際、クワ25は狭軌用用台車に交換され、牽引車には検測線区に所属する車両が充当される。

1435mm線区を検測する際の編成

南大阪線では牽引車として6200系の6211Fまたは6219F、養老線では610系が使用される。

京阪電気鉄道

本社：大阪府大阪市中央区大手前1-7-31 大阪マーチャンダイズ・マートビル

設立：2015（平成27）年4月1日（京阪ホールディングス〔旧・京阪電気鉄道〕から会社分割）

路線：京阪本線、中之島線、鴨東線、宇治線、交野線、京津線、石山坂本線、鋼索線

車両基地：寝屋川車庫、淀車庫、錦織車庫、四宮車庫

営業キロ：計91.1km（第一種鉄道事業66.5km、第二種鉄道事業3.0km、軌道21.6km）

駅数：89駅（鉄道・軌道）

車両数：696両（鉄道・軌道）

電気方式：直流1500V

軌間：1435mm、1067mm

＊2023年3月31日現在

行楽期を中心に運転される快速特急洛楽

　京阪電気鉄道（以下、京阪電鉄）は大阪と京都を結ぶ京阪本線を幹線とする。路線網は大きく京阪線と大津線に分けられ、前者は京阪本線と接続する中之島線、交野線、宇治線、鴨東線からなる。後者は軌道法の適用を受ける京津線と石山坂本線のみ。

　京阪グループの鉄道事業としては、京阪電気鉄道を筆頭に、京福電気鉄道、叡山鉄道、比叡山鉄道（坂本ケーブル）、中之島高速鉄道（中之島線の第三種鉄道事業者）がある。運輸部門としてはこのほかに、琵琶湖汽船や京阪バス、京都バスなど、京都・滋賀でのバス事業や観光事業を有する。

●京阪電鉄の歴史

◇京阪電鉄の誕生

京阪電鉄が設立される前、大阪～京都間には、すでに官設鉄道の東海道線が淀川左岸を走っていた。このため、京阪電鉄線は淀川左岸の大坂京街道に沿う路線として計画された。

私設鉄道法による鉄道ではなく、軌道法による電化鉄道として計画され、軌間は1435mmの標準軌となった（ただし、軌道法によるものの、併用軌道は一部にとどめられ、原則として新設軌道〔専用軌道〕として建設された）。

京都・五条～大阪・天満橋間が開業したのは1910（明治43）年4月15日のことで、当時の所要時間は1時間40分だった。

同様の手法で開業した電化鉄道としては、1905年4月に神戸・三宮～大阪・出入橋間を開業した阪神電気鉄道がある。追って同年12月には東京と横浜を結ぶ京浜電気鉄道が開業。1910年3月10日には、箕面有馬電気軌道（現・阪急電鉄宝塚本線・箕面線）も開業している。また、南海鉄道はすで蒸気鉄道を開業していたが、1907年8月に難波～浜寺公園間を電化し電車運転を開始している。したがって、京阪電鉄のスタートは関西五大私鉄のなかで4番目ということになる。

開業時の京阪電鉄は連結運転を行わず、電車1両による単行運転だった。急行などの優等列車の設定もなく、天満橋と五条の所要時間は100分だった。

初の支線は中書島～宇治間で、1913（大正2）年6月に開業、翌年5月からは最終列車のあとに途中無停車の急行（上下各1本）の運転が始まった。当時はまだ閉塞信号などの設備が整っていなかったため、この急行は最終普通の出発後に相当な間隔を空けて運転された（所要時間は60分）。

五条～三条間の延伸は1915年10月27日で、これは京都市が保有していた疎水堤防上の軌道特許を借用したものだ。

1916年4月には、国内の電気鉄道としては初となる色灯式自動信号機が導入され、昼間にも急行が設定された。これにより、天満橋～三条間の所要時間は70分となった。

1923年10月からは天満橋～守口間で2両連結運転が始まり、26年1月15日には2両連結の運転区間が枚方東口まで延長。そして同年12月31日からは、京阪線全線で2両連結運転が始まった。

◇新京阪鉄道の開業

1910年代になると、京阪電鉄とはべつに、淀川右岸を経由して大阪と京都を結ぶ電気鉄道を建設する気運が高まった。そこで京阪電鉄は、他社による並行線の建設を阻むため、新京阪鉄道を設立して淀川右岸線を計画し、特許を取得した。

この淀川右岸線の大阪と京都の起終点駅は当初、京阪線と共用する計画だったが、鉄道省と大阪市から、大阪の起点駅をべつに設けることを求められた。このため京阪電鉄は、淡路～天神橋（現・天神橋筋六丁目）の免許を保有していた北大阪電気鉄道を傘下に収め、同社の鉄道事業を新京阪鉄道に譲渡させ（1923年4月）、天神橋を起点

に淀川右岸線の建設を進めた。

この新京阪鉄道は1930（昭和5）年9月15日に京阪電鉄に吸収され、31年3月31日には京阪京都（現・大宮）までが開通した。

◇路線網の形成

この頃の京阪電鉄は、ほかにも相次いで他社線区を合併している。

現在、石山坂本線とともに大津線と呼ばれる京津線は、1912（大正元）年8月15日に京津電気軌道が開業したもので、1925年2月1日に京阪電鉄と合併した（同年5月5日に札の辻から浜大津まで約400m延長）。

石山坂本線は、1913年3月1日に大津電車軌道が開業した膳所（現・膳所本町）～浜大津（現・びわ湖浜大津）間が事始めで、翌年6月に石山寺まで延伸された。さらに1927（昭和2）年1月、大津電車軌道、太湖汽船、湖南鉄道の3社が合併して琵琶湖鉄道汽船が設立され、同年8月には坂本まで延伸された。

その後、1929年2月に旧・湖南鉄道の線区が八日市鉄道（現・近江鉄道八日市線）として分離され、ほかの線区は同年4月11日に京阪電鉄と合併された（船舶事業も分離され、現在の琵琶湖汽船となった）。

なお1934年4月には、日本初の連接電車60型「びわこ号」による京阪本線と京津線の直通運転が始まっている（天満橋～浜大津間の所要時間は72分）。

交野線は、信貴生駒電鉄が1929年7月10日に開業した枚方東口～私市間を起源とする。1931年8月に運営が京阪電鉄に委託され、1939年5月に京阪電鉄が設立した交野電気鉄道に事業が譲渡された。

一方で路線の改良も進んだ。京阪線では、「野江の七曲り」と呼ばれた蒲生（現・京橋）～守口間の急曲線区間を解消する改良線が計画され、1931年10月14日に複線での使用が始まっている。34年4月には蒲生と省線・京橋駅新設改札の連絡道が完成。1933年12月には蒲生～守口間が複々線化され、急行の天満橋～三条間の所要時間が55分に短縮されている。

◇阪神急行との合併

太平洋戦争期には各種の交通統制が進められ、鉄道はその筆頭となった。大手私鉄も例外ではなく、陸上交通事業調整法により京阪電鉄と阪神急行電鉄が合併し、1943年10月1日に京阪神急行電鉄が発足した。

戦時体制が解除されると、旧京阪電鉄系の役員らが阪神急行電鉄と京阪電鉄の分離を図ったが、戦時中に新京阪線が梅田に直通運転を開始していたこともあり、旧阪神急行系役員は新京阪線の分離に反対した。結局、1949年9月の京阪神急行電鉄臨時株主総会で京阪線・大津線の分離が決議され、同年11月25日に京阪電気鉄道が設立、12月1日に発足した。新京阪線は新京阪電鉄に残り、京都本線となった。

◇京阪特急の誕生

戦後の京阪では、特急運転の開始と高性能車両の投入が相次いだ。まず、1950年7月1日のダイヤ改正により、急行の天満橋～三条間の所要時間は65分から59分に短縮された。9月1日か

らは、朝夕のラッシュ時に京橋〜七条間無停車の特急が運転され、所要時間は53分となった。

1951年3月30日には、転換クロスシートを装備した新製特急車1700系2両編成5本が特急専用塗装で投入され、4月2日から日中の運転が始まった。

1953年7月には、全金属車体カルダン駆動の特急車1800系が登場。翌年9月には、一部の1800系に白黒テレビが搭載され、「テレビカー」として好評を博した。

高度経済成長期になると輸送力の増強が課題となり、1959年、初の高性能通勤車として2000系が登場した。高加減速性能を備えた同車は「スーパーカー」という愛称を得て、独特の外観となったモノコック構造の車体は、83年に6000系が登場するまで京阪通勤形の標準となった。

一方、路線網も拡張された。1955年12月には、戦時廃止された男山鉄道男山ケーブルを京阪電鉄鋼索線として開業させている。また、創業以来の悲願だった大阪市中心部への延伸として、63年4月16日に京阪本線天満橋〜淀屋橋間を地下線で延伸開業した。

さらに、2008（平成20）年10月19日には、中之島線中之島〜天満橋間を開業している。なお、1983年12月に京阪線を1500Vに昇圧しており、8両編成化の障害が解消されている。

京都市内では、鴨東線三条〜出町柳間が1989（平成元）年10月5日に開業した。さらに京都市営地下鉄東西線の開業に伴い、京津線京津三条〜御陵間は97年10月12日に廃止され、京津線は東西線に直通することになった。

車両技術の面では、京都市電との平面交差があったため1500V昇圧こそ遅かったが、概して先進的だった。先にも触れた2000系スーパーカーは、カルダン駆動、複巻電動機回生ブレーキを備えた高加減速の通勤車として名高く、ほかにも国内で初めて空気ばね台車の本格的な採用や、国内初の5扉車5000系の導入など、車両開発において特筆すべき発展をみせた。

●本線・鴨東線 列車種別ごとの停車駅

※優等列車停車駅（除く各停区間）のみ。△は一部列車が始発・終着または臨時停車、縦縞は各停区間

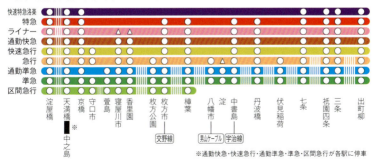

※通勤快急・快速急行・通勤準急・準急・区間急行が各駅に停車

京阪電鉄1000系

諸元 車体構造：鋼製車体／全長：18.7m／全幅：2.772m／全高：4.16m／扉数：3／座席：ロングシート／電気方式：直流1500V／制御方式：界磁添加励磁制御／制動方式：回生ブレーキ併用電気指令式／主電動機出力：155kW／台車：エコノミカル台車（M）・緩衝ゴム式空気ばね台車（T）／製造初年：1977年／製造所：川崎重工

　1000系は、600Vから1500Vへの昇圧に備え、700系の車体を流用して1977年に新製された。

　700系は、流線形で有名だった1000形（2代目）など戦前に製造された旧型車の機器を流用し、1968年に新製された。

　当初、吊り掛け車は昇圧対象ではなかったが、車体新製から10年に満たなかったため、当時新製が行われていた5000系に準じた機器を艤装して1000系（3代目）が新製された。

　700系は非冷房車だったが、1000系は冷房車となった。7両固定編成となったため、先頭車の幌は撤去された。電動台車は、汽車会社が開発し川崎重工が継承したエコノミカル台車、付随台車は住友金属の緩衝ゴム式を採用。前面貫通扉の種別・行先表示器、主電動機や歯数比は5000系を踏襲した。

　オールロングシートだが、側窓は転換クロスシート車での採用が多い2連窓、側扉幅はほかの両開き3扉車より狭い1200mmとなっている。

　1991年から改修工事を受け、制御装置が界磁添加励磁制御となり、回生ブレーキ優先電気指令式となった。また、前面貫通扉・前面窓や前灯の交換により、前頭部の印象が一新された。

京阪電鉄2200系

諸元 車体構造：鋼製車体／全長：18.7m／全幅：2.72m／全高：4.057m／扉数：3／座席：ロングシート／電気方式：直流1500V／制御方式：界磁添加励磁制御／制動方式：回生ブレーキ併用電磁直通ブレーキ／主電動機出力：155kW／台車：軸コイルばね併用緩衝ゴム式空気ばね台車・エコノミカル台車・SUミンデン式台車／製造初年：1964年／製造所：川崎車輛・川崎重工

2200系は、京阪電鉄初の量産高性能車2000系スーパーカーの次に量産された高性能車だ。

2000系は、普通運用を念頭に高加減速に重点をおいた設計だったため、全電動車方式で、回生ブレーキのために主電動機に複巻モーターを用いるなど、比較的高価な車両となった。このため、2200系は急行用高性能車として経済性に配慮した設計になった。

回生ブレーキから発電ブレーキへのグレードダウンして直巻モーターに変更し、その一方で出力を130kWにパワーアップし、MT比1：1の編成とした。車体は、卵形断面の軽量車体を継承しているため、スーパーカーの面影を偲ぶことができる。

1964～68年の量産後、昇圧により7両編成の制限が解除されたため、1985年にT車のみ5両増備されている。

1984年からの改修工事により、前頭部助士席側の前面窓が2段サッシから固定窓に変更された。貫通扉は非常用の外開き扉に変わり、種別・行先表示器が設置された。また車番表示は助士席側窓下に移設された。

1986年から界磁添加励磁制御に順次変更され、回生ブレーキ併用電磁直通ブレーキとなったが、一部編成は界磁添加励磁制御化されずに廃車されている。

京阪電鉄2400系

 車体構造：鋼製車体／全長：18.7m／全幅：2.72m／全高：4.158m／扉数：3／座席：ロングシート／電気方式：直流1500V／制御方式：界磁添加励磁制御／制動方式：回生ブレーキ併用電磁直通ブレーキ／主電動機出力：155kW／台車：軸コイルばね併用緩衝ゴム式空気ばね台車・エコノミカル台車／製造初年：1969年／製造所：川崎重工

　2400系は、2200系を新製時から冷房付きとしたもので、1969〜1970年に製造された。

　この当時の関西私鉄の冷房車は有料特急用車両に限られており、本形式は関西で戦後初の通勤形冷房車となった。全国的に見ても、冷房付きロングシート車は1968年に登場した京王5000系くらいだった。

　2200系との違いは、新製冷房車であること以外はほとんどなく、2200系が冷房化されてからは区別が難しくなった。ただ、冷房装置の製造時期により形状が異なり、2400系のクーラーのほうが背が高い。

　また、2400系は新製当初から前灯がシールドビームで、灯具のケーシングが2200系と異なる。

　第4編成以降はクーラーの角が丸みを帯びている。第1〜3編成は、新製時は菱形パンタグラフだったが、現在は第4編成以降と同じ下枠交差型パンタグラフに交換されている。

　1989年からの改修工事で、2200系同様、貫通扉・助士席側の前面窓が交換されたが、2400系では同時に界磁添加励磁制御化と回生ブレーキ併用電磁直通ブレーキ化も行われた。

　登場以来、編成の組み替えはなく、全車7両編成で運用を続けてきたが、2021年に第2編成が運用離脱し、解体された。

京阪電鉄2600系2630番台

諸元 車体構造：鋼製車体／全長：18.7m／全幅：2.72m／全高：4.057m／扉数：3／座席：ロングシート／電気方式：直流1500V／制御方式：界磁位相制御／制動方式：回生ブレーキ併用電磁直通ブレーキ／主電動機出力：155kW／台車：湿式円筒案内式空気ばね台車・緩衝ゴム式空気ばね台車／製造初年：1981年／製造所：川崎重工

2600系は、昇圧対応工事が難しいと判断された2000系スーパーカーの車体や使用可能な機器を流用し、2200系相当の性能を有する車両として1978〜81年に寝屋川工場で新造された。

1981年には、新製車体で同一仕様の4編成が川崎重工で新製され、2600系2630番台となった。

車体流用の０番台は2023年に運用から離脱したため、人気のあった２段サッシの前面窓はもう見られない。

主電動機は新製だが、回生ブレーキを使用するために2000系に続き複巻モーターを搭載した。また、界磁位相制御を採用し、回生ブレーキ併用電磁直通ブレーキとなった。

０番台では2000系の台車が流用されたが、2000系はさまざまな台車を採用していたため、高性能電車初期に登場した多様な台車を見ることができた。2630番台では当時の京阪で標準的に採用していた台車が導入された。

2630番台の車体は、長らく製造が途絶えたのちに製造されたため、細かな点では０番台と異なるが、高性能電車黎明期の雰囲気を残す車体が1980年代に新製されている点は貴重といえる。

走行システムは6000系を先取りした仕様なので、卵形断面の車体をもつ最後の車両になるかもしれない。

京阪電鉄6000系・7000系7004F

諸元 ［１次車］車体構造：アルミ車体全長：18.7m／全幅：2.78m／全高：4.086m／扉数：３／座席：ロングシート／電気方式：直流1500V／制御方式：界磁位相制御／制動方式：回生ブレーキ併用電気指令式／主電動機出力：155kW／台車：シンドラ式空気ばね台車（M車）・SUミンデン式空気ばね台車（T車）／製造初年：1983年／製造所：川崎重工

　6000系は、1983年12月の1500V昇圧に対応できない車両を置換するため、同年春に５編成が投入された。

　界磁位相制御と複巻モーターの組み合わせは2600系と同じだが、制御器は異なる。2600系では４Ｍ１Ｃだったが、6000系は８Ｍ１Ｃを採用し、ユニット方式の電動車になった。

　昇圧後、1500V専用仕様の６編成がただちに投入され、その後は1986・88・89年に１編成ずつ増備された。さらに８連化用に中間車も増備され、最終的に14編成112両が製造された。

　5000系に続いてアルミ車体が採用され、３扉オールロングシート車となった。併結運転は考慮されず、前頭部の非常扉は右側にシフトしたプラグドアが採用されている。前面窓は上部をやや後傾させ、前灯や種別・行先表示器は窓の内側に配置された。また、客室の側窓は一段下降窓となった。

　1989年２月に投入された6000系の最終編成6014Fは、京都方４両がVVVF制御の試作車として登場した。

　その後、VVVF制御量産車として7000系が登場すると、車体が7000系スタイルの6000系４両が6014Fに投入され、VVVF制御の４両は7000系に改番されて7004Fを組成した。このため、7004Fは7004（京都方先頭車）は6000系スタイルとなっている。

▼ 京阪電鉄7000系・6000系6014F

諸元 車体構造：アルミ車体／全長：18.7m／全幅：2.78m／全高：4.086m／扉数：3／座席：ロングシート／電気方式：直流1500V／制御方式：VVVF制御／制動方式：回生ブレーキ併用電気指令式／主電動機出力：200kW／台車：軸梁式空気ばね台車（M車）・SUミンデン式空気ばね台車（T車）／製造初年：1989年／製造所：川崎重工

　7000系は京阪電鉄初のVVVF制御量産車。1989年10月の鴨東線開業用に合わせて、6両編成2本・4両編成1本が投入された。

　6連は本線の準急・普通を中心に運用され、4連は交野線・宇治線で運行した。その後、中間車が増備され7両編成3本となった。1993年には6000系4両とともに7000系3両が新製され、6000系VVVF試作車とともに7000系第4編成となった。

　6000系と似たデザインのアルミ車体だが、乗務員室拡大のため、前面窓の後退傾斜角がなくなった。前灯と種別・行先表示器は横桟より上方に配置。

　側窓は、窓の洗浄効果を上げるため、ガラスが可能なかぎり外板に寄せられた。車外車番表示とKマークはアルミ鋳物からステンレスハブ仕上げに変わった。側面の行先表示器はアルミ枠がなくなり、表示が大きくなった。こうした変更点は6000系からの編入車にはなく、逆に編入時に新製した6000系最終車には当てはまる。

　機器類の仕様は6000系VVVF試作車とほぼ同じで、主電動機は200kW、電動台車は軸梁式。付随台車はSUミンデン式となった。

京阪電鉄7200系・9000系・10000系

京阪本線の準急に充当された9000系

 諸元　［9000系］車体構造：アルミ車体／全長：18.7m／全幅：2.78m／全高：4.086m／扉数：3／座席：ロングシート／電気方式：直流1500V／制御方式：VVVF制御／制動方式：回生ブレーキ併用電気指令式／主電動機出力：200kW／台車：軸梁式空気ばね台車（M車）・SUミンデン式空気ばね台車（T車）／製造初年：1997年／製造所：川崎重工

　7200系・9000系・10000系はいずれもVVVF制御の3扉アルミ車体で、前面形状にほとんど違いがない。

　7200系は7000系をベースとして改良され、1994年に登場した。前面窓に曲面ガラスを採用し、さらに横桟をなくすことで前面展望を改善した。

　9000系は、枚方停車の特急用車両として1997年3月のダイヤ改正で登場した。7200系より扉間が拡げられ、側扉が100mm車端寄りになった。走行システムの仕様は7200系と同一。

　10000系は、支線区で運用が続く1900系・2600系の置き換え用として2002年に4連3本が投入された。

　外観はほぼ同じだが、バリアフリー化で床面を20mm下げたため、車体下端の絞り込みが省略され、屋根高が10mm上げられた。側扉は、複層ガラスの採用により車面を平滑化し、指詰め防止を図っている。

　機器関係ではIGBT素子を用いた1C2M×2群のVVVF制御装置を京阪電鉄で初めて採用した。

　支線区用に13000系が登場したため、8連を7連化した7200系・9000系で余剰となっていたT車を1000系に連結して7連化し、本線で運用している。

京阪電鉄13000系

諸元 車体構造：セミダブルスキン構造アルミ車体／全長：18.9m（先頭車）・18.7m（中間車）／全幅：2.792m／全高：4.116m／扉数：3／座席：ロングシート／電気方式：直流1500V／制御方式：VVVF制御／制動方式：回生ブレーキ併用電気指令式／主電動機出力：200kW／台車：軸梁式空気ばね台車（M車）・モノリンク式空気ばね台車（T車）／製造初年：2012年／製造所：川崎重工

　13000系は、3000系から新たに導入されたデザインコンセプト「風流の今様」を取り入れた一般型車で、2012年から増備が続く。

　6000系以降の一般車で見られた左右非対称の前頭部デザインと決別し、3000系の前頭部をベースとして、貫通扉を中央に配置する伝統的な前頭部形状となった。3000系同様、下部に月をイメージした曲線「スプラッシュ・ムーン」が描かれているが、13000系ではより角度を強調した「ウェッジシェイブ」と呼ばれるデザインが取り入れられている。ヘッドライト数は、3000系の3灯から2灯になった。

　車体塗装は「シティ・コミューター」と呼称される一般車標準の塗り分けが施され、上部がレストグリーン、下部がアーバンホワイト、境目にフレッシュグリーンのラインが入る。

　車体はセミダブルスキン構造のアルミ製で、VVVF制御と併せて消費電力の削減に寄与している。オールロングシートだが、京阪電鉄で初めて片持ち式シートを採用した。

　宇治線・交野線用の4両編成が先に登場したが、2014年から本線用の7両編成が登場している。後者は車番が13020番台となっているため、区別がしやすい。

京阪電鉄3000系

諸元 車体構造:セミダブルスキン構造アルミ車体／全長:18.9m(先頭車)・18.7m(中間車)／全幅:2.782m／全高:4.116m／扉数:1・3／座席:セミクロスシート(転換クロス)・リクライニングシート／電気方式:直流1500V／制御方式:VVVF制御／制動方式:回生ブレーキ併用電気指令式／主電動機出力:200kW／台車:軸梁式空気ばね台車(M車)・モノリンク式空気ばね台車(T車)／製造初年:2008年／製造所:川崎重工

　3000系「COMFORT SALOON(コンフォートサルーン)」は快速急行用の車両として、2008年の中之島線開業時に登場した。1971年に特急用車両として3000系が登場しているため、本形式は2代目3000系となる。

　車体デザインはGK-デザイン総研広島の担当で、京阪電鉄が外部にデザインを依頼するのはこれが初めてだった。6000系から続いていたデザインを離れ、「風流の今様」をデザインコンセプトとして、月をモチーフとする円弧が前頭部下部やインテリアに取り入れられた。

　車体塗装は、特急車8000系とも一般車とも異なる濃紺と白に塗り分けられ、境に銀色のラインがあしらわれている。座席は、運転台後部が固定クロス、車端部がロングシート、扉間が1-2列の転換クロスシート。

　2021年1月ダイヤ改正に合わせてプレミアムカー1両が連結され、編成からはずれたT車はセミクロスシートのまま13000系に転用された。なお2025年秋を目途にプレミアムカーを2両に増やす計画が好評されている。

　中之島線直通の快速急行の廃止以降は主に特急運用に就いていたが、2021年9月にデータイムの快速急行が復活し、快速急行運用が中心となった。

京阪電鉄8000系

諸元 車体構造：アルミ車体／全長：18.9m（先頭車）・18.7m（中間車）／全幅：2.78m／全高：4.106m／扉数：1～2／座席：セミクロスシート（転換クロス）・リクライニングシート／電気方式：直流1500V／制御方式：界磁位相制御／制動方式：回生ブレーキ併用電気指令式／主電動機出力：175kW／台車：軸梁式空気ばね台車（M車・2階建て）・SUミンデン式空気ばね台車（T車）／製造初年：1989年／製造所：川崎重工

8000系は特急用車両として1989年に登場した。競争の激しい京阪間でライバルに差をつけるべく、京阪電鉄では特別料金のかからない快適な車両と先進的なサービスに力を注いでおり、本形式もそれを踏襲している。

まず、1997～98年にはダブルデッカー1両が増結されて8両編成となり、座席増と魅力ある車両が増えた。

2006年からは、テレビカーのテレビをブラウン管から液晶に交換し、併せて地上波デジタルを導入した。次いで08年からは内装のリニューアルに着手し、座席モケットの張り替え、車端部クロスシートのハイバック・ロングシートへの切り替え、つり革の設置、外部塗装などが行われたが、最も大きな変更はテレビの撤去だろう。

テレビ視聴は1950年代から続く京阪特急の代表的なサービスだったが、ワンセグ普及による視聴環境の変化をふまえ、更新のたびにテレビが撤去された（2012年に全編成の撤去完了）。

一方8550形は、2017年8月に始まった有料指定席サービス「プレミアムカー」用の車両として大規模な改造を受けた。高級感のあるリクライニングシートの設置と1-2列配置への変更、全席電源完備、無料Wi-Fi導入など、設備が大幅にアップグレードされた。

京阪電鉄600形

京都地下鉄東西線と京津線が直通運転を行うため1997年に1500Vに昇圧した

 車体構造:鋼製車体／全長:15.0m／全幅:2.38m／全高:3.98m／扉数: 2 ／座席:ロングシート／電気方式:直流1500V／制御方式:界磁位相制御／制動方式:回生ブレーキ併用電気指令式／主電動機出力:70kW／台車:緩衝ゴム式空気ばね台車／製造初年:1984年／製造所:京阪錦織工場

600系は大津線初の冷房車として1984年に登場した。601〜608は300形の車体が、609〜620は260形の車体が流用された。ただし、前頭部は別途に構体が新造され、ベース車両に接合されている(前期と後期で形状が異なる)。

609以降は、フロントグラスがパノラミックウインドウになった。

京阪電鉄700形

諸元 車体構造:鋼製車体／全長:15.0m／全幅:2.38m／全高:3.98m／扉数:2／座席:ロングシート／電気方式:直流1500V／制御方式:界磁位相制御／制動方式:回生ブレーキ併用電気指令式／主電動機出力:70kW／台車:緩衝ゴム式空気ばね台車／製造初年:1992年／製造所:京阪錦織工場

　700系は大津線用冷房一般車で、1997年10月に行われた大津線の昇圧 (600V→1500V) に備えて、複電圧車として1992年から製造が始まった。

　大津線の昇圧は、京津線と京都市営地下鉄東西線の直通運転が決定したことから具体化し、地下鉄開業に合わせて実施された。当初は、形式名600形のままで複電圧車バージョンとすることが検討されたが、ほかの変更点もあることから新形式となった。

　車体は、500形または350形の車体が流用され、新たに製作した前頭部が接合された。このため前頭部形状は600形と異なるデザインになり、600形後期タイプを直立させたような形状となった。また、600形の排障器の代わりにスカートが新設された。

　クーラーは1両につき2台搭載されているが、一つのクーラーカバーで2台を格納する形状となり、屋上の見た目がすっきりした。

　走行システムは、昇圧後の600形と同一とされた。複巻モーターと界磁位相制御を組み合わせを採用し、回生ブレーキ併用電気指令式ブレーキを装備している。

京阪電鉄800系

諸元 車体構造：鋼製車体／全長：16.5m／全幅：2.44m／全高：3.475m／扉数：3／座席：集団離反形セミクロスシート（先頭車）・ロングシート／電気方式：直流1500V／制御方式：VVVF制御／制動方式：回生ブレーキ併用電気指令式／主電動機出力：90kW／台車：モノリンク式空気ばね／製造初年：1997年／製造所：川崎重工

　800系は、京都市営地下鉄東西線直通の京津線用車両として、1997年10月の東西線開業に合わせて登場した。

　車両性能は、ATOで自動運転する地下鉄と、併用軌道がある京津線の双方に対応している。

　車体は、併用軌道での接触事故時に復旧が容易な鋼製車が採用され、事故防止のため床下に車幅灯（1車両につき3ヵ所）が取り付けられた。

　なお4両編成は、併用軌道の列車長制限を超えるが、特例の許可を得ている。

　座席は、先頭車は集団離反式の1-2列固定クロスシート（車端部はロングシート）、中間車はオールロングシートが配置された。

　登場時の塗装は、琵琶湖をイメージしたパステルブルーとアイボリーホワイトに黄色のラインが入る専用塗装だったが、2017年から京阪線一般車とともに、新たに制定された京阪電鉄標準色に変更され、すでに大津線の全車が統一色に改められている。

　また、登場時は京都市営地下鉄東西線の京都市役所前までの直通運転だったが、2008年1月の東西線太秦天神川延伸後は、太秦天神川まで直通するようになった。

　なお、石山坂本線錦織車庫で駐泊しており、早朝深夜にびわ湖浜大津から回送列車が運転される。

石清水八幡宮参道ケーブル

陽の遣いとしてデザインされた1号車の「あかね」

 車体構造：鋼製車体／全長：13.8m／全幅：2.642m／全高：3.6m／扉数：5／座席：クロスシート／制御方式：VVVF制御／製造初年：2001年／製造所：川崎重工

石清水八幡宮参道ケーブルは、もとは男山索道が1926年に開業したもので、44年に戦時廃止されたが、京阪電鉄が1955年に復活させた。現在の1・2号車は、その復活時に日立製作所が製造した車両の足まわりを流用したもので、2001年に登場した。

長らく男山ケーブルという通称で営業していたが、2019年10月に通称が変わり、「石清水八幡宮参道ケーブル」となった。

この改称に先立ち、2001年に登場した新1・2号車はリニューアルされ、旧特急色だった塗装は、石清水八幡宮の神の遣いとされる「阿吽の鳩」になぞらえたカラーリングに変更され、それぞれに愛称が付けられた。

月の遣いとしてデザインされた2号車の「こがね」。車内には山麓方向に固定された2人掛けシートが階段状に配置されているが、山頂寄り乗務員席横のシートは山頂向けに固定されている

近江鉄道

本社:滋賀県彦根市駅東町15番1
設立:1896(明治29)年6月16日
路線:本線、多賀線、八日市線
車両基地:彦根電車区
営業キロ:59.5km(第二種鉄道事業。第三種鉄道事業者は一般社団法人近江鉄道線管理機構)
駅数:33駅
車両数:36両
電気方式:直流1500V
軌間:1067mm
＊2023年4月1日現在

近江鉄道の鉄道事業の歴史は古く、1898(明治31)年に蒸気鉄道として開業し、1925(大正14)年から電車の運行を開始している。

路線は、本線(1900年開業、1931年全線開業)、多賀線(1914年開業)、八日市線(1913年に湖南鉄道として開業)の3線区がある。最初に開業した本線は、関西鉄道(現・草津線)への短絡により、北陸方面から伊勢神宮への参拝客を取り込む目的で計画された。多賀線も同様で、多賀大社への参拝客を目当てとして建設された。

電化工事は1923年から始まり、1925年に本線の一部と多賀線全線が電化、1928(昭和3)年に1500Vに昇圧された。八日市線はもとは八日市鉄道(旧・湖南鉄道)の路線で1944年に合併、1946年に電化された。

開業以来、120年以上にわたって滋賀県東部の鉄道需要を支えているが、鉄道事業は1994年度から赤字になり、2019(令和元)年には、同社と滋賀県・沿線5市5町からなる法定協議会「近江鉄道沿線地域公共交通再生協議会」が結成され、鉄道の存廃や運営形態の改善が検討された。最終的に全線の上下分離による存続が決定し、2022年に鉄道施設・車両を保有・管理する「一般社団法人近江鉄道線管理機構」が設立され、2024年度から近江鉄道全線の第三種鉄道事業者となった。

現在保有する旅客用の車両はすべて西武鉄道から譲渡されたもので、これは戦時中に西武鉄道グループの傘下に入ったことによる。車両工場は高い技術力を有し、中小の事業者にはめずらしく、譲渡車両の改造は自社で行う。

かつては石灰石やビールなどの貨物輸送も行っており、電気機関車を多数保有していた。その廃車は「近江鉄道ミュージアム鉄道資料館」に展示されていたが、2018年に閉鎖され、廃車は解体・譲渡されてしまった(車両以外の展示資料は八日市駅で展示)。

営業運用は離脱したが、牽引車として可動状態で残る220形226

近江鉄道モハ800形

諸元　車体構造：鋼製車体／全長：20.0m／全幅：2.937m／全高：4.035m／扉数：3／座席：ロングシート／電気方式：直流1500V／制御方式：抵抗制御／制動方式：電気指令式／主電動機出力：120kW／台車：ペデスタル式空気ばね台車／改造初年：1994年／製造所：自社彦根工場

800形は、車両の近代化・大型化・冷房化を図るため、西武から譲渡された401系を自社工場で改造したもの。前面の交換、電気指令式ブレーキ化などが行われ、1994年に第1編成が竣工した。しかし車両限界の関係で八日市線に入線できず、車両限界拡大工事が竣工するまで休車扱いとなり、増備も休止された。

西武鉄道の旧塗装をまとう820番台第2編成

八日市線への入線が可能になり、1997年には前面形状を変更せずに改造した820番台が2編成登場した。1998年からは、前面を第1編成と同じスタイルとして増備が続いた。

近江鉄道モハ100形・モハ900形

諸元　［900形］車体構造：鋼製車体／全長：20.0m／全幅：2.881m／全高：4.246m／扉数：4／座席：ロングシート・固定クロスシート（優先席）／電気方式：直流1500V／制御方式：抵抗制御／制動方式：電気指令式／主電動機出力：150kW／台車：ペデスタル式空気ばね台車／改造初年：2013年／製造所：自社彦根工場

　100形・900形は、西武から譲渡された新101系を自社工場で改造したもの。2013年6月に登場した900形は、制御方式は種車を承継した抵抗制御だが、ブレーキ方式は近江鉄道標準の電気指令式に改造された。

　一方、同年12月に登場した100形は、走行システムの改造は行わず、電気ブレーキ併用電磁直通ブレーキを採用し、近江鉄道初の電気ブレーキ装着車両となった。

　両形式とも、車内は大がかりな改造を受けていないが、バリアフリー対応のため、出入口付近の床、つり手、手すりの黄色化、ドアチャイムの設置などが行われ、新設された優先席は900形のみクロスシート化された。また、自転車搭載スペースが新設された。

　900形の登場時の塗装は、西武ライオンズのチームカラーであるレジェンドブルーを意識したダークブルーを基調とするものだったが、2019年2月の700形「あかね号」の引退にともない「あかね号」塗装に改められ、2代目を引き継いだ。100形の塗装は、琵琶湖をイメージした水色地に白ラインがあしらわれている。

　900形は現在まで増備されていないが、100形は増備が行われ、2018年までに全5編成となった。

近江鉄道モハ300形

諸元 車体構造：鋼製車体／全長：20.0m／全幅：2.846m／全高：3.663m／扉数：3／座席：ロングシート／電気方式：直流1500V／制御方式：界磁チョッパ制御／制動方式：回生ブレーキ併用電気指令式／主電動機出力：130kW／台車：ペデスタル式空気ばね台車／製造初年：2020年／製造所：自社彦根工場

モハ300形は、譲渡された西武3000系6両編成（制御車2両、中間電動車4両）2本を自社彦根工場で改造したもの。中間電動車に制御車の運転台部分が移設されて2連の制御電動車となり、近江鉄道初の界磁チョッパ・回生ブレーキ車となった。

運転台の移設に伴い、運転台後部の側扉戸袋窓と運転台のあいだには側窓がない。行先表示器は白色LEDに交換され、車内には案内表示器が新設された（いずれも近江鉄道で初めて）。

車体塗色は100形と同じオリエントブルーだが、白ラインは入っていない。側窓が2連窓であることと併せ、サイドビューからの識別ポイントとなっている。前面も100形とよく似ているが、100形は前面窓まわりのブラックフェイスが左右二分割であるのに対し、300形は分割がなく、車体色の鼻筋がない点が異なる。

2020・21年に各1編成が営業運転を開始し、800形を淘汰した。800形はまだ10編成残っており、車両保有が近江鉄道線管理機構に移る2024年度以降、どのようになるか興味深い。引き続き西武の余剰車の譲渡を受けるのか、西武以外からも受けるのか、地元自治体の意向が絡むため、予想が難しい。

信楽高原鐵道

本社：甲賀市信楽町長野192番地
設立：1987（昭和62年2月10日）
路線：信楽線
車両基地：信楽検修庫
営業キロ：14.7km（第二種鉄道事業。第三種鉄道事業者は甲賀市）
駅数：6駅
車両数：4両
電気方式：非電化
軌間：1067mm

同社開業時の車両SKR200形201号これは塗装変更後の姿

信楽高原鐵道は、国鉄再建法により国鉄から経営分離された国鉄信楽線を引き継いだ、第三セクター鉄道。なお、1933（昭和8）年に開業した信楽線は、戦時休止線となったが、1947年に営業が再開された。

起点の貴生川から信楽の町がある高地の盆地まで、急勾配を延々と登るため、関西の非電化路線ではめずらしい連続33‰の勾配が見られる。

国鉄時代には貨物営業が行われており、滋賀県で蒸気機関車が使用された最後の線区だった（1972年秋に草津線とともにディーゼル化達成）。ちなみにこの時の蒸気機関車はC58形だった。

国鉄信楽線時代の実績はけっして芳しくなく、国鉄再建法の第一次廃止対象路線からは免れたものの、第三次廃止対象路線に指定され、1987年7月13日に信楽高原鐵道が運営を引き継いだ。

開業に際して車両3両が準備され、新駅も開業した。翌年には、車両1両が増備されている。

1991（平成3）年に開催された「世界陶芸祭」に備え、小野谷信号場が新設され、臨時列車が運転できるようになった。しかし、同年5月14日にJR直通の臨時列車と定期列車による正面衝突事故が発生し、死者42名、重軽傷者614名の大惨事となった。この事故により、車両2両が廃車、信号場は休止された。

同年末に営業再開し、その翌年に1両、95年に1両を増備して、4両体制に戻ったが、2001年から在来車の置き換えが始まり、20世紀生まれの車両は姿を消している。

同社保有の車両は、形式名の冒頭に「Shigaraki Kogen Railway」からとった「SKR」が付けられている。

▼ 信楽高原鐵道SKR310形

諸元 車体構造：鋼製車体／全長：15.50m／幅：3.090m／扉数：2／座席種別：ロング／動力伝達方式：液体式／制動方式：非常弁付直通ブレーキ／機関出力：295PS／台車：軸ばね式空気ばね台車／製造初年：2001年／製造所：富士重工

SKR200形を置き換えるため、2001年11月に登場した。当初はSKR300形の増備が予定されていたが、ブレーキの二重化と出力増強のためにエンジンと液体変速機を変更したことから新形式となった。

車体は300形と同じで、1991年の衝突事故の教訓から、前面の油圧シリンダー式車端ダンパーなどを備えている。

車体塗装は311号が緑色、312号は紫色。新ラッピングのテーマは「甲賀忍者と信楽たぬきのコラボ」。

緑地が311号、紫地が312号。新ラッピングのテーマは「甲賀忍者と信楽たぬきのコラボ」

▼ 信楽高原鐵道SKR400形・SKR500形

諸元 [SKR500形] 車体構造：鋼製車体／全長：18.5m／全幅：3.093m／扉数：2／座席：セミ転換クロスシート／動力伝達方式：液体式／制動方式：電気指令式／機関出力：330PS／台車：円錐積層ゴム式空気ばね台車／製造初年：2017年／製造所：新潟トランシス

2015年に登場したSKR400形。色以外の外観はSKR500形と同じ

　SKR400形は、SKR300形を置き換えるために2015年に登場した。SKR500形は、SKR200形205号を置き換えるために2017年に投入され、SKR200形の置き換えが完了した。

　両形式とも新潟トランシスのNDCシリーズの車両で、車体形状や走行性能は同一だが、座席タイプが異なる。SKR400形はオールロングシート車となったが、SKR500形は同社初の転換クロスシート車となった。

COLUMN　第三セクター鉄道とは？

　鉄道に限らず、公的な事業を行う法人の形態として「第三セクター」が選ばれることはめずらしくない。一般的には、国や地方自治体と民間からの出資により設立された法人が第三セクターで、株式会社の形態をとる。出資・経営ともに民間が主体のケースもあれば、公共団体が主体で、民間はお付き合い程度といったケースもある。

　鉄道分野での第三セクターというと、かつては臨海鉄道が代表的で、国鉄と荷主となる沿線企業の出資により各地に臨界鉄道が設立された。大都市近郊のニュータウン鉄道などの都市近郊鉄道や、都市内鉄道を第三セクターで整備するといった事例も少なくない。

　また、国鉄再建法で国鉄から分離された（国鉄新線として建設された）ローカル線を第三セクターで引き継ぐ事例も多い。全国的に見られるため、第三セクターというと、元国鉄のローカル線というイメージが強いほどだ。

　さらに整備新幹線の開業に伴い、JRから経営分離される地方幹線が第三セクターとなるケースも増えた。

　いわゆるローカル線の第三セクター鉄道はどのくらいあるのか。国鉄再建法や整備新幹線の関係で登場した第三セクター鉄道の事業者で構成される「第三セクター鉄道等協議会」の会員数は41社。その内訳は、北海道1社／東北7社／関東5社／甲信越3社／北陸4社／東海6社／関西3社／中四国6社／九州6社となっている。

　地方の人口や経済規模はかなり違うので端的な評価は難しいが、関西は経営転換したローカル線がほかの地域に比べて少ないといえそうだ。

信楽高原鐵道

元国鉄線のいすみ鉄道（千葉県）

北陸新幹線開業で誕生したえちごトキめき鉄道（新潟県）

比叡山鉄道（坂本ケーブル）

本社：滋賀県大津市坂本本町4244
創立：1924（大正13）年10月23日
路線：比叡山鉄道線
営業キロ：2.0km（鋼索鉄道）
駅数：4駅
車両数：2両
軌間：1067mm

比叡山鉄道は比叡山坂本ケーブル（鋼索鉄道）を運営する鉄道会社。

ケーブルカーの路線長は2025mあり、これは現存する国内のケーブルカーでは最長で、途中に駅が2ヵ所あることも特徴となっている（国内に存在するケーブルカー25路線のうち、途中駅が存在するのは、本路線と箱根ケーブル、生駒ケーブル山上線の3路線のみ）。

京阪グループの傘下にあり、京阪石山坂本線坂本駅やJR湖西線坂本駅とは、京阪グループの江若交通のバスで結ばれており、比叡山を京都市側から登る叡山電車・叡山ケーブルなどとセットのきっぷも販売される。

同ケーブルは、比叡山延暦寺や避暑を目的として、1927（昭和2）年に国内11番目の鋼索鉄道として開業した。1945年3月に戦時休止となるが、山上に特攻機「桜花」の発射基地を作るため海軍に接収され、車両は桜花輸送用に改造された。

戦後になって車両が復元され、1946年に営業を再開。特攻機の発射基地跡はキャンプ場として整備し、アクセス用に裳立山遊園駅（現・もたて山）が開設された。

なお、営業再開にあたり復元された初代車両は、1958年に日立製作所製の2代目車両と交換された。

ほうらい丘駅は1984年に開設された。途中駅のほうらい丘駅ともたて山駅で下車する場合は、乗車時に申し出る必要がある。逆に同駅から乗車する場合は、駅に設置されている連絡用電話で申し出ないとケーブルカーが通過してしまう。

1993（平成5）年には3代目の車両が登場。2006年には倒木被害軽減と眺望を改善するため、車両の電源を蓄電池化し、給電用に使われていた架線を廃止した。なおパンタグラフは、折り返し時に駅構内で充電するために残されており、運転中は架線がない場所でもパンタグラフを上げて走っている姿が見られる。

開業時の姿を残す山麓のケーブル坂本駅と山上のケーブル延暦寺は、1997年に国の登録有形文化財に登録されている。

国の登録有形文化財になっているケーブル延暦寺駅舎

▼ 比叡山鉄道坂本ケーブル

両サイドが緑色の 1 号車「縁」号

 車体構造：鋼製車体／全長：13.90m／幅：2.720m／最大乗車人員：146人／製造年：1993年／車体製造会社：近畿車輛

　現在、比叡山鉄道で使用されている車両は、無形式の1号と2号。近畿車輛製の台車に、大阪車両工業製の車体を搭載している。

　登場時には、車内サービス用電源は架線からパンタグラフで給電していたが、2006年の車両リニューアル時に蓄電池が搭載されたため、架線は撤去された。ただし、駅停車時にパンタグラフ経由で蓄電池に充電するため、パンタグラフそのものは残っている。

　ケーブル坂本〜ほうらい丘間とケーブル延暦寺〜もたて山間は距離が短く、歩いて行くことができる。

両サイドが赤色の2号車「福」号。充電池化で架線と架線柱が廃止され眺望が改善し、災害時の被災箇所も減った。京阪石山坂本線に本ケーブル車両を模したラッピング車が走っている

京福電気鉄道

本社：京都府京都市中央区壬生賀陽御所町3-20
創立：1942（昭和18）年3月2日
路線：嵐山本線、北野線、鋼索線
車両基地：西院車庫
営業キロ：計12.3km（軌道11.0km、第一種鉄道事業1.3km）
駅数：24駅（軌道・鉄道）
車両数：30両（事業用電動貨車含む）
電気方式：直流600V
軌間：1435mm、1067mm

京福電気鉄道は京阪グループに属し、京都市内で鉄軌道事業などを行っている。

嵐山線は嵐山電車軌道によって1910（明治43）年に開業し、1918（大正7）年に京都電燈に合併された。北野線は京都電燈合併後の1925年に開業、翌年に全通した。

1942年、戦時の配電統制令により京都電燈が解散すると、鉄軌道部門は京福電気鉄道として独立した。

「京福」という社名は、福井県でも鉄道事業を展開していたことによるが、越前本線（現・えちぜん鉄道勝山永平寺線）において2000年、2001年に列車衝突事故が相次いだため鉄道運行ができなくなり、2002年に第三セクター方式で設立された「えちぜん鉄道」に承継された。

また、京都電燈時代に開業された叡山本線と鞍馬線は1986（昭和61）年に叡山電鉄に譲渡された。このため、京福電鉄の鉄軌道事業は、嵐電（嵐山本線、北野線）と鋼索線（叡山ケーブル）のみとなった。

嵐電の大半は新設軌道（路上ではなく専用の線路を走る区間）だが、嵐山線の一部は併設軌道（路面に線路を敷いた区間）になっており、路上で乗降する電停がある。なお、1975年までポール集電の電車を運行していた。

京阪グループ傘下だが、阪神電気鉄道に中古車両を譲渡してもらった時代もあり、現在の在籍車両はすべて阪神グループの武庫川車両製となっている。

叡山ケーブルは、1925（大正14）年に京都電燈によって開業した鋼索鉄道で、高低差国内最大のケーブルカーとして知られる。

京福電鉄では、老朽化が進むモボ101形6両とモボ301形1両の計7両を置き換えるため、2024年からVVVF制御の新製車両「KYOTORAM」を導入する予定だ。

嵐電嵐山駅の入口

京福電鉄モボ101形・モボ301形

新標準色のモボ101形2連

 諸元

車体構造：鋼製車体／全長：14.80m／幅：2.570m／扉数：2／座席種別：ロング／電気方式：直流600V／制御方式：抵抗制御／制動方式：非常弁付直通空気ブレーキ／主電動機出力：44.8kW／台車：ウイングばね式コイルばね台車／製造初年：1929年（101形）、1971年（301形）／製造所：藤永田造船（101形）、武庫川車両（301形）

モボ301形は、京福電鉄の営業用電車のなかで最も古い車両だ。また、阪神電鉄子会社の武庫川車両が、親会社向け以外で初めて製造した電車としても知られている。登場は1971年で、京福電鉄が保有する予備部品と新造車体を組み合わせて2両が製造された。

モボ101形は、1929年製造の旧モボ101形（藤永田造船所製）をベースとし、1975年から順次、車体をモボ301形と同じ車体に交換したもの。

2024年から新型車両「KYOTORAM」と置き換えられ、2028年までに全車の置き換えが完了する予定。

先頭のモボ301が旧標準色、2両目が新標準色

京福電鉄モボ501形

諸元 車体構造：鋼製車体／全長：14.80m／幅：2.640m／扉数：2／座席種別：ロング／電気方式：直流600V／制御方式：抵抗制御／制動方式：非常弁付直通空気ブレーキ／主電動機出力：44.8kW／台車：ウイングばね式コイルばね台車（501形）、釣り合いばね式台車（502形）／製造初年：1984年／製造所：武庫川車両

　モボ501形は、嵐山線開通80周年を記念して、1984～85年に4両登場した。モボ111/121形の機器と新設の車体を組み合わせて製造され、嵐電初の冷房車となった。

　路面電車でよく見られる前後非対称の扉配置で、運転席は左側から中央に移り、一般的なワンマン運転仕様の路面電車スタイルになった。ただ、左側面の前扉が運転台横、中扉が中間部のやや後寄りにある配置は客の流れが悪いと不評で、以降の同社車両では採用されなかった。

　1枚ガラスの前面窓、前面窓上部の大型方向幕、腰板部の左右スプリットのヘッドライト、車体コーナー部の削ぎ落しなど、都電7000形更新車に似た前面はいかにも路面電車的だが、こちらも後続車両では採用されていない。

　前述のように、客扱いに難があったため単行では使用されず、混雑時の増結車として使用されることが多く、503・504は2000～01年に廃車された。501・502は、2016年に扉配置の変更、方向幕のLED表示機化が行われ、単行での使用が見られるようになった。

京福電鉄モボ611形・モボ621形・モボ631形

モボ21形と2連を組むモボ611形613

 諸元　車体構造：鋼製車体／全長：15.00m／幅：2.640m／扉数：2／座席種別：ロング／電気方式：直流600V／制御方式：抵抗制御／制動方式：非常弁付直通空気ブレーキ／主電動機出力：44.8kW／台車：円錐積層ゴム式コイルばね台車（611形、631形）、釣り合いばね式台車（621形）／製造初年：1992年（611形）、1990年（621形）、1995年（631形）／製造所：武庫川車両

　モボ611/621/631形は、モボ111/121形・ク201形の機器と新設車体を組み合わせて新造された冷房車だ。車体は同一だが、新造車の形式は種車の形式により区別されている。

　それぞれ新製後に増備されており、モボ621形は1990〜96年に、モボ611は1992〜93年に、モボ631形は1995〜96年に増備された。

　モボ631形では制御車ク201形の機器を流用したが、主電動機（モーター）は、ク201形牽引のため4基のモーターを搭載していたモボ121〜124から捻出した（ほかのモボ121はモーター2基）。

　車体は、モボ501形からがらりと変わり、基本レイアウトはモボ101/301形と同等の前後対称の扉配置となり、乗務員扉付き、運転席は左側に配置された。ヘッドライトは2灯式で、前面上部中央に配置された。また、細い縦桟で仕切られた2枚窓、正面と側面の電動方向幕などの改良も行われた。

嵐電631形

京福電鉄モボ21形

モールが金色の26号

 諸元　車体構造：鋼製車体／全長：15.0m／全幅：2.64m／全高：3.86m／扉数：2／座席：ロングシート／電気方式：直流600V／制御方式：抵抗制御／制動方式：自動空気ブレーキ／主電動機出力：44.8kW／台車：釣り合い梁式台車／製造初年：1994年／製造所：武庫川車両

京福電鉄モボ21形は、平安建都1200年記念行事の一環として、1994年にレトロ電車として登場した。

車体は開業当時の車両を模して新製されたものだが、機器類はモボ121形のものが流用された。

車番は、同じ手法で登場したモボ621の下2桁の追番とされ、26・27号となった。外部塗装は、こげ茶色の単色だが、26号は金、27号は銀のモールを描きアクセントにしている。冷房機とその電源装置は二重屋根風の屋上に納められた。

内装はケヤキの木目調の化粧板が施され、荷物棚・握り棒の真鍮部品は種車の部品が流用された。

モールが銀色の27号

▼ 京福電鉄モボ2001形

モボ2001同士の2連

 車体構造：鋼製車体／全長：15.00m／幅：2.640m／扉数：2／座席種別：ロング／電気方式：直流600V／制御方式：VVVFインバータ制御／制動方式：電気指令式／主電動機出力：60kW／台車：円錐積層ゴム式コイルばね台車／製造初年：2000年／製造所：武庫川車両

　モボ2001形は、2001年に登場した嵐電初のVVVF制御・カルダン駆動車で、シングルアーム式パンタグラフを最初に採用したことでも知られる。

　車体はモボ611/621/631形とほぼ同じだが、2001形では運転士の死角を減らすため、乗務員扉の前に縦長の小窓が設けられており、これがいちばん大きな違いとなっている。また、嵐電初のワンハドル車でもある。

　現有する在来車はすべて連結運転が可能だが、現在のところモボ2001形は同型車同士しか連結運転ができないため、連結相手は2002年に登場した増備車2002しかない。

　VVVF制御車だが、新製時は回生ブレーキを用いない仕様で製造された。2023年に回生電力貯蔵装置が導入されたのを機に回生ブレーキ化改造工事が実施された。またこの際、行先表示器のLED化、ホーム検知装置の新設なども行われている。

　なお、他形式との併結ができなかったが、2024年から新製される「KYOTORAM」とは併結可能になる予定。

▼ 京福電鉄 叡山ケーブル ケ形

叡山ケーブル ケ1号

 車体構造：鋼製車体／全長：12.00m／幅：2.780m／最大乗車人員：138人／製造年：1987年／車体製造会社：武庫川車両

　京福ケ形は、叡山ケーブル（京福電鉄鋼索線）用の車両。1987年に3代目の台車等を流用して武庫川車両製の車体に更新された。

　叡山ケーブルと叡山ロープウェーを乗り継ぐと比叡山山上に到達できるが、ケーブル比叡駅は延暦寺からはやや離れたところにある。

　以前はケ形に連結する貨車ケト101が在籍したが、2000年に廃車。先代車両は嵐電に準じた塗装だったが、現行車両は京福系の京都バスに準じた塗装を経てこの塗装となった。

　なお、利用者数の動向により、12月初旬から3月中旬までの冬季運休（正月三が日を除く）が慣例化している。

叡山ケーブルのケ2号

COLUMN　ケーブルカー天国の関西

　斜面を登る交通機関には、ロープウェイやケーブルカーなど各種ある。そのうち、レールに載った車両をロープで引っ張るケーブルカーは、正式には「鋼索鉄道」と呼ばれる鉄道の一種だ。鋼索鉄道として国の認可を受けたケーブルカーは国内に22路線あり、関西には以下の11路線がある（旅館や娯楽施設にあるミニケーブルなども広義には鋼索鉄道といえるが、認可を受けていないため鉄道事業には当たらない）。

- 比叡山ケーブル（比叡山鉄道）
- 叡山ケーブル（京福電気鉄道）
- 鞍馬寺ケーブル（鞍馬寺）
- 天橋立ケーブル（丹後海陸交通）
- 石清水八幡宮参道ケーブル（京阪電気鉄道）
- 生駒ケーブル宝山寺線（近畿日本鉄道）
- 生駒ケーブル山上線（同上）
- 西信貴ケーブル（同上）
- 高野山ケーブル（南海電気鉄道）
- 六甲ケーブル（神戸六甲鉄道〔施設は阪神電気鉄道が保有〕）
- 摩耶ケーブル（こうべ未来都市機構）

　国内のケーブルカーのうち、半数が関西にあり、さらに今春の六甲ケーブル移管により、在関西の大手私鉄5社のうち4社がケーブルカーを保有することになった。自社グループに鋼索鉄道事業者がある大手私鉄は関東にもあるが、大手私鉄の自社路線に鋼索鉄道が含まれるのは関西だけだ。

　関東の鋼索鉄道は「○○ケーブルカー」と称する例が多いが、関西は「××ケーブル」と称し、「カー」を省いて案内される。

　また、リフトカーという商品名で販売されていた単走式システムは、鋼索鉄道としての許認可を得ないケースが多いが、関西では過去に数ヵ所が鋼索鉄道として認可を受けている。鞍馬寺はそのうちの一つで、現役路線だ。

　なお、全線地下式のケーブルカーは青森県の青函トンネル記念館と富山県の黒部ケーブルカーのみで、関西にはない。また、国内鉄道では外国メーカーによる車両はめずらしく、ケーブルカーではこれまで、神奈川県の箱根登山ケーブルカーと福岡県の皿倉山ケーブルカーのみだったが、2019年に高野山ケーブルの車両がスイス製に交換され、関西にも外国製車両が登場した。

全線地下の黒部ケーブルカー（富山県）

叡山電鉄

本社：京都府京都市左京区山端壱町田町8-80
創立：1985（昭和60）年7月6日
路線：叡山本線、鞍馬線
営業キロ：14.4km（第一種鉄道事業）
駅数：17駅
車両数：23両
電気方式：直流600V
軌間：143mm

現在、叡山電気鉄道叡山本線となっている出町柳～八瀬比叡山口間は、1925（大正14）年に京都電燈が開業した。鞍馬線は、京都電燈と京阪電気鉄道が設立した鞍馬電気鉄道によって開業した路線で、1929（昭和4）年に全通した。1942年3月、京都と福井で営業していた京都電燈の鉄道部門が京福電気鉄道として独立し、さらに同年9月に鞍馬電鉄を合併した。そして1986年に叡山電鉄が京福電鉄から独立するのだが、つぎのような経緯があった。

京阪三条と出町柳を連絡線で結ぶ構想は京都電燈時代からあり、叡山本線開業前に同区間の免許を取得していたが（1924年）、さまざまな問題が解決せず、開業には至らなかった。

1948年、京都市が京福電鉄と京阪電鉄に対して同区間の事業化を要請し、両社共同出資の新会社が設立されたが、地上線の計画だったため京都市との協議が進まず、具体化しなかった（ただ、京福電鉄が1951年に叡山線用に新製したデオ200形は、京阪電鉄乗り入れを考慮した設計といわれている）。

こうした状況下で、他社線との接続がない叡山線の利用はじり貧となり、京福電鉄は1986年4月1日、叡山本線と鞍馬線を叡山電鉄として独立させるに至る。当初は、京福電鉄100％出資の子会社だったが、徐々に京阪電鉄の出資比率が上がり、現在は京阪電鉄100％出資の京阪の子会社となっている。

三条～出町柳間の連絡線問題は、京阪が京都市内中心部を地下化することが決まったことから、鉄道公団（当時）の支援を受け、京阪線延長のかたちで新線建設が行われた。その結果、1989（平成2）年10月に京阪電鉄が出町柳まで延長され、叡電の利用者はかなり増加した。

叡山電鉄所属車両の特徴としては、鞍馬線の急勾配に対応して、発電ブレーキにこだわっていることが挙げられる。現在の営業用車両は叡山電鉄発足後に導入したもので、京福電鉄と同じく、全車が武庫川車両製であることも特徴といえる。

903-904は「メイプルオレンジ」

叡山電鉄デオ900形「きらら」

車体上部を「メープルレッド」に塗装した903F

 車体構造：鋼製車体／全長：15.70m／幅：2.690m／扉数：3／座席種別：ロング／電気方式：直流600V／制御方式：抵抗制御／制動方式：発電ブレーキ併用空気ブレーキ／主電動機出力：53kW／台車：緩衝ゴム式空気ばね台車／製造初年：1997年／製造所：武庫川車両

　デオ900形は、非冷房で残っていた600形を置き換えるために1997年に投入された。観光客を重視した展望車両で、「きらら」の愛称がある。1998年に903-904が増備されている。

　本形式登場のきっかけは、京都市営地下鉄烏丸線の延伸だ。当時、同線の国際会館までの延伸（1997年6月）により、叡山本線の通勤通学客の多くが地下鉄に移行することが予想されていた。その対策として開発されたのが本形式で、これまで以上に観光客を重視した車両とすることで誘客をねらった。

　前頭部は、ガラス張りであることを強調するため、平面ガラス8枚で構成された展望構造とされた。運転席上部に方向幕、腰板部の前照灯はフォグランプとのコンビネーションランプ、側窓まわりと同色のスカートを有する。

　客室内は屋根肩部に天窓がある。座席は運転台に向かって左側が1人掛け、右側が2人掛けの固定クロスシート。右側中央部2脚は窓に向かって横向きになっている。

　制御装置は、MM'ユニット方式となり、同社で初めてシングルアーム式パンタグラフを採用した。

　現在、901-902号は新緑をイメージしたメープルグリーンに変更されている。

▼ 叡山電鉄デオ800形・デオ810形

700形同様、車両によりラインの色が異なり、802Fはピンク色

諸元 車体構造：鋼製車体／全長：15.70m／幅：2.690m／扉数：3／座席種別：ロング／電気方式：直流600V／制御方式：抵抗制御／制動方式：発電ブレーキ併用空気ブレーキ／主電動機出力：53kW（800形）、60kW（810形）／台車：緩衝ゴム式空気ばね台車／製造初年：1990年（800形）、1993年（810形）／製造所：武庫川車両

　1989年に京阪電鉄鴨東線が開業して京阪線と直接接続するようになると、叡山電鉄の利用者も増えた。この需要に応えるため1990年に登場したのが、叡山線初の2両固定編成のデオ800-850/810形だ。

　車体長はデオ710～730形と同じだが、乗降をスムーズにするため3扉となった。塗装はクリーム色をベースに、編成ごとに色を変えたラインが引かれている。前頭部は正面窓が上方に拡大し、方向幕を内蔵する方式となった。前照灯は腰板部の左右に尾灯と並んで配置された。

　デオ800形とデオ850形は同社初のMM'ユニット方式の車両で、デオ800に搭載された主制御器で、デオ800・デオ850の電動機を制御する。

　コバルトブルーとグリーンの帯の801-851では方向幕が助士席側にあるが、グリーンとピンクの帯の802-852では方向幕が運転席側に移り、窓サッシが黒色になった。

　デオ810形は1M方式となり、台車は京阪からの譲渡品になった。811-812編成は帯が緑と青に、813-814編成では帯が藤色と青になった。815-816編成は、青地に植物類がデザインされ

デオ810形811F

た「エコモーション」号として登場したが、現在は別デザインの「こもれび」となった。

デオ810形813F

デオ810形815F

▼ 叡山電鉄デオ710形・デオ720形・デオ730形

諸元　車体構造：鋼製車体／全長：15.70m／幅：2.680m／扉数：2／座席種別：ロング／電気方式：直流600V／制御方式：抵抗制御／制動方式：発電ブレーキ併用空気ブレーキ／主電動機出力：60kW（710形）、75kW（720形）、92kW（730形）／台車：モノリンク式空気ばね台車（710形）、円筒案内式空気ばね台車（720形）、アルストムリンク式コイルばね台車（730形）／製造初年：1987年、1988年（730形）／製造所：武庫川車両

　デオ710/720/730形は、自社や京阪電鉄の廃車で発生した機器と新製された車体を組み合わせ、1987～88年に製造された冷房車だ。

　車体はすべて同型で、登場時は塗装も同一だった。現在はクリーム地は共通だが、テーマごとの色帯を引き、戸袋部にシンボルマークが描かれている。全面ラッピング車も存在する。

　デオ710形は、自社デナ21形と京阪260形からの流用機器で1987年に製造されたが、1992年に新製台車と阪神から譲渡された電動機でカルダン駆動化された。711号は緑帯、712号はラッピング車。

　デオ720形は、自社デオ200形の機器を流用し1987/88年に製造されたが、2002～05年に京阪から譲渡された台車に交換し、カルダン駆動化された。721号は緑帯、722号は赤帯、723号はラッピング車、724号は青帯。

　デオ730形は、自社デオ300形の機器と京阪1800系の台車を流用して1988年に製造された。そのため、当初からカルダン駆動だった。731号は、開業90周年記念の「ノスタルジック731」として運転されている。

デオ730形732「ひえい」

デオ720形723

デオ720形723の車内

叡山電鉄

鞍馬寺（鞍馬寺ケーブル）

本社：京都府京都市左京区鞍馬本町1074
創立：1953年1月26日
路線：鞍馬山鋼索鉄道
営業キロ：0.2km（第一種鉄道事業）
駅数：2駅
車両数：1両
軌間：1200㎜

鞍馬寺鋼索鉄道（ケーブルカー）は、国内で唯一宗教法人が直営する鉄道事業として知られる。本堂への移動手段として、急坂の参道に並行して建設されている（が、寺側は基本的には徒歩での参拝を推奨している）。宗教法人による運営ということで、乗客は切符の代わりに「御寄進票」を購入する。

建設は大手ロープウェイメーカーの安全索道が担当し、1957（昭和32）年に鉄輪式の車両で開業した。

1976（昭和51）年にゴムタイヤ式の設備に改修され、2代目車両「牛若號Ⅱ」が運行を開始。ゴムタイヤ式への変更に伴い、走路の間隔は800㎜となった。

1996（平成8）年に再度施設を改修し、車両の定員を24人から32人に増やした「牛若號Ⅲ」が登場した。この改修では、サービス電源が架線式から剛体式に変更され、車体は鋼製からアルミ製に、速度制御は周波数変換制御になった。

現行の施設は、1996年に運行を開始した施設を全面的に改修したもので、安全索道により2016年5月に改修が完了している。この改修により、左右の走路間隔は800㎜から1200㎜になった。

宗教法人が直営する鉄道事業なので、事業者名もそのまま「鞍馬寺」となっている

鞍馬寺ケーブル

諸元 車体構造：鋼製車体／全長：6.28m／幅：1.905m／最大乗車人員：32人／製造年：2016年／車体製造会社：大阪車輌工業

　鞍馬寺鋼索鉄道はH形鋼の走路上を走るリフトカー方式を採用しているため、このNo.1形「牛若號Ⅳ」は同線の唯一の車両だ。

　2015～16年に行われた全面的なリニューアルに際して「牛若號Ⅲ」に代わる車両として投入され、2016年5月20日の運行再開から使われている。

通路の両側に1人掛けシートが並ぶ客室。改修前よりかなり広がった印象がある

嵯峨野観光鉄道

本社：京都府京都市右京区嵯峨天竜寺車道町
創立：1990年11月14日
路線：嵯峨野観光線
営業キロ：7.3km（第二種鉄道事業。第三種鉄道事業者はJR西日本）
駅数：4駅
車両数：6両
軌間：1067mm

嵯峨野観光鉄道は、複線化によって使用されなくなった保津峡沿いのJR西日本の山陰本線を利用した観光鉄道で、第二種鉄道事業者だ。

JR西日本の完全子会社で、開業にあたり、JR西日本から機関車と貨車の譲渡を受けている（貨車はトロッコ客車に改造）。

かつて山陰本線嵯峨〜馬堀間は、保津峡の景観を車窓から楽しめる景勝区間として知られていたが、複線化により大半がトンネルとなることが惜しまれて、観光鉄道として活用されることになった。

営業区間は、嵯峨（現・嵯峨嵐山）に隣接するトロッコ嵯峨と馬堀駅近くのトロッコ亀岡間の7.3km。これをトロッコ列車で約1時間かけて1往復する。全席指定で、指定券はJR西日本の「みどりの窓口」で発売する。

原則として水曜と冬期は全面運休するが、観光シーズンは毎日運行する。

同社が保有する機関車は1両のみだが、JR西日本が梅小路運転区に配置している2両のDE10形のうち1両が嵯峨野観光鉄道と同色の塗装に変更され、予備機となっている。

嵯峨野観光鉄道色をまとうJR西日本DE10形1156号機

嵯峨野観光鉄道DE10形/SK100形・SK200形・SK300形

諸元 [SK100/SK200/SK300形客車] 車体構造：鋼製車体／全長：14.186m／幅：2.845m／座製：クロス／制動方式：自動空気ブレーキ／改造初年：1991年、98年（SK300）／改造会社：JR西日本鷹取工場 [DE10形機関車] 全長：14.150m／幅：2.95m／動力伝達方式：液体式／制動方式：自動空気ブレーキ／製造年：1971年／製造所：日本車輌

　嵯峨野観光鉄道のトロッコ列車は、JR西日本から譲渡されたDE10 1104号機とSK100・SK200・SK300形客車を組み合わせた編成となっている。

　DE10形は国鉄がローカル線用として1960〜70年代にかけて投入したディーゼル機関車で、700両以上が製造され全国で使われた。嵯峨野観光鉄道入線にあたり塗装が一新されている。

　SK100・SK200・SK300形客車はJR西日本から譲渡されたトキ25000形貨車をJR西日本鷹取工場で改造したもの。SK200形はトロッコ亀岡寄りに連結され、トロッコ亀岡行きでは運転室からDE10機関車を遠隔操縦する。

　SK100形は中間車で、現在は全車にガラス窓を備えるが、当初は一部車両だけだった。当初からガラス窓があった車両は屋根にグローブ式ベンチレーターがある。また2015年からは一部車両にだるまストーブを積み、12月の営業が開始されている。

　SK300形は、1998年に増備された車両で「ザ・リッチ」という愛称をもつ。屋根の1/3を強化ガラスに、腰板と床を格子状とし、車両の真下まで見られるという特別仕様が売りになっている。が、雨天時は雨が吹き込んでくるため、指定券の販売は好天時の当日分のみ。

WILLER TRAINS（京都丹後鉄道）

本社：京都府宮津市字鶴賀2065-4
設立：2014（平成26）年7月14日
路線：宮福線、宮津線
車両基地：西舞鶴運転所、福知山運転所
営業キロ：114.0km（第二種鉄道事業。第三種鉄道事業者は北近畿タンゴ鉄道）
駅数：32駅
車両数：35両
電気方式：直流1500V、非電化
軌間：1067mm

京都丹後鉄道という名称は、丹後地方にある鉄道2路線の運営を行うWILLERTRAINS株式会社の通称で、地元では「丹鉄」の略称で親しまれている。

鉄道公団によって建設された宮福線と、国鉄再建法で国鉄から経営分離された宮津線は、長らく第三セクター北近畿タンゴ鉄道が経営していたが、赤字続きだったため、事業再構築により2015年度から上下分離式になった（鉄道施設は第三セクターの北近畿タンゴ鉄道が保有し、それを民間企業のWILLER TRAINSが借りて鉄道事業を運営する）。

なお、上下運営の移管時に路線愛称が付けられ、西舞鶴〜宮津間は宮舞線、宮津〜豊岡間は宮豊線とされた。

由良川にかかる宮舞線を行く「丹後あかまつ号」

●宮福線 列車種別ごとの停車駅
※優等列車停車駅（除く各停区間）のみ。△は一部列車のみ停車、縦縞は各停区間

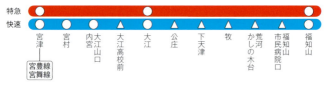

●宮豊線 列車種別ごとの停車駅
※優等列車停車駅（除く各停区間）のみ。△は一部列車のみ停車、縦縞は各停区間

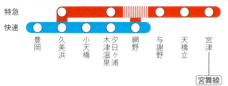

京都丹後鉄道KTR8000形

 車体構造：鋼製車体／全長：21.6m／全幅：2.915m／全高：4.0m／扉数：1／座席：リクライニングシート／動力伝達方式：液体式／制動方式：電気指令式／機関出力：330PS／台車：円錐積層ゴム式ボルスタレス空気ばね台車／製造初年：1996年／製造所：富士重工

　京都丹後鉄道KTR8000形は、福知山〜天橋立間電化に伴う1996年のダイヤ改正で登場した特急「タンゴディスカバリー」用に開発された特急形気動車だ。

　トイレ無しフリースペース付き車両とトイレ付き車両で2両編成を組み、2〜3編成併結運転を行うため、前面は貫通形となっている。

　コマツ製330PSエンジンを2基搭載。8001〜8004の2両編成2本は、JR西日本の485系を改造した183系による牽引での併結運転を可能とするブレーキシステム等を備え、当初は福知山線内で併結されて新大阪に直通していた。その後、JR車との併結運転が中止され、さらに183系が全廃されたため、電車との併結機能を活かす機会は失われた。

　2015〜17年、水戸岡鋭治氏により京都府北部（"海の京都"観光圏）を想起させるリニューアルが順次実施され、車両デザインが一新された。車体色は藍色メタリック、内装は木材を多用した和風のデザインとなり、「丹後の海」という愛称が命名された。

　現在はKTR8000同士の併結でJR線に直通し、特急「はしだて」「まいづる」として京都まで乗り入れる。自社線内の運用では、福知山でJR特急と接続ずる特急「たんごリレー」に充当され、一部の快速や普通でも使用されている。

▼ 京都丹後鉄道MF100形

リニューアル工事施工済みMF100形（登場時は側扉がステンレス無塗装）

 諸元　車体構造：鋼製車体／全長：16.5m／全幅：3.09m／全高：3.785m／扉数：2／座席：リクライニングシート／動力伝達方式：液体式／制動方式：自動空気ブレーキ／機関出力：250PS／台車：軸箱守式空気ばね台車／製造初年：1988年／製造所：富士重工

　MF100形は、1988年に宮福線を開業させた宮福鉄道（北近畿タンゴ鉄道の前身）が、開業に合わせて用意したもの。富士重工製15m級小型気動車に新潟鐵工所製250PSのエンジンを搭載している。1 - 2列に配置した回転クロスシート（簡易リクライニングシート）を備え、JR一般形気動車との連結運転が可能だ。

　KTR300による置き換えが進み、現在残っているのはMF100形102号しかなく、「海の京都」仕様にラッピングされている。

MF100形と同型の車体だったMF200形。イベント列車対応設備として、カラオケ機器を搭載していた。2021年廃車

京都丹後鉄道KTR700形・KTR800形

登場時の姿を維持する704

 車体構造：鋼製車体／全長：20.5m／全幅：3.19m／全高：4.053m／扉数：2／座席：転換クロス／動力伝達方式：液体式／制動方式：自動空気ブレーキ／機関出力：330PS／台車：円錐ゴム式ボルスタレス空気ばね台車／製造初年：1989年／製造所：富士重工

京都丹後鉄道KTR700/800形は、1990年に行われたJR西日本宮津線の北近畿タンゴ鉄道への転換時に、普通列車用として用意された気動車。

新潟鐵工所製の横型直噴式ディーゼルエンジン1基を搭載した貫通式両運車で、勾配を下ることを考慮して、リターダーブレーキ（抑速ブレーキの一種）を装備する。また、MF100/200形との連結運転を可能とするジャンパ連結器を備えている。全幅が広いのはバックミラーが飛び出しているためで、車体幅は2.8m。なお、KTR700形はトイレ付き、KTR800形はトイレ無し。

側窓は下降式2連窓で、座席は2-2列配置の転換クロスシートを採用しており、国鉄普通列車の車両と較べるとかなりレベルが上がった。一部の車両は、観光列車「あかまつ」「あおまつ」への増結運用時のレベル差を縮小するため、座席モケットを交換し、床をフローリングに変更した「コミューター車両」に改造された。

西舞鶴運転所に所属し、基本的に宮舞線・宮豊線で使用される。

2013年に登場した観光列車「あかまつ」「あおまつ」「くろまつ」については次頁を参照のこと。

第2部 滋賀・京都・奈良の私鉄

「丹後あかまつ号」に併結する自由席車として内外装が変更されたコミューター車両。床は板張りとなり、座席モケットも交換されている

2022年に運行を開始した「丹鉄サイクルトレイン」。改装により、自転車4台を積み込めるようになった。西舞鶴～豊岡間を1往復する

「海の京都」ラッピングトレイン

最初に登場した観光列車。当初は「丹後あかまつ号」（定員制）＋「丹後あおまつ号」の2両編成で運行していた。各席にテーブルがある「丹後あかまつ号」は、現在は原則として予約定員制カフェ列車として単独で運行される

現在の「丹後あおまつ号」は予約不要の普通列車だが、観光列車として車内販売を行う

レストラン列車「丹後くろまつ号」は予約制で、時間帯により食事内容と料金が異なる

予約制のレストラン列車「丹後くろまつ号」は、KTR700形707号を改装した観光車両を使用して運行する。原則として金土休日の運転で、運行時間帯に合わせ設定されている「モーニングコース」「ランチコース」「スイーツコース」から選んで予約する。各座席には食事に十分な大きさのテーブルが備えられている

カフェ列車「丹後あかまつ号」は、KTR700形702号を改装した観光車両を使用して運行する定員制列車。2024年春期は、原則火・水曜日に西舞鶴〜天橋立間を2往復する。ソファー席、カウンター席などがある。アテンダントが乗務しドリンクやおつまみ、グッズなどを販売する

丹鉄では一部の普通列車を、KTR700形708号を改装した観光車両「丹後あおまつ号」で運行する。特定の日・区間ではアテンダントが乗務し、ドリンクやおつまみ、グッズなどを販売する。アテンダント乗務日や区間は丹鉄ホームページで告知される

京都丹後鉄道KTR300形

鳶赤色のKTR305

 諸元　車体構造：鋼製車体／全長：18.5m／全幅：2.8m／全高：3.885m／扉数：2／座席：セミ転換クロスシート／動力伝達方式：液体式／制動方式：電気指令式／機関出力：257kW／台車：円錐積層ゴム式ボルスタレス台車／製造初年：2019年／製造所：新潟トランシス

　KTR300形は宮福線開業時に投入されたMF100／200形の代替として投入された車両で、WILLER TRAINSが運営するようになってから初めての新形式だ。当路線の既存車両と同様、第三種鉄道事業者の北近畿タンゴ鉄道が保有する。

　座席は転換式クロスシートを採用し、各席には充電用のUSBポートが備わっている。USBポートの設置はバスではよく見られるが、鉄道ではめずらしい。また、車いすでの利用も可能なトイレが付いている。

　車体塗装は、車両番号が奇数の車両は鳶赤色、偶数の車両は千歳緑となっている。

千歳緑の偶数番車両

京都丹後鉄道KTR8500形

 ［JR東海所属時］車体構造：ステンレス車体／全長：21.6m／全幅：2.93m／全高：4.005m／扉数：1／座席：リクライニングシート／動力伝達方式：液体式／制動方式：電気指令式／機関出力：350PS／台車：円錐積層ゴム式ボルスタレス台車／製造初年：1992年

　KTR8500形は、KTR001形に代わる特急車両の予備車として、JR東海から購入したキハ85形を改番した車両。

　キハ85形は、特急「ひだ」などに使用されていたが、2023年3月からHC85系に置き換えられた。

　置き換えを前に、新旧の「ひだ」を並べて展示するイベントが行われ、展示されたキハ85形2両が直接西舞鶴に回送された。この2両とは別に2両が回送され、計4両が購入され、うち2両が2024年3月ダイヤ改正から営業運転に投入されている。

　残る2両は予備部品供給用といわれているが、丹鉄からの公式発表は現在までない。車両を保有する北近畿タンゴ鉄道では特急車両の交換用エンジンの予算が計上されているが、本車のエンジンを交換したかどうかは不明だ。

　キハ85系はJR西日本管内での運転実績があるが、丹鉄は、自社線内の特急としてのみ運行し、JR西日本直通列車に起用する予定はないと明言している。

　現在、丹鉄が運行するKTR8000形は、定期検査中の編成がある場合、京都直通列車を増結すると予備車がゼロとなる。このため、増結の可能性が高い土休日にKTR8500を自社内特急などに充当し、KTR8000の予備車を確保している。

丹後海陸交通（天橋立ケーブルカー）

丹後海陸交通は、写真の鋼索鉄道とリフトのほか、天橋立に沿って天橋立駅とケーブルカーを連絡する航路も運航している

本社：京都府与謝郡与謝野町字上山田641-1
創立：1944（昭和19）年2月14日
路線：天橋立鋼索鉄道
営業キロ：0.4km（第一種鉄道事業）
駅数：2駅
車両数：2両
軌間：1067mm

丹後海陸交通は丹後地方のバス事業と海運事業・観光事業を営み、阪急阪神ホールディングスに属する。

1926（大正15）年、天橋立を望む傘松公園に天橋立鋼索鉄道（株）が鋼索鉄道を開業したが、戦時廃止となった。その路線の事業免許を丹後海陸交通が再取得し、1951年に復活させたのが、天橋立ケーブルカーだ。戦前の鋼索鉄道で使用された楔形レールを復元時に使用し、現在でも使用していることで知られる。

並行してチェアリフトが架設され、乗車券は共通となっている。

▼ 天橋立ケーブル

山麓から見た1号車。番号を除いて2号車と同じ塗装

 車体構造：鋼製車体／全長：7.950m／幅：2.430m／最大乗車人員：76人／製造年：1975年／車体製造会社：アルナ工機

　丹後海陸交通天橋立鋼索鉄道の車両は、無形式の1号と2号のみ。
　1975年製で、車体メーカーがアルナ工機、台車が日立製作所であることから、台車は先代の流用と思われる。
　1号車・2号車ともに2015年4月に同一塗装に変更された。上の写真のように海側の前頭部と片側面（東側）がアイボリー、山側の前頭部と片側面（西側）はグリーンに塗り分けられている。

山頂から見た2号車。番号を除いて1号車と同じ塗装

京都市交通局

所在地：京都府京都市右京区太秦下刑部町12番地
設立：1912（明治45）年1月4日（京都市電気軌道事務所）
路線：烏丸線・東西線
車両基地：竹田車両基地・醍醐車庫
営業キロ：31.2km（第一種鉄道事業）
駅数：31駅
車両数：222両
電気方式：直流1500V
軌間：1435㎜

京都市交通局は、市営地下鉄とバス事業を運営する京都市の部局のひとつで、地下鉄は烏丸線と東西線の2路線がある。

烏丸線は架空線式の標準軌で、近鉄京都線と相互直通運転を行っている。東西線は架空線式標準軌ながらリニアメトロに近い小型車両を使用し、京阪京津線と相互直通運転を行っている。

京都市では、1895（明治28）年に京都電気鉄道が国内初の電車運転を行い、1912年に市営電車が開業した。この電車事業を担当したのが京都市電気軌道事務所で、電気部→電気局を経て1947（昭和22）年に交通局となった。

電気局時代には、市バス・トロリーバスの運行も始まったが、トロリーバスは1969年に全廃、市電も1978年に全廃された。

その一方、1970年代に地下鉄計画が具体化し1974年に着工、1981年5月29日に、北大路～京都間が開業した。1988年には京都～竹田間の開業と同時に近鉄京都線竹田～新田辺間との相互直通運転を開始。1990（平成2）年には北大路から北山まで延長、さらに1997年には国際会館まで延長され、烏丸線国際会館～竹田間が全通した。

東西線は、1997年10月に醍醐～二条間が開通し、同時に京阪京津線が御陵～京都市役所前間に直通運転するようになった。2004年に醍醐から六地蔵まで延長、2008年に二条～太秦天神川間が開業して六地蔵～太秦天神川間が全通し、京阪京津線の乗り入れ区間が太秦天神川まで伸びた。

また烏丸線では、2000年から相互直通区間が国際会館～近鉄奈良間に拡大し、近鉄線内で急行となる地下鉄直通が始まった。

現在の使用車両は、烏丸線は京都市交10系・20系と近鉄3200系・3220系、東西線は京都市交50系と京阪800系のみ。

先頭部形状等が異なる10系初期車（1・2次車）で運転される近鉄京都線直通急行

京都市交通局10系

前頭部形状や側窓が変更された3次車以降の後期車

[10系更新車] **車体構造**：アルミ車体／**全長**：20.5m／**全幅**：2.872m／**全高**：4.04m／**扉数**：4／**座席**：ロングシート／**電気方式**：直流1500V／**制御方式**：VVVF制御／**制動方式**：回生ブレーキ併用電気指令式／**主電動機出力**：140kW／**台車**：S形ミンデン式空気ばね台車／**改造初年**：2015年／**製造所**：近畿車輛

　京都市交10系は、1981年の京都地下鉄烏丸線開業時に投入された電機子チョッパ制御車だ。直通運転を予定する近鉄京都線の車両に合わせて、20m 4扉のロングシート車とされた。

　前頭部は、当時の営団地下鉄でよく見られたデザイン（前面非常扉位置のシフト、先頭部上部を後傾）を採用した。また、頭端部には縁取りが施された。非常扉には窓がなく、側窓は保守性と静粛性に配慮して固定窓とした。

　1988年の竹田延長および近鉄との相互直通運転に備え、マイナーチェンジした3次車が増備された。前頭部の縁取りは廃止、非常扉窓が設置され、側窓は開閉可能になった。

　最終増備の1997年新製車まで電機子チョッパ制御だったが、保守が困難になったため、2015年から3次車以降の車両でVVVF制御化が行われた。また、前頭部・側面の車外行先表示器のカラーLED化とともに、側扉上部に車内案内表示器が設置された。

　こうした更新工事の対象からはずれた初期車を含む編成6本は、20系による置き換え対象となっており、2025年度までに置き換えが完了する見込みだ。この置き換えにより、関西から電機子チョッパ制御車が消える。

京都市交通局20系

20系の第1号となる「31編成」

 車体構造：ダブルスキン構造アルミ車体／全長：20.5m／全幅：2.78m／全高：4.04m／扉数：4／座席：ロングシート／電気方式：直流1500V／制御方式：VVVF制御／制動方式：回生ブレーキ併用電気指令式／主電動機出力：140kW／台車：モノリンク式ボルスタレス台車／改造初年：2021年／製造所：近畿車輛

　京都市交20系は、老朽が進行する烏丸線開業時に投入された10系初期車6両編成9本を置き換えるために開発された。烏丸線全駅に導入予定のホーム可動柵に伴うATO運転に対応している。

　「みんなにやさしい地下鉄に」「京都ならではの地下鉄に」「愛着がわく地下鉄に」のコンセプトに沿って設計された。内外装のデザインは、市民や利用者の投票により最終案が決まった。

　編成両端の先頭車は、運転室直後に車いす・ベビーカー・大型手荷物に対応した「おもいやりエリア」が設定された（車いすスペースは全中間車にもある）。

　また、内装には京都の伝統産業の素材や技法が取り入れられている。車内の車番・事業者標記銘板の柄や釘隠し、「おもいやりエリア」の装飾は伝編成ごとに異なっており、利用者の関心を喚起している。

　外観では、側扉や側面上部のライン色に10系のエメラルドグリーンが踏襲されている。

　こうした点が評価され、「2022年度グッドデザイン賞」「鉄道友の会2023年度ローレル賞」を受賞している。

▼ 京都市交通局50系

諸元 車体構造：ステンレス製車体／全長：16.50m／幅：2.489m／扉数：3／座席種別：ロングシート／電気方式：直流1500V／制御方式：VVVFインバータ制御／制動方式：回生ブレーキ併用電気指令式／主電動機出力：85kW／台車：モノリンク式ボルスタレス空気ばね台車／製造初年：1997年／製造所：近畿車輛

　50系は地下鉄東西線用として開発された。同線には京阪京津線から800系4両編成が乗り入れるが、片乗り入れのため、6両編成の50系が京津線に乗り入れることはない。

　東西線は、京都市外縁部の新市街地やニュータウンと京都市中心部を連絡する路線として計画されたが、一部区間は京阪京津線と重複するルートになった。

　このため、京津線の東西線乗り入れが検討されたのだが、東西線の需要はさほど大きくないという見通しから、鉄輪式リニア使用のミニ地下鉄並の車両でよいと判断された。結果、東西線用50系は、VVVF制御を採用するも、鉄輪式リニア地下鉄並みの小型車となった。

　ステンレス車体の3扉ロングシート車で、前面形状は腰部を頂点に上下ともに後傾するデザインとなった。大型の曲面ガラスを採用するなかなか魅力ある形状だが、東西線は全線地下で全駅全閉式ホームドアを採用しているので、車両の外観を見る機会はなかなかない。

MUKOGAWA LINE

5514

**第3部
大阪・兵庫・和歌山の私鉄**

阪急電鉄

本社：大阪府大阪市北区芝田1丁目16番1号

設立：2005（平成17）年4月1日（旧・阪急電鉄より会社分割）

路線：宝塚線、箕面線、神戸線、伊丹線、今津線、甲陽線、神戸高速線、京都線、千里線、嵐山線

車両基地：西宮車庫、平井車庫、正雀車庫

営業キロ：計141.2km（第一種鉄道事業138.4km、第二種鉄道事業2.8km）

駅数：90駅

車両数：1295両

電気方式：直流1500V

軌間：1435mm

＊2023年4月1日現在

●概要

阪急電鉄（以下、阪急）は、大阪梅田をターミナルとして宝塚・神戸・京都に延びる幹線を中心として、大阪府北部と隣接する兵庫県南東部・京都府南部に路線網を有する。全線で直流1500V、軌間1435mmを採用しているが、神戸・宝塚線と京都線は成立の経緯などから車両限界が異なり、京都線用車両は神戸・宝塚線に入線できない。

大手私鉄の一社である阪神電気鉄道とともに、阪急阪神東宝グループの中核をなす鉄道事業者で、京阪神地区で圧倒的な存在感を誇る。

●箕面有馬電気軌道の成立

阪急電鉄の始祖は箕面有馬電気軌道で、1907（明治40）年に設立された。同社は、国有化された阪鶴鉄道の出資者らにより、大阪と箕面・有馬、宝塚と西宮を結ぶ鉄道として計画されたが、当初は日露戦争後の不況で出資が集まらず、会社設立が危ぶまれた。そこに登場したのが三井銀行出身の小林一三で、その有望性を北浜銀行に説き、同社設立にこぎつけた。この功績から小林は専務となったが、社長不在のため、実質的には小林が経営者となった。

箕面有馬電気軌道は1910（明治43）年3月10日に梅田（現大阪梅田）～宝塚間・石橋（現石橋阪大前）～箕面間で開業した。社名のとおり、各所に併用軌道区間が点在する電化軌道だった。

じつは開業当時の沿線は農村地帯で、輸送需要も低かった。そこで小林は需要を喚起するため沿線の土地を買収し、人口増で住環境が悪化していた大阪市内の居住者に向けて月賦販売を行った。これが大成功を収め、新たな通勤需要が創出された。

小林はさらに箕面動物園を開設し、1911年には宝塚新温泉パラダイスを開業。1913年には、不人気で閉鎖した宝塚新温泉の室内プールを利用して宝塚唱歌隊（宝塚歌劇団の前身）の公演を開始するなど、次々に行楽需要を創出

した。

　大阪〜箕面・宝塚間の路線だけでは社業の発展に限界があると考えた小林は、大阪〜神戸間輸送への参入をめざし、1913（大正2）年に十三〜門戸間の軌道特許を取得した。これは西宮〜神戸間の軌道特許を保有する灘循環電気軌道との接続を企図したものだったが、灘循環電気軌道はメインバンクの破綻により事業継続の見込みが失せてしまう。結局、阪神電気鉄道（以下、阪神電鉄）を交えた協議の末、箕面有馬電気軌道が灘循環の軌道特許を譲り受けることとなった。これに伴い、十三〜神戸間の経路を短縮するために計画されていた伊丹経由は取りやめとなり、代替措置として1917年に伊丹支線の特許を取得している。

　この後、小林は倍額増資を2回行い大阪〜神戸間の建設費を調達したが、その建設が具体化すると、阪神電鉄の態度が一変し、一部の株主を後援してさきの灘循環の特許買取は無効との訴訟を起こした。これは結局、箕面有馬電気軌道が勝訴した。

●阪神急行電鉄への改称

　1918年2月4日に社名を阪神急行電鉄に改称し、1920年7月16日に十三〜神戸（上筒井に改称ののち廃駅）間と伊丹線が開業した。また、創業時から計画されていた宝塚と西宮を結ぶ路線として、宝塚〜西宮北口間が1921年9月2日に開業し、西宮北口〜今津間も1926年12月18日に開業した。

　甲陽線は1924年10月1日に開業した。同線は、阪急と直接の関係がない不動産会社が開発した高級住宅地へのアクセス路線として建設されたが、これは阪神絡みの案件でもあった。阪神電鉄系の会社が、阪神・香櫨園駅を起点として苦楽園に至るトロリーバスを計画しており、これに対抗するため、急遽建設されたという経緯がある。

　阪急はさらに神戸市中心部への延伸を考えていたが、神戸市が地下線での延伸を希望したため、阪急と神戸市が対立することとなった。これも結局、阪急が内務・鉄道両省、加えて兵庫県都市計画地方委員会の支持を得て、三宮への高架橋での乗り入れが決定し、1936（昭和11）年4月1日に阪急神戸線神戸（2代目。省線三ノ宮の隣接地に新設）まで延伸された。

　なお、1926年7月には、梅田付近の高架橋の竣工により神戸線と宝塚線が分離され、従来の併用軌道は北野線となっている。

　一方で観光開発も進められ、1924年7月には宝塚大劇場と遊園地ルナパークが開業し、1926年には宝塚ホテルも開業した。

　商業施設の拡充も進んだ。梅田では、駅ビル第1号と言われる阪急ビルディングが1920年11月に竣工し、1階に白木屋百貨店、2階に直営の阪急食堂が入った。1925年に白木屋百貨店が退去すると阪急マーケットが入り、1929年の梅田阪急ビル第1期工事の竣工を機に、阪急マーケットに代わり阪急百貨店が開店している。

正雀工場で保存されている新京阪デイ100形と京阪神急行京都線2300系

箕面有馬電気軌道の開業時に用意された1形は、密閉運転台の鉄道車両タイプの電車で連結運転が可能だったが、1922年までは単行運転だった。高速運転をめざす神戸線用に投入された51形は、48kW主電動機4基を搭載。1922年にポール集電からパンタグラフに変更され、1924年から2両連結運転を開始している。1930年には転換クロスシートを装備した900形が投入され、梅田～神戸間を30分で結ぶ特急の運転が始まった。

● 京阪神急行電鉄の誕生

所変わって北摂では、千里丘陵で宅地開発などを計画していた不動産会社により、アクセス路線として北大阪電気鉄道が設立された。これは天神橋（現・天神橋筋六丁目）を起点とする予定だったが、新淀川架橋費用の問題で暫定的に十三起点となり、1921年4月十三～豊津間が開業し、同年10月26日に千里山まで開通している。

一方、京阪電鉄は大阪起点の淀川右岸線の新設を検討していた。そこで、まず淡路～天神橋間の鉄道免許を保有する北大阪電気鉄道を傘下に収め、北大阪電気鉄道の鉄道事業を新たに設立した新京阪鉄道に譲渡させ、天神橋起点の新京阪線（現・阪急京都線）を開業した。

新京阪線は1925年10月15日の天神橋

〜淡路間の開通を皮切りに順次延伸され、1928年1月には高槻町（現・高槻市）まで、同年11月には即位御大典に合わせて京都西院仮駅まで開通し、同月のうちに嵐山線が開業した。1930年9月15日には新京阪鉄道が京阪電鉄に吸収され、1931年3月に京阪京都（現・大宮）まで開業した。

新京阪線は高速運転を考慮した曲線が少ない線路で、天神橋駅は駅ビル2階に乗り入れる高架駅、京阪京都駅は四条通下の地下駅となった。車両も高速運転向きの設計で、京都までの全通に備えて1927年から新製したP-6形（のちの100形）は、149kWの主電動機4基を搭載した19m車で、セミクロスシート仕様（一部はロングシート）だった。

太平洋戦争下で戦時体制が強化されると、1943年10月1日、陸上交通事業調整法により京阪電鉄と阪神急行電鉄が合併し、京阪神急行電鉄が発足した。

国の意向による合併であったため、戦時体制が解除されると、旧阪神急行電鉄と旧京阪電鉄の分離を図る動きがみられた。新京阪線の帰属はその焦点のひとつだったが、新京阪線が戦時中から梅田への直通運転を開始していたことなどから、新京阪線は京阪神急行電鉄に残ることとなった。

1949年、京阪神急行電鉄臨時株主総会において、京阪線・大津線の分離が決議され、同年11月25日に京阪電気鉄道が設立、12月1日に発足した。これにより、京阪神急行電鉄の路線網は、旧阪神急行電鉄と旧新京阪線で構成されることになった。

●阪急電鉄への改称

路線網の拡張は戦後も続き、1963年には大宮（旧・京阪京都）〜河原町（現・京都河原町）が開業し、1967年には万国博アクセス輸送に備えて千里線が北千里まで延伸した。また、1968年には神戸高速鉄道への直通運転も始まった。

この頃、社名は京阪神急行電鉄のままだった。戦時統合によるものとはいえ、梅田を起点として京都本線・宝塚本線・神戸本線を基幹とする鉄道にふさわしい名称だったが、1973年4月に商号が変更され、阪急電鉄が正式社名となった。

なお、神戸線・宝塚線などはこの時点では軌道扱いだったが、1978年には地方鉄道に変更されている。

2006年、阪急ホールディングスは株式公開買い付けで阪神電気鉄道を子会社化し、同年10月に阪急阪神ホールディングスが発足した。

グループ会社のうち阪急・阪神以外の鉄道事業者は、北大阪急行・神戸高速鉄道・神戸六甲鉄道・丹後海陸交通・西大阪高速鉄道・能勢電鉄の6社が挙げられている。6社中2社が第三種鉄道事業者、2社が観光地の鋼索鉄道事業者で、第一種鉄道事業者が2社だけというのは特徴といえる。

車両の特徴は、歴史的経緯から神戸線と宝塚線の車両サイズが共通で、走行用電気機器は東芝製。京都線の電気機器は東洋電機製を搭載している。

● 神戸線 列車種別ごとの停車駅

※優等列車停車駅(除く各停区間)のみ。縦縞は各停区間。
今津線直通列車は西宮北口を通過

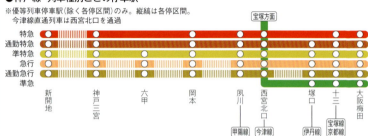

● 宝塚線 列車種別ごとの停車駅

※優等列車停車駅(除く各停区間)のみ。縦縞は各停区間

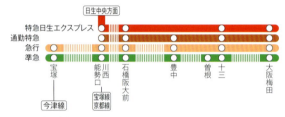

● 京都線 列車種別ごとの停車駅

※優等列車停車駅(除く各停区間)のみ。縦縞は各停区間

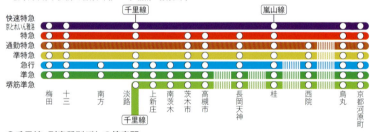

● 千里線 列車種別ごとの停車駅

※優等列車停車駅(除く各停区間)のみ

阪急電鉄3300系

 諸元　車体構造：鋼製車体／全長：18.9m／全幅：2.809m／全高：4.02m／扉数：3／座席：ロングシート／電気方式：直流1500V／制御方式：抵抗制御／制動方式：発電ブレーキ併用電磁直通ブレーキ／主電動機出力：130kW／台車：S形ミンデン式空気ばね台車／製造初年：1967年／製造所：ナニワ工機・アルナ工機

　3300系は、大阪市営地下鉄堺筋線との直通運転用に開発された。このため車体寸法や仕様は、阪急と大阪市の乗り入れ協定で定められた規格になっている。1967年12月から製造が始まり、1969年12月の堺筋線開業時に必要な120両が一気に製造された。

　地下鉄乗り入れ編成を5両編成から6両編成に増結するため、1979年に5300系と同一形状の3300系付随車6両が増備された。冷房車はすでに一般的な仕様になっていたが、この時点では大阪市と冷房車乗り入れ協議がまとまっていなかったため非冷房車となり、結果的にこの6両は阪急最後の新製非冷房車となった。

　前頭部形状は2000系で確立された新阪急高性能車スタイルを踏襲したが、行先表示幕が助士席側正面窓上に装備された。のちに冷房化工事とともに、電動式の種別・行先表示装置が取り付けられた。

　電気機器は、京都線の伝統に従って東洋電機製が採用され（ちなみに神戸線・宝塚線では東芝製）、その都合で駆動装置は中空軸カルダン方式となった。

　なお、冷房化工事はさきの大阪市との協議があったため1982〜86年に行われ、阪急で最も遅い時期となった。

阪急電鉄5000系

標準仕様のリニューアルを施工された5000系5008編成

 車体構造：鋼製車体／全長：19.0m／全幅：2.709m／全高：4.02m／扉数：3／座席：ロングシート／電気方式：直流1500V／制御方式：抵抗制御／制動方式：発電ブレーキ併用電磁直通ブレーキ／主電動機出力：170kW／台車：S形ミンデン式空気ばね台車／製造初年：1968年／製造所：ナニワ工機・アルナ工機

5000系は、1967年の神戸線の昇圧完了を受けて、1500V専用車として1968～69年に投入された。

走行性能や車体は、以前の主力3000系とほぼ同一だが、台車はミンデン式コイルばね台車からS形ミンデン式空気ばね台車に変更された。以後の増備は新製冷房車に切り替えられたため、製造は比較的短期間で終了した。

2001～07年にリニューアル工事を受け、屋根肩部がクリーム色になり、前面貫通扉は交換されて車番表示位置が変わったが、最初に施工された5010編成のみ、車番が貫通扉に表示されている。

現在は神戸線から撤退し、主に今津線（北部）で運用されている。

車両番号が貫通扉上に表示されている5010編成

▼ 阪急電鉄5100系

諸元　車体構造：鋼製車体／全長：19.0m／全幅：2.709m／全高：4.04m／扉数：3／座席：ロングシート／電気方式：直流1500V／制御方式：抵抗制御／制動方式：発電ブレーキ併用電磁直通ブレーキ／主電動機出力：140kW／台車：S形ミンデン式空気ばね台車／製造初年：1971年／製造所：アルナ工機

　5100系は、試作冷房車5200系の経験を活かし、本格的な量産冷房車として製造された。1971～77年に90両が製造された。

　従来の車両は、神戸線・宝塚線・京都線別に設計されていたが、5100系はこの3線で共通使用できる車両として設計された。歯車比は神戸線に合わせる一方、定格速度はできるだけ低くとり、高速域は弱界磁を活用することで3線で運用できるようにされた。

　また、神戸線・宝塚線と京都線では、床下機器の電気関係と空気関係の位置が逆であるため、どちらかに統一する必要があった。結局、京都線は大阪市営地下鉄堺筋線と相互乗り入れをしていたため変更は難しく、京都線仕様に合わせることとなった。

　車体は、5200系に比べると屋根の高さが低くなったため、正面から見た印象が異なる。

　当初は予定どおり京都線にも配置されたが、のちに京都線への配置はなくなった。

　1986～89年に種別・行先表示装置の取付工事が行われ、標識灯は腰板部に移設された。

　現在、5100系は今津線（北部）、宝塚線・箕面線で使用されている。また、能勢電鉄には阪急から譲渡された24両がある。

阪急電鉄5300系

諸元 車体構造：鋼製車体／全長：18.9m／全幅：2.809m／全高：4.04m／扉数：3 ／座席：ロングシート／電気方式：直流1500V／制御方式：抵抗制御／制動方式：発電ブレーキ併用電気指令式／主電動機出力：140kW／台車：S形ミンデン式空気ばね台車／製造初年：1972年／製造所：アルナ工機

　5300系は京都線用の冷房車両として、大阪市営地下鉄堺筋線との直通運転協定に沿った仕様で製造された。

　京都線の冷房車は、特急用2800系の冷房改造と、阪急全線の共通冷房車として開発された5100系の京都線配置でまかなわれていた。

　しかし、将来を考慮して堺筋線に乗り入れ可能な冷房車を増備することになり、1972〜84年に5300系105両が製造された。

　5300系の仕様は、おおむね3300系に冷房を搭載したものだが、パンタグラフを1両あたり2基とした点は、冷房搭載とともに協定外の仕様だった。ほかに大きな変更点として、駆動装置を中実軸のTDカルダンとしたこと、阪急初の電気指令式ブレーキを採用したことが挙げられる。本形式以降で電気指令式ブレーキを採用した形式はワンハンドルになっており、本形式は阪急で唯一の2ハンドル・電気指令式ブレーキ車となった。

　当初は地下鉄直通運用には充当されなかったが、中間電動車を増備して地下鉄直通協定に合致する編成に組み替えられ、1979年から河原町〜堺筋線を直通する「堺筋急行」に充当された。

　なお、前頭部の方向幕は1987年から電動式の種別・行先表示装置に改造された。

阪急電鉄6300系

諸元 車体構造：鋼製車体／全長：19.0m／全幅：2.809m／全高：4.04m／扉数：2／座席：セミクロスシート（転換式）／電気方式：直流1500V／制御方式：抵抗制御／制動方式：発電ブレーキ併用電気指令式／主電動機出力：140kW／台車：S形ミンデン式空気ばね台車／製造初年：1975年／製造所：アルナ工機

　6300系は、1964年に登場した京都線特急用2800系に代わる車両として1975～78年に64両が製造された。また、1984年に界磁チョッパ制御の1編成が増備されている。

　十三～大宮間無停車という当時の特急ダイヤを反映し、料金不要の特急用車両としてはめずらしく、側扉を車端に寄せた2扉車となった。座席は運転台直後の短いロングシートを除き、転換クロスシート（一部固定）が採用された。

　地下鉄堺筋線や神戸線・宝塚線での運転を考慮しない設計で、車長は神宝線規格、車幅は京都線規格を採用し、阪急で最大の車体となった。5300系と電機子チョッパ制御試作車の2200系に次いで電気指令式ブレーキを採用し、阪急では2形式目のワンハンドル車となった。

　2003年に9300系が登場すると特急運用から離脱し、3本が4両編成化のうえ、嵐山線専用となった。

　嵐山線専用編成となった編成は、中央部6列のクロスシートを両端固定の1-2列転換クロスシートとして残し、扉寄りの部分は、2人分ないし3人分で仕切りが入ったロングシート化され、全車に車いすスペースを設置した。

　なお阪急は、2027年春ごろに嵐山線でワンマン運転を行うと公表しており、本形式は引退する可能性が高い。

阪急電鉄6000系

諸元 車体構造：鋼製車体・アルミ車体／全長：19.0m／全幅：2.709m／全高：4.04m／扉数：3／座席：ロングシート／電気方式：直流1500V／制御方式：抵抗制御／制動方式：発電ブレーキ併用電気指令式／主電動機出力：140kW／台車：S形ミンデン式空気ばね台車／製造初年：1977年／製造所：アルナ工機

6000系は、神戸線・宝塚線用の車両として1976〜85年までに130両が製造された。さらに電機子チョッパ制御の試作車だった2200系が編入され、最終的には140両となった。

性能は5100系と同一だが、車体は2200系で新たに登場した新スタイルとなった。

従来どおりの両開き3扉のロングシート車だが、乗務員室を拡大したため直後の側窓がなくなり、その位置の外板にシンボルマーク（Hマーク）が取り付けられた。

前面は、左右の正面窓上部に種別・行先表示装置が取り付けられ、標識灯は腰板部に配置された。また、下部にはスカートが設置された。

最初に登場した8両編成のうち2両は阪急初のアルミ車両だが、鋼製車と同様に塗装されているため、外見の区別はつかない。1977年にアルミ車のみの6両編成が製造された。

1998年から屋根肩部のアイボリー塗装が行われ、2008年から行われた更新工事では、側扉窓の大型化とともに運転台直後に小窓が設置された。

現在、宝塚線の各列車と神戸線の増結用、今津線、甲陽線で使用されている。また、2014年に8両編成1本が能勢電鉄に譲渡されている。

阪急電鉄7000系

残り少なくなったリニューアル未施工の7000編

 車体構造:鋼製車体・アルミ車体／全長:19.0m／全幅:2.709m(鋼製)・2.750m(アルミ製)／全高:4.04m／扉数:3／座席:ロングシート／電気方式:直流1500V／制御方式:界磁チョッパ制御／制動方式:回生ブレーキ併用電気指令式／主電動機出力:150kW／台車:S形ミンデン式空気ばね台車／製造初年:1980年／製造所:アルナ工機

7000系は、1980〜88年に神戸・宝塚線用として210両が新製され、阪急で最も多く製造された形式となった。

6000系をベースとした車両だが、界磁チョッパ制御が採用された。すでに同社では、2200系電機子チョッパ制御試作車で試験を行ってきたが、高速運転が主体の同社線では電機子チョッパの優位性が発揮できないことが判明し、新製費が安価な界磁チョッパ制御の7000系が開発された。

また、神戸線でMT比1:1を実現するため、主電動機出力は150kWに増強されており、回生ブレーキを常用する。

1984年新製の7021編成以降は車幅が2750mmになり、中空形材を使用したアルミ車体に移行した。1985年からは乗務員室直後に狭幅の側窓が設けられた。

2009年から大規模リニューアル工事が行われたが、施工内容は統一されておらず、外観がほとんど変化していない編成もあれば、大きく変わった編成もある。また、アルミ車体の編成はリニューアル時にVVVF制御化されている。

なお、7006編成は2019年に大幅な改造工事を受け、「京とれいん 雅洛」となっている。

7007・7008編成では、前面窓が天地方向に拡大され、種別・行先表示装置が窓内側に設置された

7010・7020編成では、主に車内のリニューアルが実施された。外観で目立つ変更点は、正面の車番表示の位置の変更

2016年以降のアルミ車体編成のリニューアル工事ではVVVF制御化が行われ、主電動機は190kWの全閉式同期電動機となった。前面貫通路は大窓化され、車両番号位置も変更された

「京とれいん 雅洛」となった7006編成。中扉の撤去など大がかりな改造も行っているが、車体色のマルーンはそのまま踏襲されている

2号車に設けられた坪庭。5号車にも異なるデザインの坪庭が設置されている。ボックスシートや窓向きの座席などさまざまな座席がある

▼ 阪急電鉄7300系

残り少なくなったリニューアル未施工の7323編成

 車体構造：鋼製車体・アルミ車体／全長：18.9m／全幅：2.788m／全高：4.04m／扉数：3／座席：ロングシート／電気方式：直流1500V／制御方式：界磁チョッパ制御／制動方式：回生ブレーキ併用電気指令式／主電動機出力：150kW／台車：S形ミンデン式空気ばね台車／製造初年：1982年／製造所：アルナ工機

　7300系は、京都線用車両として1982～89年に83両が製造された。複巻電動機と界磁チョッパ制御を採用し、回生ブレーキを常用化している。

　本形式を機に車体寸法の見直しが行われ、将来の全線共通仕様として、標準車体寸法は最大幅2.8m、連結面間距離18.9mと定められた。

　神戸線・宝塚線では建築限界の拡大工事が終わるまで使えず、また京都線では堺筋線への直通には大阪市との協議が必要となるが、京都線内での使用には問題がないため、本形式から新標準寸法が採用されることとなった。なお、最初に竣工した6両編成2本は鋼製だったが、それ以降はアルミ車体となった。

　1985年製造車から回生ブレーキ優先制御となり、運転室直後の側面に小窓が設置された（小窓無しで落成した車両は小窓設置改造が行われた）。

　1989年に堺筋線用66系が登場すると、7300/8300系ともに、両線の相互乗り入れに使用することが了解された。

　7320編成は2008年にリニューアル工事を受けて前頭部が一新され、さらに2014年からのリニューアル工事でVVVF制御化が行われ、前頭部がわずかに変更された。

7320編成は、リニューアルによりスタイルが最も大きく変わった。前面窓が天地方向に拡大され、種別・行先表示装置が窓内に設置された

7320編成以外のリニューアル施工車は、正面貫通扉の窓が大型化され、車両番号が貫通扉から助士席側窓下に移設された。アルミ車体車のみで編成を組んでいる8両編成7本は、VVVF制御化が行われた

阪急電鉄8000系・8200系

前頭部の額縁高が低く改造された8002編成。8000系登場30周年記念イベントでは、前面窓下の飾り帯が復元された

 車体構造：アルミ車体／全長：19.0m／全幅：2.738m／全高：4.04m／扉数：3／座席：ロングシート／電気方式：直流1500V／制御方式：VVVF制御／制動方式：回生ブレーキ併用電気指令式／主電動機出力：170kW／台車：S形ミンデン式空気ばね台車／製造初年：1988年／製造所：アルナ工機

　8000系は、神戸・宝塚線用VVVF制御車として1988年に新製が始まり、7000系の後継車として1997年まで増備された。

　全車両でアルミ車体が採用され、前頭部デザインは阪急初の額縁スタイルとなったが、この形状による悪影響が発生したため、増備途中でデザインが変更されている。

　台車やブレーキシステムは7000系を継承し、6000系・7000系との混結が可能となっている。主電動機には170kWの三相誘導電動機を採用した。

　側窓の一部は固定窓となり、開閉窓には空気式パワーウインドウを装着した。各車に車いすスペースを確保したオールロングシートが基本だが、8002〜8007編成の神戸・宝塚方2両は扉間に転換クロスシートを設置したセミクロスシート車で登場した。

　一方、神戸線の増結車として登場した8200形2連は収納式座席となり、朝ラッシュ時は立席仕様とされた。しかし混雑が緩和したため、現在は通常のロングシートとなった。大型の側窓と側扉幅にかつての名残がある。

　額縁デザインの影響を低減するため、前頭部形状の改善工事が行われ、さらに2019年からリニューアル工事が始まった。

額縁デザインへの変更により車体汚染や列車風が増加したため、初期車の額縁が20mm浅くされ、車両番号表示は助士席側窓下に移設された

1993年新製の8033以降は、前頭部の額縁スタイルが廃止され、縦断面は正面上部と下部がわずかに後退した「くの字」スタイルになった。前面車両番号の表示位置は助手席側窓の下に移動

1995年新製の8200形と8040〜8042の前頭部は、前面窓が下方にも拡大され、車両番号表示が窓内側となった

阪急電鉄8300系

リニューアル未施工の8302編成

 車体構造：アルミ車体／全長：18.9m／全幅：2.808m／全高：4.04m／扉数：3／座席：ロングシート／電気方式：直流1500V／制御方式：VVVF制御／制動方式：回生ブレーキ併用電気指令式／主電動機出力：170kW／台車：Sミンデン式空気ばね台車・モノリンク式ボルスタレス台車／製造初年：1989年／製造所：アルナ工機

8300系は京都線用のVVVF制御車で、1989〜95年に84両が製造された。

7300系導入時に決定した標準車体寸法は、神戸線・宝塚線の建築限界拡大の見通しが立たず、当面は京都線内で走行可能な最大の車体で製造することになった。

その結果、最大幅は2.85m、最大長は7300系と同じ18.9mのアルミ車体となった。前頭部は、縁が突出したいわゆる額縁スタイルとなった。側窓は、8000系同様、パワーウインドウとなり、窓横の壁面に付けられたボタン操作で乗客が自由に開閉できる。

のちに額縁スタイルの前頭部形状が列車風を強くしていることが判明したため、93年製造車以降では額縁を取り止め、前頭部の上部と下部がわずかに後退した「くの字」スタイルに移行した。これに合わせ、種別・行先表示装置が大型化している。同じ「くの字」スタイルでも、製造時期によって細かなバリエーションの違いがある。

1994年製造車からは、ボルスタレス台車が本格的に採用されたが、9300系ではボルスタ付きに戻っており、阪急ではボルスタレス台車は普及しなかった。

リニューアル工事終了後の8300編成。試験的に施工した前面形状変更工事は旧に復し、新たに額縁高減少工事が実施された

1993年度に新製された先頭車では、前面形状の額縁デザインが「くの字」形状に変更された。なお、1995年度に登場した8315編成は、前面窓が下方向に拡大され、車両番号表示が窓内側となっている

阪急電鉄9300系

諸元 車体構造：アルミ車体／全長：18.9m／全幅：2.788m／全高：3.985m／扉数：3／座席：セミクロスシート（転換式）／電気方式：直流1500V／制御方式：VVVF制御／制動方式：回生ブレーキ併用電気指令式／主電動機出力：200kW／台車：モノリンク式空気ばね台車／製造初年：2003年／製造所：日立製作所・アルナ車両

　9300系は、6300系に代わる京都線特急用車両として2003〜10年に8両編成11本88両が製造された。

　旅客需要の変動によって特急の停車駅が増え、乗降に時間がかかる2扉車は相応しくないという判断から、3扉セミクロスシート車となった。先頭車の扉間と中間車（京都方車端部を除く）は転換クロスシート（一部は固定）で、中間車の梅田方扉部の車端側には折り畳み式補助席がある。

　阪急の新製車を一手に引き受けてきたアルナ工機（現・アルナ車両）が車両新製から撤退したため、日立製作所が製造したが、一部編成は日立が製造した車体にアルナ車両が艤装したため「アルナ車両」の銘板も見られる。

　車体は、日立が推奨するダブルスキン構造を取り入れたアルミ車体となった。側窓は上下に拡大され、UVカットガラスの複層ガラスが採用された。扉間窓は座席2列分を1枚とした大型2連窓だが、引き下げ式カーテンは1列単位で設置されている。

　初期3編成車の側窓は固定窓だったが、4編成目以降は、車端部側窓は下降式パワーウインドウになった。

　2024年から後継の2300系が順次投入される予定だが、9300系の今後については現時点では不明。クロスシートのまま急行等に充当、またはロングシート化されるのか気になるところだ。

阪急電鉄9000系

 車体構造：アルミ車体／全長：19.0m／全幅：2.738m／全高：4.095m／扉数：3／座席：ロングシート／電気方式：直流1500V／制御方式：VVVF制御／制動方式：回生ブレーキ併用電気指令式／主電動機出力：200kW／台車：モノリンク式空気ばね台車／製造初年：2006年／製造所：日立製作所・アルナ車両

　9000系は、神戸線・宝塚線用として2006〜13年に88両が製造された。車体デザインは9300系4次車以降に準じているが、車体サイズは2000系以来の神戸線・宝塚線の標準サイズだ。

　これまで阪急の車両を一手に引き受けていたアルナ工機が基本的に車両製造をやめたこともあり、9300/9000系は日立製作所製に発注された。このため、日立が推奨する防振性・静音性にすぐれたダブルスキン構造を採用している。塗色は8000系に引き続き、マルーンをベースに屋根肩部がアイボリーのツートンカラー。

　ロングシートは1人あたりの幅がやや広めの約480㎜で3-2-3に仕切られた。扉間の窓は2枚窓で、日除けは引き下げ式のフリーストップカーテンを採用。室内灯は半間接照明となり、落ち着いた雰囲気を醸し出す。車内案内装置の液晶ディスプレイは1両につき6ヵ所配置されている。また、貫通路扉は自動ドア化された。

　阪急では、ヘッドライトのLED化を積極的に推進しており、9000系ではすでに全編成がLED化されている。

　なお、ブレーキは回生ブレーキ優先電気指令式を採用し、低速まで回生制動を行う純電気ブレーキになっている。

阪急電鉄1000系/1300系

神宝線用の1000系

［1000系］車体構造：ダブルスキン構造アルミ車体／全長：19.0m／全幅：2.73m／全高：4.065m／扉数：3／座席：ロングシート／電気方式：直流1500V／制御方式：VVVF制御／制動方式：回生ブレーキ併用電気指令式／主電動機出力：190kW／台車：モノリンク式空気ばね台車／製造初年：2013年／製造所：日立製作所

1000系は神宝線用、1300系は京都線用のVVVF制御車として製造された。車両限界の相違や地下鉄堺筋線との直通協定により、車体長・幅にわずかな相違があるものの、ほぼ同一の仕様となっている。ただし、電気機器に関しては伝統を継承しており、神宝線と京都線でメーカーが異なる。

9300系/9000系に続いて、防振・遮音に優れたダブルスキン構造のアルミ車体が採用された。

座席は扉間を2-3-2人掛けに仕切ったオールロングシートで、前灯は新製時からLED、前側面の種別・行先表示器はフルカラーLEDを採用している。車内案内表示装置には32インチハーフサイズの液晶ディスプレイが採用され、側扉上部に千鳥式に配置されている。

1000系とほぼ同形の1300系

阪急電鉄2000系/2300系

先に竣工した京都線用の2300系

 諸元

[2300系]車体構造:ダブルスキン構造アルミ車体／全長:18.9m／全幅:2.83m／全高:4.095m／扉数:3／座席:セミクロスシート(転換式)・リクライニングシート／電気方式:直流1500V／制御方式:VVVF制御／制動方式:回生ブレーキ併用電気指令式／主電動機:190kW／台車:モノリンク式ボルスタ付空気ばね台車／製造初年:2024年／製造所:日立製作所

2000系と2300系は阪急電鉄の新型主力車で、2023年10月に新製開始が発表された。2000系は神戸・宝塚線、2300系は京都線に投入される。現在の阪急電鉄の標準タイプ車両の原型といえる初代2000系(神戸線用)、初代2300系(京都線用)が1960年に登場しており、それぞれの2代目となる。

2000系の座席はオールロングシートとなり、1000系とともに神宝線の主力になると推測される。一方2300系は、転換クロスシート主体のセミクロスシート車となる。リクライニングシートの座席指定車「プライベース」1両を連結し、9300系に代えて京都線特急に投入するという。

特急運用を離脱した9300系の今後の運用や座席配置は不明だが、老朽化した3300系・5300系の淘汰が進むと思われる。

2300系1編成と9300系連結のプライベース車は、2024年夏に運用を開始する。2000系は同年後半の登場になる模様。

2300系の大阪梅田寄り4両目に連結されるプライベース車

阪神電気鉄道

本社：大阪府大阪市福島区海老江1丁目1番24号
設立：1899（明治32）年6月12日
路線：本線、阪神なんば線、武庫川線、神戸高速線
車両基地：尼崎車庫、石屋川車庫
営業キロ：計48.9km（第一種鉄道事業40.1km、第二種鉄道事業8.8km）
駅数：51駅
車両数：360両
電気方式：直流1500V
軌間：1435mm

● 概要

阪神電気鉄道（以下、阪神電鉄）は、大阪と神戸を結ぶ標準軌の電化私鉄だ。軌道法で特許を取得しながら、併用軌道を最小限にとどめ、並行する蒸気鉄道と競合可能な路線を建設した初めての私鉄としても知られる。

阪急電鉄とともに阪急阪神ホールディングスの中核を担う鉄道事業者だ。

● 私鉄電車の元祖

阪神電鉄の起こりは、1893（明治26）年12月に神阪電気鉄道発起人が、神戸～尼崎間の軌道特許申請を行ったことにさかのぼる。

その後、社名を摂津電気鉄道に改め、1896年に競合していた坂神電気鉄道発起人と一本化で同意。翌年、両社発起人全員で摂津電気鉄道の発起申請を行い、1899年6月12日に摂津電気鉄道が設立され、同年7月7日に阪神電気鉄道と改称された。

阪神の直接の祖は1899（明治32）年6月に設立された摂津電気鉄道で、すでに取得されていた大阪～神戸間の特許を摂津電気鉄道がそれを引き継ぎ、同年7月に社名を変更、阪神電気鉄道が誕生した。

開業に先立って、技師長の三崎省三を米国視察に派遣したところ、米国ではインターアーバン（都市間電車）が隆盛を極めていた。この視察に基づき、阪神間のインターアーバンが計画され、私設鉄道の申請が行われたが、私設鉄道法を所管する鉄道作業局は、同線がすでにある官設鉄道と競合するのを避けるため、これを認めなかった。しかし、軌道を管轄する内務省は「軌道のどこかが道路上にあれば良い」という解釈を示したので、阪神電鉄は軌道として建設されることになった。軌道になったことで1067mm軌間とする必要がなくなり、標準軌（1435mm軌間）で建設された。

1905年4月12日、日本初の都市間電車として大阪・出入橋（初代大阪駅付近）～神戸（三宮への改称後、廃止）間が開業した。併設軌道（道路上に軌道を敷設した区間）は御影付近と神戸付近のみだった。

その後、梅田地下駅建設や三宮の地

下化と元町延伸など、徐々に本格的な鉄道として体裁を整えた。

1954（昭和29）年には、現在の車両サイズと同等の車両が登場し、梅田〜三宮間でノンストップ特急の運転を開始した。1967年に1500Vに昇圧し、翌年4月に神戸高速鉄道が開業すると、山陽電鉄と相互直通運転を開始した。

●阪神電鉄を構成する線区

(1)本線 正式には大阪梅田〜元町間を指すが、第二種鉄道事業区間の神戸高速線元町〜高速神戸〜西代間も一体となっている。

列車種別は、大阪梅田〜山陽姫路間の直通特急、大阪梅田〜須磨浦公園間の特急、近鉄奈良〜神戸三宮間の快速急行、大阪梅田〜尼崎・西宮間の急行の優等列車と普通を軸にラッシュ時は区間特急、区間急行が運転される。

(2)阪神なんば線 阪神なんば線は、もとは阪神本線複々線化構想の一部として1924年に開業した伝法線を、難波への路線に変更した路線だ（1964年に西九条まで延伸し、西大阪線に改称）。その後、大阪市・府の協力を得て、2009年に西九条〜大阪難波（旧・近鉄難波）間が開業し、阪神なんば線と改称した。西九条〜大阪難波間は、西大阪高速鉄道による第三種鉄道事業線として建設され、阪神の第二種鉄道事業区間となっている。

近鉄奈良線の普通・準急（阪神なんば線内各駅停車）が相互直通運転を行うほか、近鉄奈良〜神戸三宮間の快速急行が相互直通運転を行っている。3扉19m車の阪神と4扉20m車の近鉄が、それぞれ自社標準タイプの車両で直通運転を行っており、大都市圏の通勤車相互直通運転で、これだけ規格が異なる車両を使用するのはめずらしい。

(3)武庫川線 川西航空機工場への資材・工具輸送用として、東海道本線西宮を起点に建設。工場跡地が武庫川団地として再開発されたため、1984年に洲先〜武庫川団地前が延伸された。

●本線 列車種別ごとの停車駅
※優等列車停車駅（除く各停区間）のみ。△は一部列車のみ停車、縦縞は各停区間

●阪神なんば線 列車種別ごとの停車駅
※優等列車停車駅（除く各停区間）のみ。縦縞は各停区間

阪神電鉄5000系

諸元 車体構造：鋼製車体／全長：18.98m／全幅：2.8m／全高：4.047m／扉数：3／座席：ロングシート／電気方式：直流1500V／制御方式：抵抗制御／制動方式：発電ブレーキ併用電磁直通ブレーキ／主電動機出力：90kW／台車：S形ミンデン式空気ばね台車／製造初年：1977年／製造所：武庫川車両

1950年代の大手私鉄各社は、カルダン駆動と電気ブレーキを採用し、加減速性能に優れ、騒音や振動が少ない車両を開発し、これを高性能電車と称していた。とくに輸送力を増強する必要があった線区では、加減速性能が格段にすぐれた車両を普通列車に投入し、優等列車から逃げ切ることで輸送力を高めた。

この種の車両のうち、きわめて優れた性能を誇り、愛称を付与された車両としては、京阪のスーパーカー、近鉄南大阪線のラビットカー、阪神のジェットカーがある。

近鉄・京阪では、車両の大型化や長編成化が進んだため、普通列車用にとくに高加減速性能の車両を投入することはなくなったが、駅間が短く、ストップ＆ゴーが頻繁にある阪神では現在も高加減速性能車両が普通列車に投入されている。

2代目5000系は、ジェットカー第1世代の代替と普通列車の冷房化を図るために開発された。以降のジェットカーではVVVFインバータ制御が採用されているため、ジェットカー最後の抵抗制御車となっている。

5700形への置き換えが進み、まもなく全車が廃車される。これに伴い、青胴車と呼ばれる、上部がクリーム色、下部がウルトラマリンブルーという塗色が消滅する。

阪神電鉄5700系

 車体構造：ステンレス車体／全長：18.98m（先頭車）・18.88m（中間車）／全幅：2.8m／全高：4.06m／扉数：3／座席：ロングシート／電気方式：直流1500V／制御方式：VVVF制御／制動方式：回生ブレーキ併用電気指令式／主電動機出力：190kW／台車：モノリンク式空気ばね台車／製造初年：2015年／製造所：近畿車輛

5700系は、5000/5130/5330系を置き換えるため、2015年に登場した。1959年に登場した5201形以来となるステンレス車体のジェットカーで、台車はボルスタ付きだ。

5550系では付随車を1両入れた4両編成が採用されたが、本形式では全電動車方式に戻った。ただし、先頭台車はモーターを搭載しておらず、実質的には5550系相当の走行装置になっている。

前頭部は1000系などと同様に、鋼製のブラックフェイス、貫通扉上部のヘッドライトまわりはアクセントカラーのカインドブルーとなっている。側面は直立しているが、前頭部は裾しぼりしているようにみえるデザインとなっている。

側面も、扉部まわりは前頭部同様にカインドブルーの円で囲まれている。側窓は1000系と同じく固定窓と下降式窓の2連窓で、熱線吸収強化ガラスが採用されている。側扉の窓も従来と同じく複層ガラスだが、UVカットガラスとなった。

なお、特急・急行の待避で長時間停車が多いため、側扉は乗客がボタン操作で任意に開閉できるようになっている。

阪神電鉄5500系・5550系

2016年からのリニューアル工事により塗装が変わった

 車体構造：鋼製車体／全長：18.98m（先頭車）・18.88m（中間車）／全幅：2.8m／全高：4.06m／扉数：3／座席：ロングシート／電気方式：直流1500V／制御方式：VVVF制御／制動方式：回生ブレーキ併用電気指令式／主電動機出力：110kW／台車：モノリンク式ボルスタレス台車／製造初年：1995年／製造所：武庫川車両、川崎重工

　5500系は、阪神淡路大震災で廃車になった被災車両の代替として、当初計画を前倒しして1995年に登場した。
　VVVFインバータ制御を採用し、塗装も一新して、上部がアレグロブルー、下部がシルキーグレーのツートンカラーとなった。
　5550系は5500系の増備車で、外観・内装はそのままで機器仕様の見直しにより、全電動車方式から電動車3両、付随車1両の編成となった。このため両形式を見分けるポイントは付随車の有無しかない。

リニューアル前の5500系。5550系も同塗装

5500系2編成8両は武庫川線用4編成8両にリニューアルされ、編成ごとに愛称が付けられた。本編成は「甲子園号」

阪神タイガースのリーグ優勝記念として、本線普通に充当された「タイガース号」と「甲子園号」

日本シリーズ制覇記念として、本線普通に充当された「トラッキー号」と「TORACO号」

阪神電鉄8000系

副標は、助士席側窓の内側上部に掲示されている

 車体構造：鋼製車体／全長：18.98m（先頭車）・18.88m（中間車）／全幅：2.8m／全高：4.087・4.06m／扉数：3／座席：ロングシート・セミクロスシート／電気方式：直流1500V／制御方式：界磁チョッパ制御／制動方式：回生ブレーキ併用電気指令式／主電動機出力：110kW／台車：S形ミンデン式空気ばね台車・SUミンデン式空気ばね台車／製造初年：1984年／製造所：武庫川車両

8000系は阪神初の新製界磁チョッパ車。1984～95年に6両編成21本が新製された。1985年新製の第2編成から前面デザインが大きく変更され、側窓が一段下降窓になった。第5編成以降、クーラーは分散式から集約分散式になり、さらに第13編成以降は側窓が連続窓風のデザインとなった。台車はSUミンデン式が基本だが、一部は廃車流用のS形ミンデン式を履く。

1995年の阪神大震災で一部が廃車となり、代替新製や編成の組み替えが行われた。

2002～2015年のリニューアル工事により、一部車両がセミクロスシート化され、塗装も変更された。

製造初年製の1編成だけ前面形状が異なるが、阪神淡路大震災で同編成の半数が廃車となり、この形状の先頭車は1両のみとなった

▼ 阪神電鉄9000系

諸元 車体構造：ステンレス車体／全長：18.98m（先頭車）・18.88m（中間車）／全幅：2.8m／全高：4.06m／扉数：3／座席：ロングシート／電気方式：直流1500V／制御方式：VVVF制御／制動方式：回生ブレーキ併用電気指令式／主電動機出力：130kW／台車：モノリンク式ボルスタレス台車／製造初年：1996年／製造所：川崎重工

　1996年1月17日に発生した阪神淡路大震災により、阪神電鉄では41両の廃車が発生した。このうち急行車は33両で、大幅な入れ替えを余儀なくされた。3両分は8000系の代替新製でまかなわれ、6編成5本30両分は同年中に新製された新形式車9000系でまかなわれた。

　こうした状況での新製なので、9000系の発注先は阪神電鉄系列の武庫川車両に代わって川崎重工になり、納期を短縮できるステンレス車体、VVVF制御のボルスタレス台車で登場した。阪神でのステンレス車はジェットカー5201形で試作的に採用されたのが最後で、じつに37年ぶりのステンレス車となった。

　鋼製の前頭部のベース塗装はメタリックシルバー、正面窓の下部は黒色、さらに赤と淡灰色のラインが配された。車体側面は無塗装だが、側窓下に赤と淡灰色のライン、幕板部に赤色の細いラインが入る。

　側扉の窓は複層ガラス、扉間の側窓は3連の下降窓が採用された。冷房装置は1両に2台搭載のセミ集中式。

　回生ブレーキ優先の電気指令式ブレーキの採用により電力回生力が向上し、省エネ性がさらに高まった。

　9000系は直通特急として山陽姫路まで入線し、近鉄乗り入れにも対応し、近鉄奈良にまで入線する。なお、近鉄乗り入れに合わせ、外装の赤色はオレンジ色に変わった。

阪神電鉄9300系

諸元　車体構造：鋼製車体／全長：18.98m（先頭車）・18.88m（中間車）／全幅：2.8m／全高：4.06m／扉数：3／座席：ロングシート・セミクロスシート／電気方式：直流1500V／制御方式：VVVF制御／制動方式：回生ブレーキ併用電気指令式／主電動機出力：130kW／台車：モノリンク式ボルスタレス台車／製造初年：2001年／製造所：武庫川車両

　9300系は、山陽姫路に乗り入れる直通特急の増発、および老朽化した急行車の代替を目的として、2001〜02年に6両編成3本18両が武庫川車両で製造された。

　車体は鋼製車となったが、塗装は赤胴車と呼ばれた以前の急行車塗装から一新され、車体上部が明るいブレストオレンジ、下部がシルキーベージュのツートンカラーになった。

　側窓は3連窓だが、中央窓の幅がやや広い固定窓、左右の窓が下降窓となっている。座席配置は、両端の先頭車はオールロングシート、中間の4両は扉間が転換（一部固定）クロスシート、車端部がロングシートとなっている。

　前頭部の形状は、正面ガラスの取付にボンディング工法を採用したことにより、凹凸のないすっきりとした構成となった。車体隅部は大きく斜めにカットされている。

　制御方式はVVVF制御方式、ブレーキは回生優先ブレーキ併用電気指令式ブレーキを採用している。

　運行範囲は大阪梅田〜山陽姫路のみで、近鉄線には乗り入れない。

　新製時は下枠交差式パンタを装備していたが、2015年までにシングルアーム式に交換された。また、前灯は2018年までにLED化された。

阪神電鉄1000系

 車体構造：ステンレス車体／全長：18.98m（先頭車）・18.88m（中間車）／全幅：2.8m／全高：4.06m／扉数：3／座席：ロングシート／電気方式：直流1500V／制御方式：VVVF制御／制動方式：回生ブレーキ併用電気指令式／主電動機出力：130kW／台車：モノリンク式ボルスタレス台車／製造初年：2007年／製造所：近畿車輛

1000系は、2009年から行われた近鉄奈良線との相互直通運転を前に、近鉄線乗り入れ対応車として2006年から新造された。

従来、阪神車両の多くは武庫川車両製だったが、同社が車両新製から撤退したため、1000系は近畿車輛に発注された。

車体はステンレス製で、扉間は2連窓となり、一方が固定式、他方が下降式だ。座席はオールロングシート。

鋼製の前面は、窓の上下が黒色、貫通路上部のヘッドライトまわりと左右の裾部にはアクセントとしてビバーチェオレンジがあしらわれている。側面の側扉部分にも同色が屋根まで塗装さ れ、戸袋部の外販部にはアクセントとして白いストライプが描かれている。

制御方式はVVVF制御、ブレーキは抑速回生ブレーキ併用の電気指令式が採用された。また、パンタグラフは阪神電鉄で初めてシングルアーム式が採用された。

正面の種別表示はフルカラーLED、行先表示は白色LEDを採用。

基本は6両編成だが、阪神なんば線と近鉄奈良線では、8／10両の運転もあるため、2両編成も用意されている。

運用範囲は、梅田〜山陽姫路までと、尼崎〜近鉄奈良まで。

南海電気鉄道

本社：大阪府大阪市浪速区敷津東2丁目1番41号
設立：1925（大正14）年3月28日
路線：南海本線、高師浜線、空港線、多奈川線、加太線、和歌山港線、高野線
車両基地：住之江検車区、羽倉崎検車区、和歌山検車区、小原田検車区、千代田検車区
営業キロ：計154.8km（第一種鉄道事業145.9km、第二種鉄道事業8.9km）
車両数：696両
電気方式：直流1500V
軌間：1067㎜

南海電気鉄道（以下、南海または南海電鉄）は、大阪府南部と和歌山県北部に路線を有する。純粋な民間資本による鉄道事業者としては国内最古の会社として知られる。

関西の大手私鉄にはめずらしく蒸気鉄道を出自とし、1067㎜軌間を採用している。関西の大手私鉄のうち、全線が1067㎜軌間なのは南海だけだ。

大阪・難波と和歌山市を結ぶ南海本線、大阪・汐見橋と霊場・高野山を結ぶ高野線が二大幹線で、このほかに短距離の支線5本がある

南海本線は、大阪と和歌山を結ぶのみならず、大阪市と関西空港を結ぶ空港アクセス鉄道としての使命をもち、高野線は高野山への参拝・観光輸送とともに新興住宅地への通勤輸送の担い手でもある。

高野線に接続して相互直通運転を行う泉北高速鉄道は大阪府都市開発による経営だが、2025年度に泉北高速鉄道と社名を改め、南海と合併することになっている。

● 南海鉄道創業

1882（明治15）年、大阪〜堺間の鉄道建設をめざして阪堺鉄道が創設され、1884年に大阪府知事が許可を与えた。官営釜石鉱山で不要となった機関車の払い下げを受け、翌年に難波〜大和川間の鉄道が開業した。1888年には大和川の架橋が完成し、堺まで延伸された。この頃に使われていたのは鉱山用の機関車で、軌間は国内ではほとんど例がない838㎜だった。

一方、堺〜和歌山間の鉄道建設を計画する南海鉄道が1895年に設立され、1897年に堺〜佐野（現・泉佐野）間が開業した。同社は1898年に阪堺鉄道を買収し、和歌山に向けて順次延伸、1903年には和歌山市に到達した。この間、1900年に天王寺支線天下茶屋〜天王寺間を開業し、関西鉄道と接続している。

南海鉄道の勢いはとどまることなく、1906年4月には、難波〜和歌山市間で喫茶室付き1等車を連結した急行の運転を開始している。翌年8月には難波〜浜寺公園間が電化された。蒸気鉄道による旅客輸送の電車化は、東京・甲武鉄道（現・JR中央本線）に次いで国内2例目だった。

なお、1911年に電化区間が和歌山市

まで延長され、喫茶室列車は姿を消した。1924（大正13）年に登場した急行用電7系で喫茶室が復活したが、1929（昭和4）年に電9系による置き換えで消滅した。

●高野鉄道開業

1896（明治29）年、堺を起点に高野山方面をめざす高野鉄道が設立され、1898年に大小路(現・堺東)～長野(現・河内長野)間が開業した。その後、起点を大阪市とすることになり、1900年9月に大小路～道頓堀（現・汐見橋）間が開業した。さらに長野～橋本間の延伸を計画したが、業績が振るわず断念している。

1907年、高野鉄道は、根津嘉一郎が設立した高野登山鉄道に事業を譲渡。高野登山鉄道は1912（大正元）年に全線を電化し、1915年3月には橋本まで開業した（同年4月に大阪高野鉄道に改称）。

さらに大阪高野鉄道は、和歌山水力電気が保有する橋本～高野山間の免許を買収。1917年に高野大師鉄道を設立し、橋本～高野下間の建設に着手した。

●近隣鉄道との合併

南海鉄道による合併はその後も続き、1909（明治42）年、天王寺西門～住吉神社前間の馬車鉄道の電車化を行っていた浪花電車鉄道を合併。1915（大正4）年には初代・阪堺電気軌道（恵美須町～浜寺公園・今池～平野間など）を買収し、大阪市南部から堺市にかけて軌道網を築いた。

1922年9月6日には、南海鉄道・大阪高野鉄道・高野大師鉄道の3社が合併し、1925年7月に高野下まで開業した。

高野下以南の延伸は、高野山電気鉄道（1925年設立）が担い、1929（昭和3）年2月に極楽橋まで開業、1930年6月に高野山ケーブルが開業した。

1940年12月には、国の指導により南海鉄道が阪和電気鉄道を合併し、阪和電気鉄道は南海山手線となったが、1944年に国有化され、阪和線となった。

1944年6月、南海鉄道と関西急行鉄道の戦時統合により近畿日本鉄道が設立される。終戦後、旧南海鉄道が分離されることになり、1947年6月1日、戦時統合から免れていた高野山電気鉄道が旧南海鉄道各線の譲渡を受け、社名を南海電気鉄道に改めた。

戦後の南海は、和歌山港からの四国連絡、深日港からの淡路島連絡にも力を入れた。両港には難波から特急や急行が直通していたが、深日港の淡路航路は2007（平成19）年に廃止された。航路衰退と入れ替わるように関西空港が開港し、現在は空港アクセス輸送が重要な使命のひとつとなっている。

●南海本線・空港線・和歌山港線　列車種別ごとの停車駅

※優等列車停車駅(除く各停区間)のみ。△は一部列車のみ停車、縦縞は各停区間

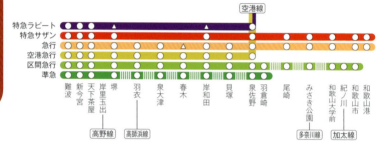

●高野線　列車種別ごとの停車駅

※優等列車停車駅(除く各停区間)のみ。△は一部列車のみ停車、縦縞は各停区間

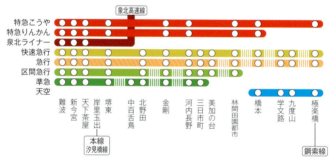

●空港線　列車種別ごとの停車駅

南海電鉄30000系「こうや」「りんかん」

南海電鉄30000系「こうや」

 諸元　車体構造：鋼製車体／全長：17.793m（先頭車）・17.725m（中間車）／全幅：2.74m／全高：3.95m／扉数：1／座席：リクライニングシート／電気方式：直流1500V／制御方式：抵抗制御／制動方式：抑速ブレーキ付き電空ブレーキ併用電気指令式／主電動機出力：145kW／台車：緩衝ゴム支持方式空気ばね台車／製造初年：1983年／製造所：東急車両

　30000系「こうや」は、高野線特急「こうや」に使用されていた20000系デラックスズームカーを置き換えるため1983年に登場した。

　難波から山岳区間の極楽橋まで直通するための性能を有し、特急にふさわしい充実した車内設備を備えている。

　20000系は1編成のみだったが、30000系は2編成が投入された。これで増発が可能になり、検査期間中の完全運休を避けられるようになった。

　20000系の伝統を引き継いだ光天井を備え、投入当初は売店もあった。先頭車は、運転台越しに前面展望が楽しめるパノラマ構造となっている。

　1999年、11000系や31000系の仕様に合わせたリニューアル工事により、売店の撤去、シート交換などが行われた。また、前頭部には電気連結器と密着連結器が取り付けられ、2編成併結運転が可能となった。これにより8連の「りんかん」や「こうや」で難波～橋本間での増結ができるようになった。

南海電鉄31000系「こうや」「りんかん」

南海電鉄31000系「りんかん」

 諸元　車体構造:鋼製車体／全長:17.793m(先頭車)・17.725m(中間車)／全幅:2.74m／全高:3.985m／扉数:1／座席:リクライニングシート／電気方式:直流1500V／制御方式:抵抗制御／制動方式:抑速ブレーキ付き電空ブレーキ併用電気指令式／主電動機出力:145kW／台車:緩衝ゴム支持方式空気ばね台車／製造初年:1999年／製造所:東急車両

　31000系は、30000系の増備車として1999年に1本のみ登場した。走行性能は30000系と同等で、高野線山岳区間に入線できる。30000系のリニューアルを控え、リニューアル期間および冬期の定期検査時の運休を避けるための予備車として製造された。

　前頭部は11000系とほぼ同じ貫通型で、電気連結器付密着連結器を備えている。貫通型だが、前面窓を大きくとることで、客室からの全面展望を確保している。側窓は11000系と同じ連続窓となっているため、この2形式で連結すると編成美が保たれる。

　室内照明も、11000系と同じスリット入り蛍光灯カバーを採用。座席は背面テーブル付きのリクライニングシートになっている。

　併結可能な連結器を備えており、「りんかん」の8両編成での運転や、「こうや」の難波〜橋本間を8両編成で運転できるようになった。

　なお南海電鉄では、2022年に2025年を目処に高野線に新しい観光列車を登場させる計画があることを明らかにしている。この列車と「こうや」や「天空」との関係は現時点では不明。

▼ 南海電鉄11000系「りんかん」「泉北ライナー」

31000系と併結の8連で「りんかん」に充当

 車体構造：鋼製車体／全長：20.5m／全幅：2.744m／全高：4.042m／扉数：1／座席：リクライニングシート／電気方式：直流1500V／制御方式：抵抗制御／制動方式：発電ブレーキ併用電気指令式／主電動機出力：145kW／台車：S形ミンデン式空気ばね台車／製造初年：1992年／製造所：東急車輌

　11000系は、高野線山岳区間に乗り入れない特急「りんかん」用車両として1992年に登場した。

　高野線では、古くから特急「こうや」が走っているが、最小限の車両数で運転し、検査等は冬期に運休して行っていた。

　高野山参拝者は冬期には少ないので、こうしたやり方でとくに問題にはならなかった。しかし、「こうや」の間合い運用（本来の列車運用とは別に余裕のある時間を使って、別の列車を運転すること）で「りんかん」（難波～橋本間）の運転を始めたところ、通勤客やビジネス客の利用が多く、冬期運休の回避を目的として本形式が投入されるに至った。

　高野線山岳区間に入線しないため20m級車とすることが可能になり、南海線用10000系をベースとする高野線用特急車両として開発された。

　泉北高速鉄道が直通特急「泉北ライナー」を新設した際には、しばらくのあいだ本形式が投入された。

南海電鉄10000系「サザン」

増備された中間車は側窓のサイズが異なる

 車体構造：鋼製車体／全長：20.825m（先頭車）・20.725m（新製中間車）／全幅：2.744m／全高：4.04m／扉数：2／座席：リクライニングシート／電気方式：直流1500V／制御方式：抵抗制御／制動方式：発電ブレーキ併用電磁直通ブレーキ／主電動機出力：145kW／台車：S形ミンデン式空気ばね台車／製造初年：1985年／製造所：東急車輛

10000系は、難波と和歌山市・和歌山港を結ぶ南海本線の特急「サザン」用の指定席車両で、1985年に営業運転を開始した。

南海グループでは、1950年代から和歌山港と四国・小松島港（のちに徳島港）を結ぶ航路を持ち、難波と和歌山港を結ぶ航路連絡列車を運転していた。1960年代には11001系を使用した特急（のちに愛称を「四国」に統一）が登場し、編成の一部は有料指定席となった。

1985年、南海は航路に連絡しない難波～和歌山市間の指定席付特急を新設し、これに10000系を投入。愛称は「サザン」とされた。時間帯によって、全車指定「サザン」や全車自由席特急があったが、のちに全特急は自由席4両（7000/7100系）・指定席4両（10000系）の「サザン」に統一された。

なお、10000系を4両編成に統一するために中間車が増備されたが、この中間車は11000系ベースの設計のため、側窓の配置が先頭車と異なる。

塗装は、製造当時は緑の濃淡だったが、現在は銀色をベースに、青と黄色のラインが付されている。

南海電鉄/泉北高速12000系「サザン」「泉北ライナー」

「サザン」の指定席車は和歌山寄りに連結される

 車体構造:ステンレス車体／全長:20.765m(先頭車)・20.665m(中間車)／全幅:2.820m／全高:4.05m／扉数:1／座席:リクライニングシート／電気方式:直流1500V／制御方式:VVVF制御／制動方式:回生ブレーキ併用電気指令式／主電動機出力:180kW／台車:モノリンク式ボルスタレス台車／製造初年:2011年／製造所:東急車輛、総合車両製作所

　南海12000系「サザンプレミアム」は10000系に代わる指定席車両として開発され、2011年9月1日から営業運転に入った。当時の南海本線には全車自由席の特急があったが、12000系の導入により、すべての特急に指定席が連結されることとなった。

　走行システムは8000系をベースに構築され、10000系と併結できなかった8000系・8300系・9000系との併結が可能となった。

　また、泉北高速の「泉北ライナー」には南海の車両が使われていたが、これを自社車両に置き換えるため、泉北高速でも12000系特急車両を新製し、泉北ライナー色にして投入した。泉北高速車の車番は下二桁が20番台で、車番からも南海車と区別できる、

泉北高速の12000系　泉北ライナー色となった以外南海所属車と同一仕様

南海電鉄50000系「ラピート」

諸元 車体構造：鋼製車体／全長：21.75m（先頭車）・20.5m（中間車）／全幅：2.85m／全高：4.057m／扉数：1／座席：リクライニングシート／電気方式：直流1500V／制御方式：VVVF制御／制動方式：回生ブレーキ併用電気指令式／主電動機出力：180kW／台車：SUミンデン式ボルスタレス空気ばね台車／製造初年：1984年／製造所：東急車両

　50000系は、難波と関西空港を結ぶ空港アクセス特急「ラピート」用車両として開発され、1994年9月の関西国際空港の開港と同時に就役した。

　関西空港には、JR西日本と南海が同じ線路を共用して乗り入れており（駅は別）、両社ともに、別途料金が必要な特急と、別途料金が不要な空港急行（南海）・関空快速（JR西日本）を運転している。

　車体先頭部には航空機を想起させる斬新な流線形が採用され、大きな円形の側窓と相まって未来的なイメージを抱かせるデザインとなった。カラーリングはラピートブルー1色で、目立つアクセントラインの類はない。その個性的なフォルムにより、鉄道友の会ブルーリボン賞を受賞している。

　6両編成中2両が1 - 2列のスーパーシート、4両は2 - 2列のレギュラーシートで、どちらも自動回転装置内蔵のリクライニングシートが設置されている。

　速達型の「ラピートα」と主要駅停車の「ラピートβ」がある。運転開始時の「ラピートα」はノンストップで難波と関西空港を結んでいたが、利用者を増やすため次第に停車駅が増やされた。いまでは「ラピートα」は一部を残して大半が「ラピートβ」に格下げされている。

南海電鉄6000系

写真の6001は無塗装状態に戻されている

 車体構造：ステンレス車体／全長：20.725m／全幅：2.74m／全高：4.06m／扉数：4／座席：ロングシート／電気方式：直流1500V／制御方式：抵抗制御／制動方式：抑速ブレーキ併用電磁直通ブレーキ／主電動機出力：145kW／台車：S形ミンデン式空気ばね台車／製造初年：1962年／製造所：東急車両

6000系は高野線用の一般車で、南海電鉄初の量産高性能車。1962〜69年に72両が製造された。

20m級の4扉車で、車体は東急車両が米国バッド社と技術提携して導入したステンレス製。南海電鉄初のステンレス車で、国内初の20m級ステンレス車となった。台車もバッド社製のパイオニアⅢが採用された。これはブレーキディスクが台車枠の外側にある独特なスタイルで、当時の車両群のなかで目を引いた。

登場から60年が経つ古参車両だが、ほぼ同年代の鋼製車7000系はすでに全車廃車となったのに対し、ステンレス車体の本車はまだ現役で残っている。

なお台車は、冷房化による重量増のため、S形ミンデン形などに交換され、河内長野〜橋本間への乗り入れに対応するため、抑速ブレーキ併用に改造されている。

南海は、関西の私鉄にはめずらしく、東急車両製のステンレス車を継続して導入した。これは、東急車両（現・総合車両製作所）が南海沿線に立地し、南海と取引のあった帝國車輛工業を東急車両が合併したことによるところが大きい。

南海電鉄7100系

特急「サザン」の自由席として運転中の7100系

 諸元　車体構造：鋼製車体／全長：20.725m／全幅：2.74m／全高：4.06m／扉数：4／座席：ロングシート／電気方式：直流1500V／制御方式：抵抗制御／制動方式：発電ブレーキ併用電磁直通ブレーキ／主電動機出力：145kW／台車：S形ミンデン式空気ばね台車／製造初年：1970年／製造所：東急車輛、近畿車輛

7100系は南海本線用の一般車。1963〜68年に量産された7000系に代わり、1969年から量産された。

1973年の昇圧に備えた仕様で、両開き扉・一段下降窓を採用。1970年の新製車から冷房車になった。

近年置き換えが進んでいるが、「サザン」の自由席車として10000系と併結できる車両は本形式のみのため、特急運用も多い。

その一方、ワンマン運転対応に改造された2連は、2200系とともに支線区の主力車両となっている。また、加太線用に塗装を変更し、内装を整備した「めでたいでんしゃ」が4本ある。

加太線で交換する「めでたいでんしゃ さち」と「めでたいでんしゃ かい」

▼ 南海電鉄6300系

前頭部の形状は6000系とほぼ同形だが、スカートの有無で識別できる

 車体構造：ステンレス車体／全長：20.725m／全幅：2.74m／全高：4.16m／扉数：4／座席：ロングシート／電気方式：直流1500V／制御方式：抵抗制御／制動方式：抑速ブレーキ併用電磁直通ブレーキ／主電動機出力：145kW／台車：S形ミンデン式空気ばね台車／製造初年：1970年／製造所：東急車輛

　6300系は、高野線の平坦区間用に量産された6100系（1970～73年に76両製造）の台車を交換した車両。台車の履き替えで混結ができなくなっているため、形式が分けられている。輸送力増強と泉北高速との相互直通運転による運用増に対応するため、1970年から製造された。

　6100系/6300系の前頭部は、スカートの有無以外は6000系とほぼ同じ。1970年製造車は冷房準備車として落成したが、1971年製造車から冷房車として登場した。冷房準備車で落成した車両は1977年度までに冷房化された。

　また、急勾配区間（河内長野～橋本間）の複線化に伴い、20m車の入線が可能になったため、抵抗器の増強や抑速ブレーキ併用に改造された（これ以前はズームカーしか入線できなかった）。

　6100系では、冷房化による重量増を見越してパイオニアⅢ台車を採用したため、冷房化による台車交換はなかったが、経年更新のため1996年からS形ミンデン台車に交換され、全車が6300系となっている。

南海電鉄6200系・3000系

CP＝3枚折妻の前面が6200系原形の車体

 ［6200系］車体構造：ステンレス車体／全長：20.725m／全幅：2.74m／全高：4.16m／扉数：4／座席：ロングシート／電気方式：直流1500V／制御方式：抵抗制御／制動方式：抑速ブレーキ併用電磁直通ブレーキ／主電動機出力：145kW／台車：Ｓ形ミンデン式空気ばね台車／製造初年：1974年／製造所：東急車両

　南海6200系は高野線用の一般車両。昇圧完了を機に1500V専用車として制御装置などが見直され、車体も6000系/6100系とは異なるタイプになった前頭部は折妻型で、前灯は窓下に移設された。台車はＳ形ミンデン式空気ばね台車が採用された。

　南海では、6200系と同形車体の電機子チョッパ試作車8000系を保有していたが、制御装置が老朽化したため、抵抗制御に変更して6200系に編入された。また、界磁チョッパ車8200系もVVVF制御化されて6200系に編入されている。6200系原形車のVVVF制御化工事は、４両編成４本に対して行われ、以後は施工されていない。

　同形の車体を採用した泉北高速3000系は60両製造され、うち14両は南海に譲渡され、南海本線で使われている。

旧6200系編入車の50番台。前面に額縁様の外枠があるのが特徴

▼ 南海電鉄9000系

諸元 ［VVVF制御化後］車体構造：ステンレス車体／全長：20.825m（先頭車）・20.725m（中間車）／全幅：2.744m／全高：4.047m／扉数：4／座席：ロングシート／電気方式：直流1500V／制御方式：VVVF制御／制動方式：回生ブレーキ併用電気指令式／主電動機出力：200kW／台車：S形ミンデン式空気ばね台車／製造初年：1985年／製造所：東急車輛

9000系1985年に登場した南海線初のステンレス車。南海線で初めて界磁チョッパ制御を採用し、1988年までに32両が製造された。

前頭部デザインは額縁スタイルの貫通型切妻で、高野線の界磁チョッパ制御車8200系（現・6200系50番台）とよく似ているが、フロントガラスは9000系のほうが天地方向に大きく、車番表示は窓内にある点が異なる。

複巻モーターを使用し、回生ブレーキを装備するが、高野線の界磁チョッパ制御車とは異なり、回生失効時には空気ブレーキのみ作動する。このため、抵抗器容量は電気ブレーキを使用しない設計となっており、高野線界磁チョッパ制御車よりも小さい。

踏切事故対策として新製時からスカートを装着し、南海線の車両では初めて電気連結器を装備した。なお登場当時は、側窓の上下と正面窓の下にダークグリーンのラインを描き、誤乗防止が図られていた。

電気指令式ブレーキのため、既存車との併結はできなかったが、同方式の新製車と併結できるように改造されたため、12000系との併結運転が見られる。

南海電鉄1000系

ステンレス塗装拡幅車体の2次車

 ［拡幅車体］車体構造：ステンレス車体／全長：20.765m（先頭車）・20.665m（中間車）／全幅：2.85m／全高：4.049m／扉数：4／座席：セミクロスシート／電気方式：直流1500V／制御方式：VVVF制御／制動方式：抑速回生ブレーキ併用電気指令式／主電動機出力：180kW／台車：SUミンデン式ボルスタレス台車／製造初年：1994年／製造所：東急車両

　南海電鉄1000系は南海本線・高野線共通の一般車。高野線の変電所に回生電力吸収装置が整備され、両線の車両共通化が容易となったことを受け、次世代の一般車として開発された。

　ラッシュ時/オフラッシュ時の快適性と居住性が追求され、あわせて軽量化、省エネルギー化、メンテナンスフリー化も考慮された。

　座席はバケットシートを採用し、車端部にヘッドレスト付きクロスシートを配した。空港利用者が乗車するため、大型荷物スペースを兼ねた車いすスペースが全車に設置されている。

　車体はビードのない軽量ステンレス製だが、ベースカラーのライトグレーを全面に塗装し、黄色と青色のラインをあしらう。前面はFRP製で、丸みのある形状となった。

　製造時期によって車幅が異なり、1992年新製の1次車24両は旧車両限界に合わせた2744㎜だったが、1993～94年新製の2次車以降は2850㎜に拡大され、側板の裾部が絞られている。

　1000系の最終増備車として2001年に新製された6次車は、車体外板が無塗装のダブルフィニッシュ仕上げとなり、連結面の転落防止幌が新製時から取り

1次車は旧車体限界に合わせた狭幅車体を採用

付けられた。また、クロスシートのシートピッチが100㎜拡大され、側扉の開閉警告ランプやドアチャイムが設置された。スタンションポールの新設や荷物棚の変更など、内装での変更点もある。

6次車では制御装置も変わり、GTO素子からIGBT素子によるVVVF制御に変更された（IGBT素子のほうがスイッチングが速く、駆動電力が少なく、騒音も少ない）。さらに曲線通過時のフランジ横圧軽減を図るため、軸箱支持方式はモノリンク式に変更された。パンタグラフは、南海で初めてシングルアーム式を採用した。このように5次車以前とは仕様が大きく異なるため、6次車の車番は1050番台となった。

1000系は、南海本線・高野線の双方に配置されているが、2023年春時点で高野線配置は1050番台4両編成1本のみとなっている。

1000系唯一の無塗装車体の1050番台

南海電鉄8000系

諸元　車体構造：ステンレス車体／全長：20.765m（先頭車）・20.665m（中間車）／全幅：2.82m／全高：4.05m／扉数：4／座席：ロングシート／電気方式：直流1500V／制御方式：VVVF制御／制動方式：抑速回生ブレーキ併用電気指令式／主電動機出力：180kW／台車：モノリンク式ボルスタレス台車／製造初年：2008年／製造所：東急車輛、総合車両製作所

　8000系は、老朽化した7000系を本格的に置き換えるため、2008〜14年に4両編成13本が製造された。1000系をベースとしつつ、JR東日本や関東私鉄で使われている標準部品の採用によりコストダウンが図られた。

　1000系同様、4扉のステンレス車で、無塗装の車体に青色と黄色のラインをまとう。正面ガラスと貫通扉ガラスは、乗務員室の温度上昇を抑えるため、1000系よりも小さくなった。また正面窓の遮光は、従来のアクリル板から巻上カーテン式になった。

　側窓は、扉間に下降式1枚と固定1枚があり、UVカットガラスを採用しているが、関東の車両とは異なり、カーテンも付けられている。

　座席はオールロングシートで、1000系のような車端部のクロスシートはない。扉間はスタンションポールで2-3-2人分に区切られており、関東風の仕様といえる。

　表示器類は、正面の種別表示はフルカラーLED、行先表示は白色LED、側面は種別・行先一体型のフルカラーLEDが採用されている。なお、側面表示器は60km/hで消灯し、55km/hで点灯する。

　1000系1050番台同様、全電気ブレーキを搭載している。

南海電鉄8300系／泉北高速鉄道9300系

南海8300系は南海本線・高野線の両線に配置されている

 車体構造：ステンレス車体／全長：20.765m（先頭車）・20.665m（中間車）／全幅：2.83m／全高：4.05m／扉数：4／座席：ロングシート／電気方式：直流1500V／制御方式：VVVF制御／制動方式：抑速回生ブレーキ併用電気指令式／主電動機出力：180kW／台車：モノリンク式ボルスタレス台車／製造初年：2015年／製造所：近畿車輛

　南海8300系は、2015年に登場した同社一般車の最新鋭車両。

　8000系のステンレス車体を踏襲した4扉のロングシート車で、8000系と似たような形状だが、張り上げ屋根となった。また、車体に描かれたラインは塗装から粘着フィルムに変更されている。

　主電動機は、狭軌線用電車で初めて全閉内扇型誘導電動機を本格的に採用。駆動装置にはTD継手を採用している。

　泉北高速9300系は2023年から3000系の淘汰用として投入されたもので、基本設計は南海8300系と同じ。腰板部に泉北高速のラインカラーであるブルーラインがあり、内装も泉北高速独自のデザインに変更されている。

泉北高速9300系。前面貫通扉にもラインカラーやブラックフェイスが施されているため、印象がだいぶ異なる

南海電鉄2200系

支線の主力として生き残るズームカー

 諸元　車体構造：鋼製車体／全長：17.725m／全幅：2.74m／全高：4.01m／扉数：2／座席：ロングシート／電気方式：直流1500V／制御方式：抵抗制御／制動方式：発電ブレーキ併用電磁直通ブレーキ／主電動機出力：90kW／台車：ウイングばね式コイルばね台車／製造初年：1969年／製造所：東急車輛

　2200系は、1969年に登場した22000系を1994〜95年に改造したもの。種車の22000系は、高野線平坦区間での高速走行から山岳区間の急勾配登坂まで対応できる車両で、その広範囲な走行性能から「ズームカー」の愛称がある。

　2200番台の車両は、2000系の増結用として高野線での運行が継続されたが、2000系の増備により2200番台は増結されなくなった。このため、2230番台と同じく、ワンマン運転対応型に改造され、汐見橋線、高師浜線、多奈川線、加太線、和歌山港線に投入された。

　なお1編成は、2009年3月に観光列車「天空」に改造され、橋本〜極楽橋間で運行されている。

　一方、支線区に転用された編成は、2024年から始まる2000系の支線区への転用で淘汰される見込み。

高野線山岳区間の観光列車「天空」

▼ 南海電鉄2000系

30000系の故障で臨時特急に投入された2000系

 車体構造：ステンレス車体／全長：17.725m／全幅：2.74m／全高：4.01m／扉数：2／座席：ロングシート・セミクロスシート／電気方式：直流1500V／制御方式：VVVF制御／制動方式：抑速回生ブレーキ併用電磁直通ブレーキ／主電動機出力：100kW／台車：緩衝ゴム式空気ばね／製造初年：1990年／製造所：東急車輛

2000系は、高野線大運転用の一般車両21000/22000系を置き換えるため、1990〜97年に64両が製造された。大運転用で初めてのステンレス車両となった。

高野線大運転とは、線路条件が大きく異なる平坦区間と山岳区間を直通運転することをいう。求められる性能が大きく異なる区間で、ここをスムーズに走るには相応の高性能車が必要になる。南海ではこうした高性能車を、焦点距離を変えられるカメラのズームレンズにたとえて「ズームカー」と呼んだ。

このようなズームカーは、急曲線に対応するため、2扉の17m級車体とされた。しかし大阪近郊のラッシュでは、増結をしても客扱いに難があった。このため、2005年のダイヤ改正以降は、一般車を充当する大運転は大幅に削減された。

さらに2両編成単独でも営業運転が可能な2300系が登場し、2000系はかなりの余剰車が発生した。このため、2007年から南海線に転属し、4両編成で普通列車に使用されている。

高野線では、4/6/8両編成で普通から急行まで使われている。

南海電鉄2300系

高野線山岳区間専用として運用される2300系

 車体構造：ステンレス車体／全長：17.725m／全幅：2.744m／全高：4.005m／扉数：2／座席：クロスシート／電気方式：直流1500V／制御方式：VVVF制御／制動方式：抑速回生ブレーキ併用電磁直通ブレーキ／主電動機出力：100kW／台車：緩衝ゴム式空気ばね／製造初年：2005年／製造所：東急車輛

　2300系は、高野線山岳区間（橋本〜極楽橋間）の２両編成化・ワンマン運転化を行うために開発された「ズームカー」の最新鋭車両だ。世界遺産に指定された高野山へのアクセス交通に相応しい設備をもつ。

　2005年に２両編成４本が投入され、同年10月からワンマン運転が開始された。登場当初は難波まで直通する運用があったが、2008年11月からは山岳区間のみで運用されている。

　車体は、17m級・両開き２扉のステンレス車体。前頭部の基本デザインは2000系と同じだが、FRP部を赤く塗装し、側面には幕板と腰板部に赤のグラデーション模様のフィルムが貼られている。前照灯は貫通路上部に配置され、従来の前照灯位置には光軸を外側に向けたコーナー灯が設置された。

　座席は、扉間は1-2列の転換クロスシート、運転室後部は2-2列の転換クロスシート、連結面寄り車端部は固定クロスシートが設置されている。扉間の窓は大型化されている。

　２両編成単独で運転を行うため、走行システムは複数のバックアップ機能を備えている。2000系、2200系との併結運転も可能で、「天空」でも併結運転を行う。

南海電鉄高野山ケーブルN10・N20形

国内2例目のスイス・CWA製車両

 [N10(山上車)]車体構造：アルミ車体／全長：8.258m／全幅：3.0m／全高：3.3m／扉数：2／座席：クロスシート／製造初年：2019年／製造所：日本ケーブル

　高野山ケーブルは、高野線終点の極楽橋駅と山上の高野山駅を結ぶ交走式鋼索鉄道で、1930年に開業した。開業時の車両は定員120人単行だった。

　戦時中には多くの鋼索鉄道が休廃止の対象となったが、山上にある程度の定住者が居たため、戦時休廃止を免れている。

　1964年に登場した3代目車両は、輸送能力増強のため2両連結（定員計261人）となり、この仕様は2019年に登場した現行4代目車両に引き継がれた。日本ケーブルが納入した現行車両の車体は、スイス・CWA社製だ。N11+N21はアクセントカラーとして白色のラインが描かれ、N12+N22にはオレンジのラインが入る。前面窓は大型の曲面1枚ガラスが用いられており、きわめて眺望がよい。側扉幅は900㎜あり、車いすにも対応している（ホームにはエレベーターがある）。

白帯がN11+N21の証し

泉北高速鉄道

本社：大阪府和泉市いぶき野5-1-1
創立：1965（昭和40）年12月24日
路線：泉北高速鉄道線
車両基地：光明池車庫
営業キロ：14.3km（第一種鉄道事業）
駅数：6駅
車両数：108両
電気方式：直流1500V
軌間：1067mm

泉北高速鉄道株式会社は、南海高野線中百舌鳥を起点とする鉄道路線の運営のほか、東大阪市と茨木市でトラックターミナル・流通倉庫などの流通事業を行っている。売上は鉄道事業のほうが多いが、利益は流通事業のほうが多いようだ。

以前は、大阪府などが出資する第三セクター会社・大阪府都市開発株式会社だったが、2014（平成26）年に全株式を南海電鉄が取得、同社の子会社とされ、現在の社名になった。

同社の鉄道線は、堺市南部・和泉市東部に広がる泉北ニュータウンのアクセス路線として誕生した。

住宅地開発にあたり、大阪府は南海電鉄に新線建設を打診したが、南海負担による新線建設は受け入れられず、流通事業会社として設立されていた大阪府都市開発が新線を建設し、協定により南海電鉄が運営に協力した（この段階では「泉北高速鉄道」は鉄道の名称で、会社名ではない）。

1971（昭和46）年に中百舌鳥〜泉ヶ丘間が開業し、当初の計画区間だった光明池までは77年に延伸された。

鉄道事業法の施行により、1988年に第一種鉄道事業の免許を取得し、鉄道運営などの南海との協定内容を見直し、独自色を強めた。1990（平成2）年には列車運転業務を直営化している。さらに1993年には駅務・技術部門を直営化した。これまで車両は南海とほぼ同じ設計の車両を導入していたが、以降は独自設計の車両を導入するようになった。

一方、泉北ニュータウンの南方に住都公団（当時）によるニュータウン開発が計画され、泉北高速鉄道では1991年に光明池〜和泉中央間の鉄道事業免許を取得し、1995年に同区間を開業した。

その後、南海の子会社となったこともあり、現在では難波〜和泉中央間に準大手私鉄で唯一の有料特急の運転を開始した。

●泉北高速鉄道線 列車種別ごとの停車駅
※優等列車停車駅（除く各停区間）のみ。縦縞は各停区間

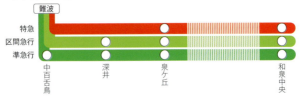

泉北高速鉄道3000系

3000系新製車。カラーリング以外は南海6200系とほぼ同一

 車体構造：セミステンレス車体／全長：20.825m（先頭車）・20.725m（中間車）／全幅：2.74m／全高：4.03m／扉数：4／座席：ロングシート／電気方式：直流1500V／制御方式：抵抗制御／制動方式：発電ブレーキ併用電磁直通ブレーキ／主電動機出力：145kW／台車：S形ミンデン式空気ばね台車／製造初年：1975年／製造所：東急車輛

泉北高速3000系は、1975～90年に60両が新製された。初期車はセミステンレス車体だったが、1986年以降に新製された3編成は、ステンレス車体となった。

南海6200系をベースとした車両で、当初は非冷房車だったが、1977年以降の増備車は新製冷房車となった。

1998～99年には、一部の中間車が制御電動車に改造され、前灯と尾灯がコンビライトに変更された。

2013年に一部の編成が南海に譲渡されたほか、新製車への置き換えも進んでいる。

改造先頭車は、前灯・尾灯の形状が異なる

泉北高速鉄道5000系

 諸元　車体構造：アルミ車体／全長：20.825m（先頭車）・20.725m（中間車）／全幅：2.74m／全高：4.05m／扉数：4／座席：ロングシート／電気方式：直流1500V／制御方式：VVVF制御／制動方式：回生ブレーキ併用電気指令式／主電動機出力：170kW／台車：SUミンデン式ボルスタレス空気ばね台車／製造初年：1990年／製造所：川崎重工・東急車輛

　5000系は、高性能化・軽量化・省エネ・メンテナンスフリーの深度化を目標として、1990〜95年に40両が製造された。

　南海電鉄の車両をベースに製造された100/3000系とは異なり、5000系は泉北高速オリジナル車両として製造された。

　先頭車は同社初の非貫通式で、前面窓は左右で大きさの異なる大型の曲面ガラスを採用している。

　20m級4扉オールロングシートという車体仕様は、在来車や南海高野線と同一だが、アイボリーに塗装されたアルミ車体を採用している。車体外部は、泉北カラーのブルーラインを側窓の上下に引き、さらに側窓下のラインに淡いブルーのラインを添えている。扉間の側窓はブロンズ熱線吸収ガラスの2連ユニットを採用。

　制御方式は同社初のVVVF制御で、電気指令式ブレーキの採用も同社初となった。

　運用範囲は、南海高野線の難波〜中百舌鳥間と泉北高速全線。1989年まで100/3000系が使用されていた難波〜三日市町間の運用に、泉北高速車が充当されることはなくなった。

泉北高速鉄道7000系

諸元 車体構造：アルミ車体／全長：20.825m（先頭車）・20.725m（中間車）／全幅：2.83m／全高：4.05m／扉数：4／座席：ロングシート／電気方式：直流1500V／制御方式：VVVF制御／制動方式：回生ブレーキ併用電気指令式／主電動機出力：170kW／台車：モノリンク式ボルスタレス空気ばね台車／製造初年：1996年／製造所：川崎重工

7000系は、老朽化した100系を置き換えるため、1996〜98年に26両が製造された。新製時の編成は6両編成1本、4両編成5本だった。

当初の計画では、さらに6両編成2本を増備する予定だったが、運用の効率化で対応することになり、4両編成2本を6両編成1本と2両編成1本に組み替えて対応した。その結果、現在の編成は6両編成2本、4両編成3本、2両編成1本となった。

7000系の車体は、5000系を踏襲してアイボリーをベースに、濃淡のブルーラインを引いたアルミ車体を採用。ただし、車体幅が2.83mに拡大されたため、側板は裾絞りの形状になった。

前頭部は貫通式になり、三次曲面で構成されたスマートなデザインになった。また、貫通扉にはスイング式プラグドアの幌カバーが付けられた。

制御装置とブレーキも5000系を踏襲し、VVVF制御と電気指令式ブレーキを採用。集電装置はシングルアーム式パンタグラフを採用している。

9300系の新製が発表された際、泉北高速所属の通勤車両のエクステリアデザインを統一するため、在来車両の側窓下部にあるブルーとライトブルーのラインカラーのうち、ライトブルーを廃止し、9300系と同じデザインのブルーラインのみに変更するという計画が明らかにされている。

泉北高速鉄道7020系

諸元 車体構造：アルミ車体／全長：20.825m（先頭車）・20.725m（中間車）／全幅：2.83m／全高：4.05m／扉数：4／座席：ロングシート／電気方式：直流1500V／制御方式：VVVF制御／制動方式：回生ブレーキ併用電気指令式／主電動機出力：170kW／台車：モノリンク式ボルスタレス空気ばね台車／製造初年：2007年／製造所：川崎重工

　7020系は、老朽化した3000系を置き換えるため、2007年から製造された。ベースは7000系だが、接客設備を中心に仕様が見直されている。

　7000系と同じくアルミ車体だが、製造コスト削減と保守費低減のため貫通扉部にあった幌カバーのスイング式プラグドアが廃止され、幌枠が露出した一般的な先頭部になった。これに伴い、先頭部の形状全体が見直され、丸みを帯びた柔らかなイメージから、直線基調のデザインに変わった。

　客室は、腰掛けが片持ち式になり、1人あたりの幅が20㎜拡大して460㎜になり、スタンションポールはロングシート端部だけでなく、7人掛けの中間部にも追加された。

　車内案内表示器は、従来のLED式から液晶表示器に変更され、将来、台数を増やせるように準備工事を行っている。側窓は、グリーンのUVカットガラスに変更されている。

　現在、6両編成2本、4両編成と2両編成各1本が在籍している。

COLUMN　座席指定制通勤電車

　近年、関東・関西ともに座席指定制の通勤電車がよく見られるようになった。通勤時間帯に有料特急を走らせる例は古くから一部の路線で見られたが、近年は通勤電車用に座席指定車を新製する例が現れた。

　ロングシートが一般的な関東では、デュアルシート（ロング・クロス転換座席）の採用により通常座席と差別化し、指定席料金を導入する例が多い。一方、料金不要のクロスシート車がめずらしくない関西では、よりグレードが高いクロスシートを導入して座席指定料金を徴収する方式が登場した。

京阪プレミアムカー　おもに特急・快速特急に使用される3000系、8000系に、1‐2列配置のリクライニングシートを備えたプレミアムカーを1両連結する。大阪〜京都間の料金は500円。

京阪8000系プレミアムカー車内

阪急プライベース　2024年夏からスタートするサービス。京都線特急・通勤特急・準特急の2300系、9300系の一部に1両連結する。1‐2列配置のリクライニングシートを備える。大阪〜京都間の料金は500円。

阪急2300系プライベースのシート

JR西日本 新快速Aシート　野洲・草津〜姫路・網干間の新快速6往復に連結される。座席は特急普通車指定席と同等で、2‐2列のリクライニングシート。京阪間の料金はスマホなどで購入するチケットレス指定券の場合、600円。

JR西日本225系Aシートのシート

阪堺電気軌道

本社：大阪府大阪市住吉区清水丘3-14-72
創立：1980（昭和55）年7月7日
路線：阪堺線、上町線
車両基地：我孫子道車庫
営業キロ：18.4km（軌道）
駅数：40駅
車両数：35両
電気方式：直流600V
軌間：1435mm

阪堺電気軌道（以後、阪堺電車）は、大阪市南部と堺市において軌道事業を行う南海電気鉄道の子会社だ。

1900（明治33）年に大阪馬車鉄道が天王寺～東天下茶屋を開業し、1902年に住吉あたりまで延長され、現在の上町線がほぼ全通した。その後、同社は電化を目論み、1907年に浪速電車軌道と改称したが、電化改軌工事中の1909年に南海鉄道（当時）と合併した。

1910年に天王寺西門前～住吉神社前（現・住吉）を複線電化で開業。その後、住吉神社前～住吉公園までの延長し、南海線との連絡を開始した。なお、21年には天王寺西門前～天王寺駅前間を大阪市電に譲渡している。

一方、阪堺線は、1910年に創設された初代阪堺電気軌道により翌年に恵美須町～大小路間が開業し、1912年には浜寺（現・浜寺駅前）が開業した。当初から電車を頻発運転したため南海と激しく競合したが、1915年に南海と合併している。なお1914年には、平野線（今池～平野間、のちに廃線）が阪堺電気軌道により開業している。

1950年代前半には全盛期を迎え、利用者数は年間6200万人に達したが、自動車や大阪市営地下鉄の普及に押されて1955（昭和30）年以降は利用者が減少に転じた。このため、1970年代には車体広告の導入やワンマンカー運転を開始するなど、合理化が図られた。

南海電鉄は経営改善のため、軌道線の分離を決定し、1979年に2代目阪堺電気軌道が設立された。翌80年11月27日限りで平野線が廃止になったことを機に、阪堺線と上町線は阪堺電気軌道に営業譲渡されることとなった。

現在の路線は、阪堺線（恵美須町～浜寺駅前間）14.1km、上町線（天王寺駅前～住吉）4.4kmの計8.4kmのみで、全線が軌間1435mmの複線となっている。

路線のうち、阪堺線の7割近く、上町線の4割近くが専用軌道となっている。また堺市中心部の綾ノ町～御陵前間は併用軌道となってはいるが、グリーンベルトで仕切られたセンターリザベーション区間となっており、自動車は線路敷に進入できず、ほぼ専用軌道といえる。

2016年1月31日いっぱいで住吉～住吉公園間が廃止され、南海との接続駅は浜寺駅前のみとなっている。

2016年1月31日いっぱいで住吉～住吉公園間が廃止された。これにより、唯一の南海との接続駅となった浜寺駅前は、南海本線の高架工事にともない南海線東側への移設が検討されている。

なお、堺市から阪堺電軌に助成が行われている。これにより低床車両の導入や交通系ICカード乗車が実現した。

阪堺電気軌道モ161形

昭和40年代復元車の161号

 全長：13.716m／幅：2.438m／電気方式：直流600V／制御方式：抵抗制御／主電動機出力：30.0kW／製造初年：1928年／製造所：川崎車両

モ161形は国内最古の現役車両で、1928〜31年に16両が製造された。そのうち4両が残っており、いずれも現在も運用されている。

161号は昭和40年代の塗装を再現、162号は筑鉄赤電塗装を再現している。164号は登場時をイメージした茶色塗装、166号は緑色に黄帯塗装となっている。

当時の鉄道線用電車と同じレベルの高度な車両技術で製造されており、間接非自動制御機を搭載。新製時は連結器を備え、平野線で連結運転を行った。

現在、定期運用に入ることは少なく、メインは貸切運用。非冷房車なので、夏季の運行は少ない。

筑鉄コラボ企画で筑鉄赤電塗装となった162号

阪堺電気軌道モ351形・モ501形

同社冷房車で唯一の吊り掛け車

 諸元　全長：13.310m／幅：2.511m／電気方式：直流600V／制御方式：抵抗制御／主電動機出力：30.0kW／製造初年：1962年（351形）、1957年（501形）／製造所：汽車会社（351形）、帝国車輛（501形）

　モ501形は1957年に5両が製造された。当時の最新鋭の路面電車で、国内の路面電車で初めて、空気ばね台車とカルダン駆動を採用した。

　新製時は電気ブレーキ併用空気ブレーキを採用していたが、連結器を取り外し電気ブレーキも撤去した。

　モ351形は、モ501形とほぼ同形の車体と台車を新製し、木造車の機器を流用した。吊り掛け駆動車だが、1980年代に冷房化された。中扉横に車掌用窓があったが、ワンマン改造で不要となり、モ501形と同一形態の窓になった。このため両形式の識別が難しくなった。

中扉横の車掌台窓がモ351形と見分けるポイントだったが、ワンマン化で相違点がなくなった

阪堺電気軌道モ601形・モ701形

ブレーキランプ非設置であることがわかる

 全長：13.710m／幅：2.470m／電気方式：直流600V／制御方式：抵抗制御／主電動機出力：30.0kW／製造初年：1996年（601形）、1987年（701形）／製造所：東急車輛

　モ701形は、南海からの独立後に登場した初めての新車で、1987～95年に製造された。1軸式マスコン、電気指令ブレーキなどを採用した。

　モ601形は、1996～98年に登場した機器流用車で、モ701形と同じ車体と台車・モーターを新造したが、制御器やブレーキ弁などはモ121形から流用した。

　ワンマンカーとして製造され、扉部のステップは当初から2段式だった。

　モ701形は、1995年製造の710・711のみ新造時から2段式ステップを装備。701形は電気指令式ブレーキ装備で制動性能がよく、自動車による追突を避けるため、前灯横にブレーキランプがあるが、モ601形には設置されていない。

ブレーキランプの存在がわかる

阪堺電気軌道モ1001形・モ1101形

側窓上部が緑色の1001号「茶ちゃ」

 全長：16.300m／幅：2.450m／電気方式：直流600V／制御方式：VVVFインバータ制御／主電動機出力：85kW／製造初年：2013年／製造所：アルナ車両

1001形は超低床電車で、2013～15年に毎年1両ずつ導入された。堺市の路面電車活性化事業に基づく協議のなかで、国の地域公共交通バリア解消促進事業の採択を受け、国と堺市から支援を得て導入された。その関係で、当初は我孫子道～浜寺駅前間で運転が行われたが、のちに天王寺駅前～浜寺駅前間の運転に変更された。

車両製造は阪急阪神グループのアルナ車両が担当し、阪堺電車初のアルナ車両（含むアルナ工機）製車両となった。

かつて国内の超低床車は、技術導入を含め欧州メーカーによるものが多かったが、アルナ車両・東芝・新日鉄住金・東洋電機・ナブデスコは独自技術による共同開発で超低床車の商品化をめざし、「リトルダンサー」シリーズとしてさまざまな車種の商品化に成功している。

1001形は「リトルダンサーUa」と呼ばれるタイプで、同型車は、豊橋鉄道豊橋市内線、富山地方鉄道富山市内線、長崎電気軌道、札幌市電などでも見られる。

「リトルダンサーUa」はA-C-Bの3車体に分かれた連接車で、台車はA・B車にあり、C車はこの両車に支えられている。モーターなどの機器の設置で生じた床の突起部分を座席として利用する構造で、A・B車は1人掛け固定式クロスシート、C車はロングシートになっている。

外吊り式プラグドアの採用により広い開口部を確保し、前面・側面ともに窓を大きくとることで明るい車内を実現した。

車外のデザインと呼称は公募により選ばれた。編成ごとに側窓より上の車体の色が異なり、第1編成は緑色で「茶ちゃ（ちゃちゃ）」、第2編成は紫色で「紫おん（しおん）」、第3編成は青色で「青らん（せいらん）」と呼ばれている。

1101形は同社2形式目の超低床車で、超低床車増発の要請に応えるために投入された（2031年度までに4両導入の予定）。1001形と同じく、アルナ車両の「リトルダンサータイプUa」を採用し、仕様は細部を除いてほとんど同じ。

側窓上部が青色の1003号「青らん」

超低床車初のラッピング車になった1101号

大阪市高速電気軌道（Osaka Metro）

本社：大阪府大阪市西区九条南1丁目12番62号

設立：2017（平成29）年6月1日

路線：御堂筋線、谷町線、四つ橋線、中央線、千日前線、堺筋線、長堀鶴見緑地線、今里筋線、南港ポートタウン線

車両基地：中百舌鳥検車場、大日検車場、八尾車庫、緑木検車場、森之宮検車場、東吹田検車場、鶴見検車場、鶴見緑地北検車場、南港検車場

営業キロ：計137.8km（第一種鉄道事業2.7km、第二種鉄道事業3.0km、軌道132.1km

駅数：133駅（鉄道・軌道）

車両数：1374両

電気方式：直流750V/1500V、三相交流600V

軌間：1435㎜、案内軌条式

＊2024年3月31日現在

大阪市高速電気軌道（愛称：Osaka Metro）は、大阪市交通局が運行していた大阪市営地下鉄・ニュートラムを運営するために設立された事業者で、2018年4月1日から事業を開始した。現時点では、大阪市が100％出資している。

AGT（新交通システム）を採用しているニュートラム（南港ポートタウン線）を除き、軌間は標準軌で統一されている。しかし、電化方式は第三軌条式直流750Vと架空線式直流1500Vの2種類があり、さらに長堀鶴見緑地線と今里筋線はリニアモーターを使用するリニアメトロを採用している。

また、国内の地下鉄は鉄道事業法による鉄道として免許を受けることが一般的だが、大阪市営地下鉄は軌道法の特許を得ることを原則としたため、現在でも大半の区間が、軌道法による軌道として運営されている（中央線とニュートラムの一部区間は鉄道）。

●大阪市交通局略史

Osaka Metroの前身、大阪市交通局の歴史は、大阪市工務課による1903(明治36)年の国内初の市営路面電車運行から始まる。電車事業の担当部局は、その後、電気鉄道課、電気鉄道部、電気局、交通局と変遷した。

地下鉄1号線（現・御堂筋線）の梅田～心斎橋間は、電気鉄道課時代の1933（昭和8）年5月20日に開業した。これは東京地下鉄道（現・東京メトロ銀座線）に次ぐ国内2番目の地下鉄で、かつ初の公営地下鉄となった。なお、大阪市電は1969（昭和44）年に全廃され、大阪市内の公営交通は地下鉄とバスがメインになった。

1981（昭和56）年3月16日、AGT（案内軌条式鉄道＝いわゆる新交通システム）のニュートラム（南港ポートタウン線）が開業している。

●路線概要

(1)御堂筋線 国内2番目の地下鉄として1933（昭和8）年に開業。現在は、江坂～中百舌鳥間を結び、北大阪急行電鉄と相互直通運転を行う。

(2)谷町線 大阪地下鉄最長の路線。1967（昭和42）年開業の東梅田～谷町四丁目間が徐々に南北へ延長され、最終的に大日～八尾南間28.3kmとなった。

右から、御堂筋線、谷町線、四つ橋線、中央線、千日前線で運行する新20系

(3)**四つ橋線** 1942（昭和17）年5月に御堂筋線の分岐線として開業した大国町〜花園町間が南北に延長され、1972（昭和47）年に西梅田〜住之江公園間が全通した。一時、西梅田〜十三間を延長し、阪急が保持する十三〜新大阪間の免許線と結びつける構想もあったが、なにわ筋線の建設計画が具体化したため、四つ橋線十三延伸の可能性は消滅した。

(4)**中央線** 1961（昭和36）年12月に大阪港〜弁天町間が開業。2005（平成17）年7月にOTSの営業区間を第二種鉄道事業区間として編入し、コスモスクエア〜長田間が全通した。大阪市中心部を東西に結ぶ路線で、近鉄けいはんな線と相互直通運転を行う。

2025年4月〜10月に大阪港の埋立地・夢洲で開催される大阪・関西万博の主力アクセス手段となる予定で、2025（令和7）年1月末頃にコスモスクエア〜夢洲間の延伸開業が予定されている。

(5)**千日前線** 中央線と並んで、大阪市中央部を東西に走り、野田阪神〜南巽間を結ぶ。1981（昭和56）年に全通した。

(6)**堺筋線** 1969（昭和44）年12月に天神橋筋六丁目〜動物園前が開業、1993（平成5）年3月に天下茶屋まで延伸され、全線が開通した。1970年に開催された日本万国博覧会のアクセス路線として当初から阪急と直通運転を行い、現在は京都河原町から急行が乗り入れる。

(7)**長堀鶴見緑地線** リニアメトロ（鉄輪式リニアモーターカー）の国内採用第1号。国際花と緑の博覧会アクセス路線として1990（平成2）年3月20日に京橋〜鶴見緑地間が開業。1997（平成9）年に全通した。

(8)**今里筋線** 2006（平成18）年に開業したリニアメトロ路線。

(9)**ニュートラム** AGT路線の国内2路線目。神戸のポートライナーから約1ヵ月遅れとなる1981（昭和56）年3月16日に開業した、

Osaka Metro 新20系

御堂筋線で運行する21系

 車体構造：ステンレス車体／全長：18.9m／全幅：2.89m／全高：3.745m／扉数：4／座席：ロングシート／電気方式：直流750V／制御方式：VVVF制御／制動方式：回生ブレーキ併用電気指令式／主電動機出力：140kW／台車：ペデスタル式空気ばね台車／製造初年：1990年／製造所：近畿車輛・東急車輛・日立製作所・川崎重工・日本車輌・アルナ工機

　Osaka Metro 20系は、電機子チョッパ制御の10系に代わる主力車両として開発されたVVVF制御車。1984年にアルミ車体で登場し、中央線用として量産されたが、2023年度に運用を終えた。

　1990年以降の新製車両は軽量ステンレス車体となり、前面デザイン等が変更され、制御装置も１Ｃ２Ｍ構成２組から１Ｃ４Ｍ構成に改良されたため、従来の車両と区別して新20系と呼ばれる。

　投入線区ごとに車番の千の位の数字が異なり、その数字にちなんで21～25系と呼ばれることもある（御堂筋線の21系、谷町線の22系、四つ橋線の23系、中央線の24系、千日前線の25系は、それぞれの線区事情に応じた機器の搭載や仕様の変更があるが、基本的には同一仕様なので、本書では新20系と呼ぶ）。

　この５系列のなかで別の線区に転属する車両は、仕様適合の改造後、改番される。

　５系列以外の線区から転属する場合も同様で、2005年に大阪港トランスポートシステムの路線が大阪市交通局の第二種鉄道事業区間となったことに伴い、大阪港トランスポートシステムの車両が24系に編入されている。

　なお、新20系を構成する５系列のう

ち、24系はすでに消滅した。中央線への400系投入が進み、既存の24系が谷町線に転属したためで、24系は欠番となった。

千日前線野田阪神で発車を待つ25系

谷町線八尾車庫で30000系（左右）と並ぶ22系

緑木検車場に揃う新20系全5色

Osaka Metro 30000系

御堂筋線用31系

 車体構造：ステンレス車体／全長：18.9m（先頭車）・18.7m（中間車）／全幅：2.89m／全高：3.745m／扉数：4／座席：ロングシート／電気方式：直流750V／制御方式：VVVF制御／制動方式：回生ブレーキ併用電気指令式／主電動機出力：140kW／台車：モノリンク式空気ばね台車／製造初年：2008年／製造所：近畿車輛、川崎重工

　30000系は、新20系に代わる大阪市営地下鉄の主力車両として開発された。谷町線に残っていた抵抗制御で非回生ブレーキの30系を淘汰するため、32系と呼ばれる32000番台から開発された。

　車体前面は、ステンレスを叩き出したフレームによる三次曲面の非対称形状となった。側面は側板と雨樋が一体形状となり、ビードは廃された。骨組みの剛性向上とともに外板も厚くなり（0.5㎜増の2㎜）、曲げ剛性は新20系の約1.4倍となった。

　側窓には熱線吸収ガラスが採用されており、車端部は固定式、扉間は下降式窓となっている。

　座席は片持ち式のバケットシートで、1人分の座席幅が440㎜から470㎜に拡幅され、2人分ないし3人分ごとにスタンションポールが設けられた。案内用の液晶ディスプレイは、側扉上部に千鳥配置された。

　台車はモノリンク式の空気ばね台車が採用され、台車枠とボルスタの改良により床面高が40㎜低下した。これまで大阪地下鉄では、第三軌条の断線部を配慮して補助電源装置はMG（電動発動機）としていたが、集電回路を引き通すことでSIV（静止型インバータ）を採用した。

　谷町線の30系の置き換えは2013年に

完了した。御堂筋線の10系の置き換えは2011年から始まり、2022年に完了した。御堂筋線用は31000番台となったが、31系と呼ばれることもある（新20系の項を参照）。

中央線は、2025年に開催される大阪・関西万博のアクセス路線となるため、輸送力増強用として30000A系6両編成が10本投入されている。

30000A系では路線カラーは従来のラインに代わってスパークルドットによる表示となったほか、ボルスタレス台車への変更など仕様が一部変更されている。なお、万博終了後は谷町線に転属し、22系を置き換える予定のため、車番は谷町線仕様となっている。

八尾車庫で22系と並ぶ32系

大阪関西万博輸送用に中央線に配置される30000A系

Osaka Metro 400系

緑木検車場で公開された400系第1編成

 車体構造：アルミダブルスキン構造／全長：18.9m（先頭車）・18.7m（中間車）／全幅：2.88m／全高：3.745m／扉数：4／座席：ロングシート・セミクロスシート／電気方式：直流750V／制御方式：VVVF制御／制動方式：回生ブレーキ併用電気指令式／主電動機出力：140kW／台車：モノリンク式ボルスタレス空気ばね台車／製造初年：2022年／製造所：日立製作所

　400系は、大阪の地下鉄の運営が大阪市交通局から大阪市高速電気軌道（Osaka Metro）に移管されてから投入された初めての新型車両だ。

　2025年に開催する大阪・関西万博の主要アクセス手段となるOsaka Metro中央線の主力車両として、2025年4月までに全23編成138両が投入される予定だ。万博会場の夢洲に向かう中央線を未来につながる路線と位置づけ、前頭部形状を宇宙船を連想する未来的なデザインとした。

　大阪地下鉄としては80系以来のアルミ車体で、圧縮強度・破壊強度に優れたトラス構造断面ダブルスキン構造が採用されている。前頭部の四隅にLEDの前灯が配置され、一見、非貫通型前頭部のように見えるが、大型の前面非常扉を備える。

　座席はハイバック仕様のロングシートを基本とするが、4号車の扉間座席のみ1人掛けの固定クロスシートとなっている。座席タイプによって側扉（外側）の色が異なり、クロスシート部ではグレー、ロングシート部ではグリーン、優先席部ではブルーに色分けされている。

　先頭車連結側の車端にUSBポート付きのカウンターがあり、作業スペースとして使えるようになっている。側扉上部の情報案内装置は、一般的な千鳥配置ではなく、全側扉の上部にある。

Osaka Metro 66系

阪急京都本線高槻市まで乗り入れる66系

 車体構造：ステンレス車体／全長：18.9m／全幅：2.84m／全高：4.08m／扉数：3／座席：ロングシート／電気方式：直流1500V／制御方式：VVVF制御／制動方式：回生ブレーキ併用電気指令式／主電動機出力：180kW／台車：SUミンデン式ボルスタレス空気ばね台車／製造初年：1990年／製造所：川崎重工・近畿車輛

66系は、堺筋線用の60系を置き換えるため、1990〜2003年までに8両編成17本が製造された。新20系の投入と並行した増備で、新20系の架線式車両ともいえる。

車体は、新20系と同じステンレス車体を採用。前頭部はFRP製の覆いを付けて丸みをもたせている。前面非常口は向かって左側にシフトした位置にあり、外開きのスイングプラグドア式になっている。前照灯は中央部上部にあり、テールランプと標識灯は腰部の両端に取り付けられている。

扉窓配置は60系に準じた3扉車で、側窓は1枚下降式で扉間3枚となった。

1994年に60系非冷房車の置き換えが終わり、増備が一時中断されたが、その後冷房改造済みの60系を置き換えるため、2002年に一部仕様を変えて増備が再開されている。

増備再開後は、バケットタイプのロングシートの1人分の幅が460㎜から470㎜になった。また、扉間のロングシート中央部にスタンションポールが増設されている。

最後に作られた2編成は、前頭部の正面窓が前面ガラスで覆われたタイプに変更され、側面上部のラインカラー帯に白色の細いラインが加えられた。

Osaka Metro 70系

諸元 ［量産車］車体構造：アルミ車体／全長：15.8m（先頭車）・15.6m（中間車）／全幅：2.49m／全高：3.12m／扉数：3／座席：ロングシート／電気方式：直流1500V／制御方式：VVVF制御／制動方式：回生ブレーキ併用電気指令式／主電動機出力：100kW／台車：積層ゴム式ボルスタ付き台車／製造初年：1990年／製造所：日本車輌・近畿車輛・川崎重工・アルナ工機

　70系は、日本初の鉄輪式リニアモーター地下鉄として1990年に開業した鶴見緑地線（現・長堀鶴見緑地線）用の車両として開発された。

　アルミ車体を採用し、前頭部は「くの字」形の多面形状で、左右非対称型。日本の鉄道では通常、運転台は左側にあるが、本形式では運転台が右側にあり、前面非常口は左側に寄せて設置されている。ヘッドライトと行先表示装置は、大型の前面窓内に設置されている。

　25m級車体の3扉車で、側窓は扉間2枚、小断面トンネルの車両限界を極力活かすため、側壁は床面上から1.4mの位置で内側に折れている。

　主電動機に採用した車上一次片側式三相リニア誘導電動機は、各台車に1基、台車枠に装架している。制御方式はVVVF方式で、基本的には回転型誘導電動機の制御と同じ原理だ。ブレーキ装置は回生ブレーキ併用電気指令式で、必要な制動力を回生ブレーキで発生させ不足分を空気ブレーキで補う。

　1996年と1997年の同線延伸時に増備され、最終的に25編成が製造された。増備車では塗装が一部改められたが、現在では開業時の車両もすべて同じ塗装になっている。

▼ Osaka Metro 80系

運転台下部のマークは8号線の8とリニアモーターの略称「LIM」をアレンジしたもの

 [量産車] 車体構造：アルミ車体／全長：15.8m（先頭車）・15.6m（中間車）／全幅：2.496m／全高：3.12m／扉数：3／座席：ロングシート／電気方式：直流1500V／制御方式：VVVF制御／制動方式：回生ブレーキ併用電気指令式／主電動機出力：100kW／台車：積層ゴム式ボルスタ付き台車／製造初年：1990年／製造所：近畿車輛・川崎重工

　80系は、2006年に開業した今里筋線用の車両。同線は長堀鶴見緑地線同様、鉄輪式リニアモーター駆動方式を採用した小断面地下鉄として建設された。

　本形式は70系をベースとして設計された車両で、アルミ製車体を踏襲し、前頭部形状もよく似ている。扉間の側窓は大型の1段下降式の1枚窓。70系同様、車体上部は絞られているが、絞りの開始位置を側窓下部にすることで、側壁の傾斜を目立たなくしている。

　外部塗装は、薄いクリーム色をベースに、側窓下と幕板部にはラインカラーのゴールデンオレンジの帯が巻かれ、前頭部では非常扉とその周囲がオレンジ色に塗られている。

　ロングシートは1人あたり470㎜のバケットタイプのロングシートを採用した。

　同線では、全駅で可動式ホーム柵を導入したため、80系の車両連結部には転落防止幌は設けられていない。また火災被害防止のため、70系で採用されていた蛍光灯のグローブは踏襲されていない。

Osaka Metro 200系

最終編成はトラをイメージした塗装

 車体構造:ステンレス車体／全長:7.6m／全幅:2.29m／全高:3.17m／扉数:1／座席:セミクロスシート／電気方式:三相交流600V／制御方式:PWMコンバータ・インバータ制御／制動方式:回生ブレーキ併用電気指令式／主電動機出力:110kW／製造初年:2015年／製造所:新潟トランシス

200系は南港ポートタウン線用の車両で、2015年から導入が始まった。同線でこれまで使われていた100A系の置き換え用として開発された。

2015年に試作編成1本が登場し、2016年度に量産車6編成が就役した。この量産車は編成ごとに車体色が異なり、登場順にブルー、イエロー、ピンク、グリーン、オレンジ、パープル、レッドが割り当てられた。

なお、第19編成から第21編成までは前面窓下中央に黒い楕円を付し、動物の顔を模している（パンダ、レッサーパンダ、トラ）。

車体はステンレス製で、前面形状は丸みを帯びた流線型となった。100A系同様、前面非常口は向かって右側にシフトした位置に設定されている。量産車では、試作車よりも前面ガラスが下方に拡大された。

座席はロングシートを基本とするが、100A系とは異なり、一部が1人掛けの固定クロスシートになっている。これにより通路幅が拡大された。室内デザインは「桜」と「公園」をイメージした2種類がある。

2016年6月29日、試作編成により営業運転が開始された。

試作第1編成は前面窓が量産車より小さい

オレンジ色の第5編成

グレープ色の第6編成

あじさい色の第8編成

竹色の第11編成

藤色の第15編成

ひまわり色の第16編成

側面にイラストが描かれた第18編成

パンダをモチーフとした第19編成

北大阪急行電鉄

本社：大阪府豊中市寺内2丁目4番1号
設立：1967（昭和42）年12月11日
路線：南北線
車両基地：桃山台車庫
営業キロ：5.9km（第一種鉄道事業）
駅数：4駅
車両数：70両
電気方式：直流750V第三軌条式
軌間：1435mm

北大阪急行電鉄（以下、北急）は、もとは国内初の大規模なニュータウンとして1960年代に開発が始まった千里ニュータウンのアクセス鉄道として計画された。これとはべつに阪急電鉄の千里線を延長する案もあったが、2路線の並立は採算性の面から不安視され、どちらも具体化が進まなかった。

しかし、ニュータウンに隣接する丘陵で日本万国博覧会（1970年）が開催されることになり、そのアクセス鉄道として、御堂筋線と阪急千里線を延長することになった。

ただ、御堂筋線に関しては大阪市外への延長がネックとなり、阪急主体の第三セクターにより延長されることになった。

この第三セクターが北急で、千里中央付近から万博会場中央口まで、建設中の高速道路用地を利用して、開催期間のみ営業する会場線を建設した。

会場線と南北線は1970年2月24日に開業した。会場線は、本来の千里中央駅の江坂方で南北線から分岐し、工事中の中国自動車道上り線用地に敷設された。

万博会期終了後、会場線はただちに撤去され、自動車道が建設されたが、千里中央の江坂方のトンネル内にはいまも会場線分岐跡が残っており、電車内から確認できる。

開業時に用意された7000形（ステンレス車）、8000形（アルミ車）は大阪市営地下鉄30系と同形で、万博終了後、大阪市交通局に譲渡された。

また、30系をベースに前頭部の形状を少し変更し、腰掛を改良したステンレス車の2000形は、引き続き北急・御堂筋線で使われたが、冷房化が困難だったため、1986年から投入された2代目8000形に置き換えられた。

2014年から9000形が投入され、8000形の一部が置き換えられた。

万博の入場者数は事前の予想をはるかに超え、北急は想定以上の収益を得て累積赤字を一掃したが、千里ニュータウンは開発途上であったため、万博が終わると赤字に転落した。

しかし、ニュータウン開発が進むにつれて利用者が増え、累積債務がないため収益の好転も早かった（このため運賃改定の必要がなく、長らく運賃の安い鉄道として評価されていた）。

路線の延長構想は以前からあったが、近年になって具体化し、千里中央～箕面萱野間の延伸が2024年3月23日に実現した。延伸開業時には、9000形3編成が増備された。

▼ 北大阪急行8000形

北急線内を走る8000形

 車体構造:アルミ車体／全長:18.9m(先頭車)・18.7m(中間車)／全幅:2.89m／全高:3.745m／扉数:4／座席:ロングシート／電気方式:直流750V／制御方式:VVVF制御／制動方式:回生ブレーキ併用電気指令式／主電動機出力:140kW／台車:SUミンデン式ボルスタレス台車／製造初年:1986年／製造所:アルナ工機

　北急8000形は、1986年に登場したVVVF制御車。相互乗り入れを行う御堂筋線において、輸送力増強のため、1987年から8両編成を9両編成とすることが決まり、それに応じて開発された。

　それまで使用されていた2000形はステンレス車体の抵抗制御車で冷房化が難しかったが、8000形はアルミ車体のVVVF制御車となり、最初から冷房機器を搭載した。

　2000形は無塗装車体だったが、8000形はアイボリーホワイトをベースにファイアレッドとマルーンのラインを描いた塗装車体となった。前頭部は、前面窓の下部を頂点に後傾させ、前面非常扉を右にシフトさせた左右非対称のデザインとなった。

　愛称の「ポールスター」は北極星を意味し、古来、航海者や旅人たちに進路を示す星として知られる。大阪の北部に向かって進む北大阪急行に相応しい愛称として選ばれた。

　2012〜15年に、3編成に対して、VVF制御装置の更新、前灯や行先表示器のLED化などの更新工事が行われたが、未施工の4編成は9000形に置き換えられ、2014〜2018年に廃車された。

北大阪急行9000形

北急線内を走る9000形

 車体構造：アルミ車体／全長：18.9m（先頭車）・18.7m（中間車）／全幅：2.8m／全高：3.75m／扉数：4／座席：ロングシート／電気方式：直流750V／制御方式：VVVF制御／制動方式：回生ブレーキ併用電気指令式／主電動機出力：170kW／台車：モノリンク式ボルスタレス台車／製造初年：2014年／製造所：近畿車輛

9000形は、8000形の後継車として、2014年4月に営業開始した。「ポールスターⅡ」の愛称をもつ。

「静かな安らぎ空間とさらなる環境性能」をコンセプトに開発され、8000形と比べて、騒音は約13デジベル、消費電力は約25％低減した。

8000形の車体はアルミ製だったが、9000形ではレーザー溶接による軽量ステンレス車体に変更された。前頭部のデザインは8000形と同じく左右非対称だが、正面非常扉はセンター寄りに配置され、運転士正面窓が横方向に縮小されている。

客室照明は5段階の調色と5〜30％の調光を可能としたLEDを採用。季節や時間帯による演出と、使用電力の削減に寄与している。

VVVF制御装置の素子は、8000形のGTOからIGBTに変更にされ、保守性が増すとともに消費電力が減少した。主電動機は170kWの永久磁石同期電動機を採用し、4M6Tの編成となった。これは140kW三相誘導電動機で5M5Tの編成を組む8000形と性能を揃えるためだ。

第3編成から腰板部がアイボリー、窓回りがマルーンにラッピングされ、第4編成では客室床の中央部が石畳模様となった。さらに、2023年に増備された3編成は路線延伸を記念して、編成中4両がフルラッピングとなっている。

COLUMN 第三軌条式電化を採用した路線

　電化路線というと、線路上空に架線のある架空電車線方式を思い浮かべる人が多いだろうが、べつの電化方式として、第三軌条方式もある。

　これは、走行用レールに並行して給電用のレールを敷設する方式で、国内では地下鉄で採用されている。架線柱などの架線にともなう設備が不要で、トンネル断面を小さくできるので、工事費が架空電車線方式に比べて安価で済む。

　ただ、地下鉄でも第三軌条方式を採用しないケースも多い。工法によっては工費に大差がないということもあるが、車両の冷房化にともなう車高の増大、冷房の排熱によるトンネル内の温度上昇を抑えるため、トンネル断面をあえて小さくしなくなったためだ。また、他社線との直通運転するため、架線電車線方式にせざるを得ないというのも大きな理由だ。

　国内の第三軌条方式電化区間は以下のとおりで、関西は第三軌条方式の路線が比較的多い。

- 札幌市交通局：南北線（直流750V）
- 東京メトロ：銀座線、丸ノ内線（直流600V）
- 横浜市交通局：ブルーライン（直流750V）
- 名古屋市交通局：東山線、名城線、名港線（直流600V）
- Osaka Metro：御堂筋線、谷町線、四つ橋線、中央線、千日前線（直流750V）
- 北大阪急行電鉄：南北線（直流750V）
- 近畿日本鉄道：けいはんな線（直流750V）

北大阪急行桃山台構内の第三軌条と車両の集電靴（コレクタシュー）

大阪モノレール

大阪・関西万博ラッピングの2000系

本社：大阪府吹田市千里万博公園1-8
創立：1980年12月15日
路線：大阪モノレール線、国際文化公園都市モノレール線（彩都線）
車両基地：万博車両基地
営業キロ：28.0km（軌道）
駅数：18駅
車両数：84両
電気方式：直流1500V

大阪モノレール株式会社は、おおむね大阪府道2号線（大阪中央環状線）沿いに建設されたモノレール線を運営する第三セクター事業者だ。

正式な路線名は、中央環状線沿いに大阪空港と門真市を結ぶ路線が「大阪モノレール線」、万博記念公園〜彩都西間は「国際文化公園都市モノレール線」だが、全線の愛称として「大阪モノレール」、後者の愛称として「彩都線」が使われることが多い。

なお、モノレールは基本的に公道の用地内に建設されているので、鉄道事業法による鉄道ではなく、軌道法による軌道で建設されている。

モノレールの方式は跨座式（走路の上にまたがる方式）を採用している。2015年以前は世界最長のモノレールとしてギネス記録に認定されていたが、中国の重慶モノレールに抜かれ、世界第2位となった。

すでに着工している北大阪急行線の延伸とともに、大阪モノレール線門真市〜瓜生堂間の延長が着工されている。また、堺市などからは、さらなる延長の要望が上げられている。

一方、彩都線彩都西からの延長計画は中止が検討されている。

大阪モノレール1000系

カラーリングが変更された増備車

 車体構造:アルミ車体/全長:15.5m/全幅:2.98m/扉数:2/座席:ロングシート/電気方式:直流1500V/制御方式:界磁チョッパ制御/制動方式:回生ブレーキ併用電気指令式/主電動機出力:80kW/製造初年:1989年/製造所:日立製作所、川崎重工

　大阪モノレール1000系は、1990年の同社開業に備えて登場した日本跨座式モノレールの車両だ。

初期の6編成のカラーリングは、アルミ車体にブルーのラインをまとう

　開業時の6編成はオールロングシート車だったが、1993～95年の増備車は扉間が転換クロスシート、運転台後が固定クロスシートに変更された。さらに1997～98年の増備車は、先頭車側扉間がロングシートになった。

　2008～09年には、側扉間の転換クロスシートをロングシートに置き換え、運転台直後以外はロングシート化された。

　現在、第1～6・31・32編成の3000系による置き換えが進行中で、すでに4編成が廃車された。

大阪モノレール2000系

1000系増備車と同じカラーリングの2000系

 車体構造：アルミ車体／全長：15.5m／全幅：2.98m／扉数：2／座席：ロングシート／電気方式：直流1500V／制御方式：VVVF制御／制動方式：回生ブレーキ併用電気指令式／主電動機出力：100kW／製造初年：2001年／製造所：日立製作所、川崎重工

　大阪モノレール2000系は、2001年のダイヤ改正による増発に対応して増備された車両。

　1000系は界磁チョッパ制御を採用していたが、2000系ではVVVF制御を採用した。これにより、交流モーターとなり、動軸の減少を実現した。さらに回生ブレーキの使用により、省エネルギー、省メンテナンスを深化させた。

　車体デザインは1000系を踏襲し、座席は運転台直後の固定クロスシートを除き、ロングシートとした。1000系もリニューアル工事で、接客設備を2000系に合わせたため、いまは車両形式によるサービスレベルの差は小さくなっている。

ほかの編成のピンクラインをイエローラインに変更した第17編成

大阪モノレール3000系

クリスタルイエローのラインは開業30周年記念カラー

 車体構造:アルミ車体／全長:15.5m／全幅:2.98m／扉数:2／座席:ロングシート／電気方式:直流1500V／制御方式:VVVF制御／制動方式:回生ブレーキ併用電気指令式／主電動機出力:105kW／製造初年:2018年／製造所:日立製作所

大阪モノレール3000系は、2018年に登場した新型車両。1000系初期車置き換え用として8編成、所属車両増強用として1編成、計9編成が増備される予定だ。

当初の計画では、2021年度までに新製を終える予定だったが、コロナ禍の影響などで計画が見直され、2025年度までに9編成を整備する予定となった。

仕様等は2000系を踏襲するが、主電動機はわずかに出力を増強し105kWとなった。

「やさしさ・おもてなし」「清潔感・開放感」「楽しさ」「チャレンジ」などをキーワードにデザインされ、窓面積を拡大して開放感がある車内となった。寄り掛かり用クッションなどユーティリティーへの配慮、内装の統一感などが評価され、2018年度グッドデザイン賞を受賞している。

3000系の標準塗装はアザレパープルのラインが入る

能勢電鉄

本社：兵庫県川西市平野1丁目35番2号
設立：1908（明治41）年5月23日
路線：妙見線、日生線
車両基地：平野車庫
営業キロ：14.8km（第一種鉄道事業）
駅数：15駅
車両数：60両

能勢電鉄株式会社（以下、能勢電）は、阪急阪神ホールディグス傘下の鉄道事業だ。阪急宝塚線川西能勢口を起点とする妙見線を中心に、兵庫県東南部と大阪府北部において鉄道事業とそれに付随する事業を行う。

同社は、日蓮宗の霊山として有名な能勢妙見宮の参詣客輸送と沿線の特産品輸送を目的に「能勢電気軌道株式会社」として設立され、1913（大正2）年に能勢口（現・川西能勢口）〜一の鳥居間が開業した。1917年には、国鉄貨車に積み替える貨物輸送の便を図り、能勢口〜池田駅前（のちに川西国鉄前と改称）を延長、1923年には妙見（現・妙見口）まで開通させ、池田駅前〜妙見が全通した。

1960年代後半になると、沿線で大規模住宅地開発が進み、通勤客の利用が増大した。1977（昭和52）年に軌道法準拠の軌道から地方鉄道法準拠の地方鉄道に変更し、法的にも本格的な鉄道となった。これに伴い、1978年10月1日に社名を「能勢電鉄株式会社」に改称している。

民間開発のニュータウンへの新線となる山下〜日生中央間日生線の開業（1978年）は、中小私鉄ではめずらしい事例で、全国的に見ても特筆される。その一方、存在意義を失った川西能勢口〜川西国鉄前間は1981年に廃線となった。

車両は、阪急から中古車を導入し続けた結果、現在ではすべて元阪急の18m級3扉ロングシート車となり、大手も含め周辺各社と遜色のないレベルといえる。なお、1997（平成9）年から運転されている日生中央〜梅田間の特急「日生エクスプレス」は8両編成が使用されており、中小私鉄ではめずらしい長編成となっている。

2023年12月に営業を終えた妙見の森ケーブル

●妙見線・日生線 列車種別ごとの停車駅
※優等列車停車駅（除く各停区間）のみ

特急日生エクスプレス：川西能勢口 ― 平野 ― 畦野 ― 山下（妙見口方面） ― 日生中央

能勢電鉄1700系

妙見口方面に乗り入れていた時代の1700系（現状ダイヤでは通常入線がない）

 車体構造：鋼製／全長：19.00m／幅：2.750m／扉数：3／座席種別：ロング／電気方式：直流1500V／制御方式：抵抗制御／制動方式：電磁直通ブレーキ／主電動機出力：150kW／台車：アルストム式コイルばね台車／製造初年：1990年／製造所：アルナ工機

　1700系は元阪急電鉄2000系で、1990～92年に阪急から36両が譲渡された。能勢線・日生線の全線で使用されている。

　阪急2000系は1960～62年に神戸線用に製造され、現在の阪急電車の車体スタイルを確立したといわれる。なお譲渡された車両は、すべて阪急在籍時に冷房機器の取り付けが完了していた。

　譲渡された2000系は、能勢電鉄入線にあたり、《1750形（Tc）-1730形（M）-1780形（T）-1700形（Mc）》の4両編成に組み替えられた。改番は阪急時代の車番とは無関係に行われ、入線順に番号が付けられた。また、正面助士席側上部に方向幕が取り付けられた。

　塗装はオレンジとグリーンに改められたが、1993年に同社所属の全車のカラーリングが統一されることになり（全体はクリーム地で扉部のみ薄茶色）、順次塗り替えられた。さらに2003年には阪急と同じマルーン一色化が決まり、阪急時代と同色に戻った。

　1996年に川西能勢口～山下間の6両編成運転が始まり、増結のため1編成が分割され、既存編成は分割車両を増結できるように改造された（その後、6両編成での運転は2000年に終了）。

　バリアフリー改造工事の対象外となっているため、近いうちに何らかの動きが予想される。

▼ 能勢電鉄5100系

能勢電鉄入線後にスカートを装着した5000系

 車体構造：鋼製／全長：19.00m／幅：2.750m／扉数：3／座席種別：ロング／電気方式：直流1500V／制御方式：抵抗制御／制動方式：発電ブレーキ併用電磁直通ブレーキ／主電動機出力：140kW／台車：SUミンデン式空気ばね台車／製造初年：2015年／製造所：阪神車両メンテナンス

　5100系は元阪急電鉄5000系で、2014年以降、阪急から24両が譲渡された。阪急5000系は1971～79年に製造され、阪急初の量産型の新製冷房車として知られる。

　譲渡された車両は、車両番号を変更せず、能勢電鉄5100系として2015年に営業運転を開始。能勢電鉄所属の車両のなかで最も多い形式となった。

　譲渡に伴う諸々の改造（スカート装着、行先・種別表示器の整備、車いすスペースの設置、ワンマン運転機器の整備など）は、阪神尼崎車庫内の阪神車両メンテナンスで行われた。この時、営業運転終了後の阪神本線を自走して入出場したため、「阪神線を走る阪急電車」として話題になった。

　2両編成で入線した2本を除き、4両編成で入線した。4両編成は川西能勢口～妙見口・日生中央間の運用に、2両編成は山下～妙見口・日生中央間の運用に充当された。2022年12月のダイヤ改正により、川西能勢口直通は原則として日生中央着発列車のみとなったため、2両編成は原則として山下～妙見口間での運用となった。

　4両編成の塗装は、阪急時代と同じマルーン一色だが、2両編成2本は復刻塗装と称する、マルーンとベージュのツートンカラー/白と青のツートンカラーに一時期変更されていたが、現在はマルーン一色に戻された。

能勢電鉄7200系

7200系初の全車元阪急7000系の編成

 車体構造：鋼製車体・アルミ車体／全長：19.0m／全幅：2.709m（鋼製車）・2.738m（アルミ車）／扉数：3／座席：ロングシート／電気方式：直流1500V／制御方式：VVVF制御／制動方式：回生ブレーキ併用電気指令式／主電動機出力：不明／台車：S形ミンデン式空気ばね台車／改造初年：2018年／改造所：阪神車両メンテナンス

能勢電鉄7200系は、阪急から譲渡された阪急6000系・7000系をVVVF制御化したもの。第1編成による営業開始は2018年3月で、現在までに3編成が登場している。

余剰となった7000系Mc-Mcの2連と6000系T車2両を組合わせて4両編成を構成している。川西能勢口方の先頭車は電装解除のうえTcに改造、日生中央方は中間車両は電装を行いM化、Mc-M-T-Tcの4両編成を組む。また、種車は界磁チョッパ制御だったが、VVVF制御化された。

第2編成も同じ手法で改造されたが、第3編成はMc-Mcと2両のTがすべて7000系だった。また3編成とも、種車のMc-Mcはアルミ車体、2両のTは鋼製車体となっている。これにより、能勢電鉄初のVVVF制御車、初のアルミ車体の車両となった。

このほか、前灯・室内灯のLED化、前頭部・側面の種別・行先表示装置のフルカラーLED化、車内案内表示装置（液晶表示）の設置、車いすスペースの設定、ワンマン運転対応機器設置なども合わせて施工された。

外観は、屋根肩部をアイボリーにする近年の阪急スタイルが取り入れられているが、アイボリーとマルーンの境目に金帯が入る能勢電鉄独自のカラーリングが採用されている。

COLUMN　関西私鉄から地方私鉄への譲渡車両

　地方私鉄では、JRや大手私鉄から車両譲渡を受ける場合が多いが、関西の大手私鉄は標準軌が主流ということもあり、他社への譲渡例は関東と較べて少ない。関西大手私鉄から関西以外の私鉄に譲渡された車両は以下のとおり。

京阪電鉄から

[**富山地方鉄道**] 京阪初代3000系を1067mmに改軌し、10030系となった。1990年に譲渡を開始し、16両が移籍した。さらに2013年にダブルデッカー1両が譲渡され、「ダブルデッカーエキスプレス」となった。

近畿日本鉄道から

[**養老鉄道**] 近鉄養老線を前身とし、旧近鉄車両が多かったが、近年は元東急の車両による置き換えが進む。旧近鉄車両は標準タイプ車体のため、元標準軌車両と元狭軌車両の混結でも違和感はない。600系・620系は近鉄名古屋線1600系・1800系、南大阪線6000系・6800系・6020系を転用した車両。

[**大井川鐵道**] 南大阪線有料特急用の16000系3編成が譲渡されたが、現存は1編成のみ。

南海電鉄から

[**大井川鐵道**] 南海電鉄髙野線の初代ズームカー21000系2編成が譲渡され、1994年に営業運転を開始。さらに2022年に6000系1編成を譲渡されたが、営業運転は始まっていない。

[**銚子電鉄**] 2022年、角ズームカー22000系を更新した2200系1編成が譲渡された。整備に際し、旧塗装が復元され、形式は22000形となった。

大井川鐵道を走る旧南海の21000系

水間鉄道

本社:大阪府貝塚市近木町2-2
創立:1924(大正13)年4月17日
路線:水間線
車両基地:水間車庫
営業キロ:5.5km(第一種鉄道事業)
駅数:10駅
車両数:10両
電気方式:直流1500V
軌間:1067mm

水間鉄道は、大阪府貝塚市で鉄道事業とバス事業を行う企業。不動産事業の落ち込みで、2005(平成17)年に会社更生法適用を申請した際、支援企業となったグルメ杵屋の100%子会社になっている。

水間鉄道は、1925(大正14)年12月24日に貝塚南(現在は廃止)~名越間が開業し、28日には南海との貨物連絡用に貝塚~貝塚南間の連絡線が開業した。1926年に水間(現・水間観音)まで延長し、1934(昭和9)年には貝塚への貨物連絡線に旅客列車も乗り入れるようになり、現在の営業区間が全通した。なお、当初から全線電化だった。

歴代の車両は大半が中古車で、全車元南海電鉄という時代もあったが、現在は全車が元東急だ。車両更新のため、東急7000系導入を決めた際、車両を600Vに降圧するより、電化設備を1500Vにするほうが経済的であることが判明し、1990年に昇圧と同時に全列車を7000系に切り替えた。導入した2両編成5本のうち、3本が冷房車だった。

2007(平成19)年4月からATSを導入し、5本ある編成のうち4本にATS車上子を搭載して1000形とした。この際、行先表示器をLED化するとともに、非冷房だった1本を冷房化している。

なお、ATS車上子非搭載で残った7000系1編成は、車籍は残るが、営業運転はできない。

開業当時の駅舎を保つ水間観音駅。国の登録有形文化財に登録されている

水間鉄道1000形

諸元 車体構造：ステンレス製／全長：18.00m／幅：2.800m／扉数：3／座席種別：ロング／電気方式：直流1500V／制御方式：抵抗制御／制動方式：回生ブレーキ併用電磁直通ブレーキ／主電動機出力：70kW／台車：ゴムブッシュ式空気ばね台車／製造初年：2006年／製造所：東急車輛

1000形は、1990年に導入した東急7000系を2006〜07年に改造した車両。

東急7000系は地下鉄日比谷線直通用に登場した18m級3扉ステンレス車で、2両編成5本が水間鉄道に導入された。このうち2本は、中間電動車を改造した先頭車だった。その後、ATSの搭載工事などが行われ、1000形となった。

中間電動車を改造した先頭車。運転台を新設したため、非貫通式になっている

山陽電気鉄道

本社：兵庫県神戸市長田区御屋敷通3丁目1番1号
設立：1933（昭和8）年6月6日
路線：本線、網干線
車両基地：東二見車庫、東須磨車庫、飾磨車庫
営業キロ：63.2km（第一種鉄道事業）
駅数：49駅
車両数：207両
電気方式：直流1500V
軌間：1435mm

山陽電気鉄道（以下、山陽電鉄）は、神戸と姫路を結ぶ標準軌の電化私鉄だ。阪神神戸高速線を介して阪神本線、阪急神戸高速線の神戸三宮まで直通運転を行うほか、阪神本線と相互直通運転を行い、「直通特急」が阪神大阪梅田～山陽姫路間を結ぶ。

山陽電鉄の母体は、1917（大正6）年に兵庫～明石間を全通させた兵庫電気軌道と、1923年に明石～姫路間を全通した神戸姫路電気鉄道だ。

前者は路面電車タイプの車両を使用し併用軌道区間も多く、後者は本格的な電化鉄道で神戸・湊川への延伸計画があった。1927（昭和2）年1月に兵庫電気軌道と宇治川電気（現・関西電力の母体となる1社）が合併、同年4月に神戸姫路電気鉄道と宇治川電気が合併し、宇治川電気電鉄部となった。

車両や線路の規格に大差があった両社だが、合併以前から直通運転の準備に着手しており、1928年には兵庫～姫路間直通運転を開始した。1933年には宇治川電気から電鉄部が独立し、山陽電鉄が誕生した。

1941年には網干線が全通、1948年には車両限界拡大工事を終え、全線で大型車両の運行が可能となった。1968年には神戸高速鉄道が開業し、阪神・阪急との相互直通運転が開始された。

国鉄に対抗するためクロスシート車の導入に積極的で、さらに国内初のアルミ車導入など、先進的な車両の投入も多い。

現在の列車種別は、阪神と相互直通運転する「直通特急」と「普通」を中心に構成され、阪神から片乗り入れで須磨浦公園で折り返す（阪神）「特急」、東二見以西が各駅停車でラッシュ時中心に設定されている「S特急」、早朝深夜に東二見～山陽姫路間で運転される「特急」が設定されている。

● **本線　列車種別ごとの停車駅**
※優等列車停車駅（除く各停区間）のみ。△は一部列車のみ停車、縦縞は各停区間

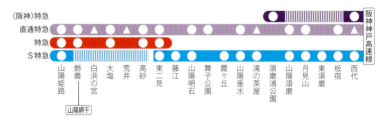

山陽電鉄3000系・3050系

1984年に増備された3050系3次車。1985年増備の最終編成はのちにセミクロスシートに改装された

[3050系3次車]車体構造:アルミ車体／全長:19.0m／全幅:2.8m／全高:4.0m／扉数:3／座席:ロングシート、一部セミクロスシート／電気方式:直流1500V／制御方式:抵抗制御／制動方式:発電ブレーキ併用電磁直通ブレーキ／主電動機出力:125kW／台車:円筒案内式空気ばね台車／製造初年:1981年／製造所:川崎重工

3000系は、神戸高速鉄道開業に合わせ開発された3扉19m車。1次車2編成はアルミ車体で登場したが、量産車はコスト都合により鋼製車になった。

1972年からほぼ同一車体の新製冷房車3050系となり、1981年登場の3050系3次車から、アルミ車体となった。

制御方式やブレーキ方式は同一仕様だが、台車は変更され3050系2次車から空気ばねとなった。貫通扉上部の前灯の間隔が変更されるなど、細かい仕様変更があった。

リニューアル工事施工済みの鋼製車と3050系3次車が現存する。

3000系現役最高齢の3008Fは前灯の間隔が広い。側窓の黒サッシがリニューアル車の特徴

山陽電鉄5000系・5030系

主に普通列車で運用される1次車の4両編成

 [5030系]車体構造：アルミ車体／全長：19.0m／全幅：2.796m／全高：4.06m／扉数：3／座席：セミクロスシート、一部ロングシート／電気方式：直流1500V／制御方式：VVVF制御／制動方式：回生ブレーキ併用電気指令式／主電動機出力：170kW／台車：軸梁式空気ばね台車／製造初年：1997年／製造所：川崎重工

5000系は、非冷房のまま残っていた旧性能車を置き換えるため、1986年から3両編成の新製が始まった。

普通列車用ながら、扉間の固定クロスシートは集団離反式に配置された。計画当初はVVVF制御も検討されたが当時は採用例が少なく、複巻電動機を使用する界磁チョッパ制御も導入実績がなかったため、3000/3050系と同形の主電動機を使える界磁添加励磁制御を採用した。ブレーキは、回生ブレーキ併用電気指令式ブレーキを採用した。

1986～88年に1次車3両編成6本、4両編成4本が投入された。特急を6連化するため、転換クロスシートとした2次車が1990～92年に増備された（6両編成2本、1次車を6連化するための中間車6両）。なお2次車から、前頭部の赤帯の形状が変更されている。

さらに3両編成で残っていた2本を4両編成とするため、1993年に3次車のTが2両増備され、1995年には6両編成化のため中間MM'ユニットが3組増備された。3次車では、側窓の一部が固定窓となっている。

また、1993～95年に1次車9両の固定クロスシートが転換クロスシートに交換されている（撤去した固定クロスシートは3050系に転用）。

直通特急の運転が決まると、6両編

6両編成で登場した5000系最終編成の5022F

成の増備が必要となり、5000系をVVVF制御化した5030系が開発された。1997年に1次車6両編成2本が落成している。2000年には、直通特急増発用として5030系中間電動車8両を新製、5000系4両編成に組み込んで6両編成を強化している。

5030系は、車体は5000系3次車をほぼ踏襲しているが、車内は阪神線内の混雑に備え、クロスシートは1-2人掛け転換クロスとし、通路幅を確保した（1次車では1人掛けが山側だったが、2次車では海側となった）。また、アルミ構体の接合法がミグ溶接から摩擦撹拌方式に変更された。

5000系は、阪神線内の混雑に対応するため、2014・15年に6両編成梅田方先頭車をロングシート化した。

5004FはVVVF制御化や一部車両のロングシート化などのリニューアル工事を受け、前頭部塗装変更などが実施され、5702Fとなった。続いて5006Fのリニューアル工事が行われたが、阪神尼崎車庫内で試運転中に事故を起し、完成が大幅に遅れている。

赤帯が変更されたリニューアル編成

山陽電鉄6000系

3両編成で編成番号が奇数の神戸方先頭車は併結対応

 諸元　車体構造：アルミ車体／全長：18.88m／全幅：2.79m／全高：4.047m／扉数：3／座席：ロングシート／電気方式：直流1500V／制御方式：VVVF制御／制動方式：回生ブレーキ優先電気指令式／主電動機出力：180kW／台車：軸梁式空気ばね台車／製造初年：2016年／製造所：川崎重工、川崎車両

　6000系は、山陽電鉄の主力車両として長年にわたり量産された3000系・3050系を置き換えるため、2016年に新製が始まった。

　当初は3両編成で新製されたが、2019年から4両編成での新製も開始された。編成は、神戸方から6000形Mc+6300形T+（6500形T+）6100形Mc（カッコ内は、4両編成時）、姫路方先頭車が電動車となる新製カルダン車は1962年登場の2000系最終増備車以来となった。

　ワンマン運転に対応しているので、3両編成は本線の普通だけでなく、網干線でも使用される。4両編成はS特急にも充当される。さらに3両編成を2本併結した6両編成で直通特急に充当されることもある。

　車体は、国内初のアルミ車体を採用した山陽電鉄の伝統を引き継ぎ、5000系に続いてアルミ車体を採用した。側面からの荷重に対しては構体をダブルスキン構造とするなどして対応。正面からの荷重は補強構造の最適化などで強度を向上させ、正面衝突時の連結妻面の二次衝突の対策も講じた。先頭車の車体長は、先頭車が中間車より100mm長いが、連結面の長さを調整し車体長を同一としている。

　新製車では5030系に次いでVVVF制御装置を採用し、主電動機には低騒音化をねらい全閉自冷式三相かご形誘導電動機を、パンタグラフは同社初のシングルアーム式、クーラーはセミ集中

6000編成と6001編成の神戸方先頭車。6000は前面非常口、6001は貫通扉

式を採用した。側扉は関西の私鉄電車では、阪神5700系に次いで2例目となるボタン式の半自動扉を採用し、特急待避で長めの停車時間が多い同線のダイヤに配慮した。座席は5000系と異なりオールロングシートだが、1人分は480mm幅に拡大され、大型の袖切りを備える。背もたれは従来車より約40mm高くなった。

　前述のとおり、6000系3両編成は新製当初から2編成を併結した6両編成で直通特急に充当することを考慮した設計で、前頭部には密着連結器を採用した。ただし、併結や解放の頻度は低いため、電気連結器は採用していない。転落防止幌や貫通幌は必要に応じて取り付ける設計だが、貫通路の踏み板は取り付けられている。

　さらに、すべての前頭部を併結対応としているわけではない。3両編成のうち、編成番号が偶数の編成は神戸方、奇数の編成は大阪方に連結する設計になっている。また、4両編成は2編成併結では運用に入れないため、4両編成で新製した6010～6014編成の先頭車は連結を考慮していない。2021年に3両編成で新製した6015・6016編成は併結可能だが、2022年に3両編成で新製された6017編成の先頭車は、6010～6014編成の先頭車と同様、併結を考慮しない設計となっている。同じように見える前面扉だが、車両によって貫通扉、前面非常口と異なる。

6000編成の姫路方先頭車。併結に対応した貫通扉を備える

6102と6103の連結部。転落防止幌が確認できる

神戸電鉄

本社：神戸市兵庫区新開地1丁目3番24号
設立：1926（大正15）年3月27日
路線：有馬線、三田線、公園都市線、粟生線、神戸高速線
車両基地：鈴蘭台車庫
営業キロ：計69.6km（第一種鉄道事業69.2km、第二種鉄道事業0.4km）
車両数：147両
電気方式：直流1500V
軌間：1067mm

神戸電鉄は阪急阪神ホールディングス傘下の会社。

神戸電鉄の始まりは、1928（昭和3）年11月に湊川〜電鉄有馬（現・有馬温泉）間を開業した神戸有馬電気鉄道（以下、神有電鉄）にさかのぼる。同社は同年12月に唐櫃（現・有馬口）〜三田間を開業した。

一方、現在の粟生線は、系列の三木電気鉄道が1936年に鈴蘭台〜広野ゴルフ場前を開業したことに始まり、1952年に粟生まで達した。

鉄道事業法の施行により、1988（昭和63）年に新開地〜湊川間を第二種鉄道事業区間としている。

さらに公園都市線横山〜ウッディタウン中央間が1996（平成8）年に全通した。

会社名は、1947年に神有電鉄と三木電鉄が合併して神有三木鉄道となり、その後、神戸電気鉄道を経て、1988年に神戸電鉄となっている。

1992年をピークに輸送実績が減少に転じ、複線化工事や新工場建設計画は中断している。結果的には過大投資となってしまい、粟生線の支援を地元に要請する状況になっている。

● 有馬線・三田線 列車種別ごとの停車駅
※優等列車停車駅（除く各停区間）のみ。縦縞は各停区間

● 粟生線 列車種別ごとの停車駅
※優等列車停車駅（除く各停区間）のみ。縦縞は各停区間

神戸電鉄1000系

デ1000形はサ1200形を挟み3両編成を組む2扉車。1969～72年に39両が製造された

[1350形] 車体構造：鋼製車体／全長：18.14m／全幅：2.7m／全高：4.029m／扉数：3／座席：ロングシート／電気方式：直流1500V／制御方式：抵抗制御／制動方式：発電ブレーキ併用電磁直通ブレーキ／主電動機出力：75kW／台車：ペデスタル式コイルばね台車／製造初年：1979年／製造所：川崎重工

　1000系は、1960年に登場した神鉄初の高性能車デ300形を母体とするグループにおいて主力車両だった。

　1965年に登場した1000形から、300形増結車と同形の貫通形が標準となり、半流線形で貫通路上部に前灯2灯を配置する前頭部スタイルが確立した。

　新製冷房車となり、2扉車から3扉車に変更されるなど、仕様の変更はあったが、前頭部のスタイルが同じ車両の新製は、1991年に登場した1500形まで続いた。

1350形は1979年に新製が開始された2連ユニットの3扉新製冷房車

神戸電鉄3000系

3015-3016編成は3000系登場当時の塗装を復元している

［初期車］車体構造：アルミ車体／全長：18.14m／全幅：2.7m／全高：3.93m／扉数：3／座席：ロングシート／電気方式：直流1500V／制御方式：抵抗制御／制動方式：発電ブレーキ併用電磁直通ブレーキ／主電動機出力：75kW／台車：ウイング式空気ばね台車／製造初年：1973年／製造所：川崎重工

3000系は、1973年に4両編成固定の冷房車として登場した。利用者の増加により4両編成の運用が増えていた時期で、1991年までに9編成36両が製造された。

車体は、神戸電鉄初のアルミ製で、両開き3扉の新車も神戸電鉄初だった。他形式との併結は行わないため、前頭部は非貫通2枚窓となった。ヘッドライトは2灯式で腰板部左右に配置、テールランプは幕板部の左右に配置されている。

クリアラッカー仕上げの車体に、窓まわりと車体裾部が朱色に塗装されているため、レールファンからは「ウルトラマン電車」と呼ばれた。

側窓は、各窓が独立した1段下降窓で扉間3枚、日除けは巻き取り式カーテンを採用している。

内装は、神戸電鉄で初めて木目デコラを採用。初期車では冷房吹き出し口がスポット方式、室内灯はグローブなしの蛍光灯だが、後期車では冷房吹き出し口がラインフロー方式、室内灯はグローブ付きとなった。

制御方式はMM'ユニットの抵抗制御方式で、定速度抑速制御装置を神戸電鉄で初めて搭載した。

定速度抑速制御装置など特殊な装備を使用しているため、初期車から廃車が始まっている。

神戸電鉄2000系・5000系

有馬線を走る5000系

 [5000系]車体構造:アルミ車体／全長:18.29m(先頭車)・18.14m(中間車)／全幅:2.7m／全高:4.03m／扉数:3／座席:ロングシート／電気方式:直流1500V／制御方式:VVVF制御／制動方式:回生ブレーキ併用電気指令式／主電動機出力:120kW／台車:軸梁式空気ばね台車／製造初年:1994年／製造所:川崎重工

　2000系は、1991年の公園都市線の開通に合わせて登場した3両編成の車両。まず3編成が製造され、92/93年に1編成ずつ増備された。

　前面非貫通の3扉オールロングシートのアルミ車。塗装はオパールホワイトをベースとし、窓の上下にブライトレッドのラインがあしらわれた。前面窓2枚は大型の曲面ガラスで構成され、種別・行先表示装置を内蔵している。ヘッドライトとテールランプは腰部にまとめて配置され、車体下部にはスカートが装着されている。

　扉間には、各窓が独立した1段下降窓が3枚、上昇式のアルミ鎧戸が配されている。内壁は木目デコラとなった。

　抵抗制御方式で、神戸電鉄では初めて電気指令式ブレーキを採用した。非常時に電磁直通ブレーキと併結できるように電空読み替え装置を装備している。

　5000系は、初期の高性能車置き換え用として1994～98年に4両編成10本が製造された。車体は2000系と同型だが、神戸電鉄で初めてVVVF制御方式を採用した。また、回生ブレーキ失効対策として、発電ブレーキ用抵抗器を搭載している。

神戸電鉄6000系・6500系

外観は6000系と同一だが座席袖切り大型化など内装はグレードアップした

 [6500系] 車体構造：ステンレス車体／全長：18.29m（先頭車）・18.14m（中間車）／全幅：2.7m／全高：4.05m／扉数：3／座席：ロングシート／電気方式：直流1500V／制御方式：VVVF制御／制動方式：回生ブレーキ併用電気指令式／主電動機出力：140kW／台車：軸梁式空気ばね台車／製造初年：2016年／製造所：川崎重工

6000系は初期の高性能車の置き換え用として製造された車両。2008年と2010年にオールMの4両編成各1本が投入された。

同社初のステンレス車で、前頭部に大型の曲面ガラスを使用したパノラミックウインドウを採用し、視認性が向上した。

6500系は3両編成の車両で、デ1000形などの置き換え用として2016年から投入されている。車体は6000系と同形だが、前灯・室内灯などの全灯具のLED化、VVVF制御装置の改良が施されている。また、モーター出力も上がり、2M1Tとなった。

回生失効に備え全車の床下に発電ブレーキ用抵抗器を搭載している

COLUMN　準大手私鉄とは？

　私鉄の業界団体である日本民営鉄道協会では、加盟する72社を大手民鉄16社と地方民鉄に分類している（同協会は任意加盟であるため、第三セクター会社など非加盟の会社も少なくない）。

　同協会によれば、明確な基準はないが、「『大手』は経営規模（資本金、営業キロ、輸送人員など）が大きく、三大都市圏と福岡都市圏を中心に、輸送需要の多い地域の通勤・通学輸送を分担している」と説明している。なお、2000年代半ばまで「準大手民鉄」という区分があったが、現在では使われていない。

　一方、国土交通省鉄道局の監修で毎年発行されている『数字でみる鉄道』の2023年版では、鉄道事業者を次のように区分している。

- JRグループ：6社
- 大手民鉄：16社
- 準大手：5社
- 公営：11社局
- 中小民鉄：137社
- 貨物鉄道：10社
- モノレール：9社
- 新交通システム：9社
- 鋼索鉄道：15社

関東で唯一の準大手私鉄、新京成電鉄

　同書では、民鉄協で廃止された準大手の区分が残っている。現在の準大手は、新京成電鉄・北大阪急行電鉄・泉北高速鉄道・神戸高速鉄道・山陽電鉄とされているが、2004年までは神戸電鉄も準大手に区分されていた。

　また、現在は大手私鉄に区分されている相模鉄道は、1990年に大手私鉄に昇格するまで準大手だった。

　なお、神戸高速鉄道は第三種鉄道事業者なので、区分の根拠となる輸送人員等のデータはない。

　準大手のうち、新京成は京成と、泉北高速は南海との合併が予定されている。2社がそれぞれ合併すると、準大手は実質的には北大阪急行と山陽電鉄だけになってしまうわけで、もしかしたら区分が見直されるかもしれない。

神戸市交通局

本社：兵庫県神戸市兵庫区御崎町1丁目2番1号
設立：1917（大正6）年8月1日（神戸市電気局）
路線：西神延伸線、西神線、山手線、北神線、海岸線
車両基地：名谷車両基地、御崎車両基地
営業キロ：38.1km（第一種鉄道事業）
駅数：26駅
車両数：256両
電気方式：直流1500V
軌間：1435mm
＊2023年4月1日現在

　神戸市交通局は、神戸市営地下鉄とバス事業を行う神戸市の部局。2020（令和2）年6月1日に北神急行電鉄から譲受された北神線を含めて5路線を有する。

　正式な路線名は、西神延伸線（名谷〜西神中央間）、西神線（名谷〜新長田間）、山手線（新長田〜新神戸間）、北神線（新神戸〜谷上間）、海岸線（宮・花時計前〜新長田間）だが、新神戸〜西神中央間は「西神・山手線」として案内されている。また海岸線には「夢かもめ」という愛称が付けられているが、残念ながらあまり浸透していない。

　神戸市街地の路面電車は、私鉄の神戸電気鉄道が運営していたが、これを神戸市が1917（大正6）年に買収し、電気事業と路面電車事業は、新設された神戸市電気局（1942年に神戸市交通局に改組）の所管となった。買収時の路線延長は12.27km、旅客用電車数は90両だった。

　買収後は新線建設を積極的に行い、1927（昭和2）年には総延長が30.3kmに達した。また、1923（大正12）年には国内初の鋼製電車が登場した。1935年には、市電ではめずらしい転換クロスシートを備えた700形が新製された。

　さらに1930年にはバス事業が始まり、市内交通の拡充が図られたが、市電の利用者数は1961年をピークに減少に転じ、神戸市電は1971年3月13日限りで廃止された。

　なお、市街地中心では、阪急・阪神・山陽・神鉄の郊外私鉄4社を接続する第三セクター「神戸高速鉄道」が1968年に開業している。

　地下鉄事業は、1977年3月13日の新長田〜名谷間の開業が最初で、以後2000年代まで地下鉄建設が続く。

　なお、名谷〜布引（現・新神戸）の鉄道事業の免許取得時は、灘区方面に延伸する見込みで、阪急に直通する構想もあったという。

　2001年7月に開業した海岸線は、その利用見込みからAGT（いわゆる新交通システム）での整備が検討されたが、最終的に鉄輪式リニアモーターカーによるミニ地下鉄となった。

　また阪急電鉄から、三宮付近で山手線と接続し、阪急神戸線と西神線方面を直通運転する計画が提案されたが、神戸市側は投資効果が低いとして提案を断った。

　一方、神戸市の構想では、西神中央から西方への延長が検討されており、西神中央の西方に用地が確保されているが、延伸は具体化していない。

▼ 神戸市交通局6000形

諸元 車体構造：アルミ製ダブルスキン構造／全長：19m／幅2.786m／高4.055m／扉数：3／制御方式：VVVF制御／制動方式：回生ブレーキ併用電気指令式／主電動機出力：170kW／台車：ボルスタ付き軸梁式台車／製造初年：2018年／製造所：川崎重工・川崎車両

　6000形は、西神・山手線用として2018年から新製が始まり、2019年2月に営業運転を開始した。新技術の導入により、これまで以上に安全性・快適性を向上させるとともに、バリアフリー化・省エネ化が図られた。

　2023年まで増備が続けられ、1000形・2000形・3000形、北神急行から引き継いだ7000系を淘汰した。

　車体はアルミ製ダブルスキン構造を採用。無塗装だが、前面下部と側面に3本のグリーンラインがある。なお車両番号の書体には、市電の書体が取り入れられている。

　座席はオールロングシートで、妻壁は布目柄、袖仕切りは木目柄を用いた落ち着いたデザインとなった。一人あたりの座席幅は従来より拡大され、470㎜になった。

　運転台は、在来車と同じツーハンドルマスコンを採用。列車無線機器や非常ブレーキスイッチなど乗務員が多用する機器は、従来のレイアウトを踏襲した。

　台車はダイレクトマウント式ボルスタ付きを採用。制御装置には低損失のSiCデバイスを採用することで小型軽量化を図った。主電動機は、保守性の向上と低騒音化を考慮し、全閉内扇形三相かご形誘導電動機を搭載した。

神戸市交通局5000形

諸元 車体構造：アルミ車体／全長：15.3m（先頭車）・15.1m（中間車）／幅2.49m／高3.105m／扉数：3／制御方式：VVVF制御／制動方式：回生ブレーキ併用電気指令式／主電動機出力：135kW／台車：積層ゴム式空気ばね台車／製造初年：2000年／製造所：川崎重工

5000形は、鉄輪式リニアモーター方式を採用する地下鉄海岸線用の車両。

鉄輪式リニアモーターは急勾配、急曲線によく対応するため、線路設計の自由度が増した。また、車両床下機器のスペースが小さくて済むので、トンネル断面を縮小することができ、全体的なコストの削減に寄与している。

車体はアルミ製、塗装はビーチアイボリーをベース色とし、マリンブルーとエメラルドグリーンの帯が配されている。正面にある地下鉄のUマークとはべつに、先頭車側面にもUマークがある。

通常、鉄道車両は左側に運転台があるが、海岸線は大部分が島式ホームなので、ホーム側となる右側に運転台を設置している。

座席は、1人分の幅が450mmのバケットタイプのロングシートを採用。座席端部は袖仕切りを設け、スタンションポールを取り付けている。

側扉のガラスは透明強化複層ガラスを採用。ボンディング取付により平滑にすることで、戸袋への引き込み事故を防止している。

主電動機は、各台車に1基搭載した三相リニア誘導電動機で、台車枠に装架されている。

COLUMN　鉄輪式リニアモーターカーとは？

　リニアモーターカーと聞くと、JR東海が建設を進めているリニア中央新幹線のような浮上式鉄道を思い浮かべる人が多いだろう。

　JR東海が実用化をめざしているのは超電導リニアで、車体側の超電導磁石とガイドウェイ側の案内コイルおよび推進コイルで浮上し、進行するシステムだ。

　常電導吸引型の磁気浮上式リニアモーターカーは、国内では愛知県のリニモで実用化されている。国外でも何路線かあり、ドイツが開発した常電導浮上式超高速リニアモーターカー「トランスラピッド」は、上海で実用化されている。

　いずれも浮上式だが、リニアモーターという用語は、推進するシステムを指すものであって、浮上という意味はない。逆に言えば、浮上しないリニアモーターカーもある。

　その代表例が鉄輪式リニアモーターで、動力源であるモーターの全高が低く、車輪は推進力とは無関係なため、小径化できる。さらにレールと車輪の摩擦力に頼らず推進するため、急勾配に対応できる。

　したがって、地下鉄に鉄輪式リニアモーターカーを採用すれば、車両の小型化や急曲線への対応が容易になり、トンネル断面を縮小できるので、建設費を抑制することができる。

　リニアメトロの第1号は1990年に開業した大阪市営地下鉄鶴見緑地線（現・Osaka Metro長堀鶴見緑地線）で、翌年に東京都営地下鉄12号線（現・大江戸線）が開業している。経済性に優れたリニアメトロの建設はその後も続き、現在までに以下の7路線が建設されている。

- Osaka Metro長堀鶴見緑地線（大正〜門真南）
- 都営地下鉄大江戸線（都庁前〜国立競技場〜光が丘）
- 神戸市営地下鉄海岸線（三宮・花時計前〜新長田）
- 福岡市営地下鉄七隈線（橋本〜博多）
- Osaka Metro今里筋線（井高野〜今里）
- 横浜市営地下鉄グリーンライン（日吉〜中山）
- 仙台市営地下鉄東西線（八木山動物公園〜荒井）

神戸市交通局

線路中央に敷かれている板がリニアモーターの一部をなすリアクションプレート

神戸新交通（ポートライナー、六甲ライナー）

本社：兵庫県神戸市中央区港島6-6-1
創立：1977年7月18日
路線：ポートアイランド線、六甲アイランド線
車両基地：中埠頭車両基地、六甲島検車場
営業キロ：計15.3km（第一種鉄道事業4.5km、軌道10.8km）
駅数：計18駅（鉄道、軌道）
車両数：158両
電気方式：三相交流600V

神戸新交通は、ポートアイランド・六甲アイランドと既存市街地を連絡する新交通システム「ポートライナー」「六甲ライナー」を運営する第3セクター鉄道だ。

日本において「新交通システム」と称する交通機関は、案内軌条式のゴムタイヤ電車の一種で、技術的には「自動案内軌条式旅客輸送システム」（AGT: Automated Guideway Transit）と呼ばれるものが一般的だ。

1981（昭和56）年2月に開業したポートライナーは、実用交通機関としては日本初の「新交通システム」で、川崎重工と神戸製鋼が開発していたシステムがベースとなっている。そのため、のちに国内標準システムに採用された片側側方案内方式ではなく、両側側方案内方式を採用している。地方博「ポートピア'81」会場へのアクセス交通機関となったため、当初から6両編成のフルスペックで活躍した（当時、タイヤのパンクを避けるために設置された重量超過アラームがたびたび鳴り、話題になった）。

ポートライナーは、神戸空港への路線延長が行われ、さらにコンテナヤード跡地への大学誘致に成功したため混雑が激しくなっている。編成数を増やせば良さそうなものだが、車両基地の収容能力に限界があるため、そう簡単な話ではないようだ。

1990年に開業した六甲ライナーは、運輸省（現・国土交通省）が定めた標準システムに準拠したため、片側側方案内方式を採用している。

中公園付近では、ポートアイランド内をループするため上下線が離れる

神戸新交通2000形

側面ラインが前面下部まで伸びているのが2000形

 車体構造：ステンレス製／全長：8.40m／幅：2.492m／扉数：1／座席種別：固定クロス／電気方式：三相交流600V／制御方式：VVVFインバータ制御／制動方式：回生ブレーキ併用電気指令式／主電動機出力：110kW／製造初年：2006年／製造所：川崎重工

　2000形は、2006年の神戸空港開港に伴うポートアイランド線の延伸に際して6両編成3本が投入された。開業時に投入された8000形を置き換えるため、2008年から6両編成14本が製造されている。

　車体はステンレス車体を採用し、無塗装とすることで保守費の軽減を図っている。また、室内幅を8000形より75㎜、天井高を125㎜拡大するとともに、通路スペースを確保しつつ、2‐1列の固定クロスシートとすることで快適性を向上させた。

　6両編成のすべての車両に車いすスペースと空港利用者の荷物置き場となるフリースペースが設定されている。

　また、8000系では床上搭載だったクーラーが、本形式では床下搭載になり、客室が広くなった。

　神戸新交通で初めてVVVF制御が採用され、停止直前まで回生ブレーキ制御を行うことによって省エネ性と停車精度が向上した。

　走行車輪は、8000形で使用していたウレタン充填ゴムタイヤから、中子入り窒素ガス入りゴムタイヤに変更したされ、乗り心地の向上と騒音の低減に寄与している。

神戸新交通2020形

2020形第1編成は前面窓回りが青色

 諸元　車体構造：ステンレス製／全長：8.40m／幅：2.492m／扉数：1／座席種別：固定クロス／電気方式：三相交流600V／制御方式：VVVFインバータ制御／制動方式：回生ブレーキ併用電気指令式／主電動機出力：110kW／製造初年：2016年／製造所：川崎重工

2020形は2000形のマイナーチェンジ車で、ポートライナー線の混雑緩和を目的として2016年3月に2編成が導入された。2000形と同じステンレス車体を採用し、カラーリングは編成により赤と青を使い分けている。

扉付近の座席は跳ね上げ式補助席に変更し、室内灯・ヘッドライトともにLEDを採用した。

ポートライナーには増結の構想もあるが、ホームや車両基地も改修する必要があり、具体化していない。

2020形第2編成は前面窓回りが緑色

▼ 神戸新交通3000形

起点の住吉に到着した3000形

 諸元　車体構造：ダブルスキン構造アルミ車体／全長：8.4m／全幅：2.51m／全高：3.255m／扉数：1／座席：セミクロスシート／電気方式：交流600V／制御方式：コンバータ・インバータ制御／制動方式：回生優先電気指令式／主電動機出力：110kW／製造初年：2018年／製造所：川崎重工・川崎車両

　神戸新交通3000形は、1990年の六甲ライナー開業当時から使用されていた1000形を置き換えるため、2018年に登場した。

　1000形に引き続きアルミ車体を採用。車体断面を裾絞り形状とすることで車幅を170㎜拡大し、車内空間に余裕を持たせた。前頭部形状は船の舳先をイメージし、前傾させた。

　座席は、先頭車の先頭側半車が1-2人掛けのクロスシート、ほかはロングシートを配置する。全座席に個別タイプを採用し、背もたれ背面まで側窓とすることで明るい車内を実現させた。高層住宅と隣接する区間では、瞬時に曇りガラスとなる機構を引き続き採用している。全車に車いすスペースまたはフリースペースを設け、防犯カメラ・空気清浄装置・車内案内装置も設置した。

　無人運転を基本とするため、通常は開放されている運転席の運転台は、カバーで覆われている。

　制御方式は1000形のサイリスタ位相制御からコンバータ・インバータによるVVVF制御に変更され、メンテナンス省力化、省エネ化を図った。

　すでに予定されている11編成が竣工しており、予定どおり2023年度で1000形の置き換えが終了する見込みだ。

こうべ未来都市機構（摩耶ケーブル）

本社：神戸市中央区港島中町6丁目9番1
設立：1977（昭和52）年8月2日
路線：摩耶ケーブル線
営業キロ：0.9km（鋼索鉄道）
駅数：2駅
車両数：2両
軌間：1067mm

摩耶ケーブルは、摩耶鋼索鉄道によって1925（大正14）年1月6日に開業された。国内に現存する鋼索鉄道（ケーブルカー）のなかで3番目に古い。

1944（昭和19）年2月11日に戦時休止となったが、1955（昭和30）年5月7日に営業を再開した。同年7月には神戸市交通局が奥摩耶ロープウェー（現・摩耶ロープウェー）を開業している。

1975（昭和50）年10月に摩耶鋼索鉄道と六甲ケーブルを運営する六甲越有馬鉄道が合併し、六甲摩耶鉄道となった。一方、奥摩耶ロープウェーは1977（昭和52）年に神戸市都市整備公社に譲渡され、摩耶ロープウェーに改称された。

1995（平成7）年の阪神淡路大震災のため、両線ともに長期運休となり、この運休中に摩耶ケーブルは都市整備公社に譲渡された。ケーブルカー、ロープウェーともに、2001（平成13）年3月17日に運行が再開された。

神戸市都市整備公社は2013年に神戸すまいまちづくり公社に改称され、2022年に神戸住環境整備公社に改称された。この間、ケーブルカー、ロープウェー事業は歴代の公社が運営していたが、事業再編に伴い、ケーブルカー、ロープウェー事業ともに、2023年4月にこうべ未来都市機構に移管された。

摩耶ロープウェー

摩耶ケーブル

交換所を通過する2号車「にじあじさい」

 車体構造：鋼製／全長：7.997m／幅：2.460m／最大乗車人員：52人／製造年：2013年／車体製造会社：阪神車両メンテナンス

現在の摩耶ケーブルの車両は、戦時休止から復活した1955年に製造されたもので、車体を更新しながら使用されている。最も新しい更新は2013年に行われたもので、新造された車体は、山麓寄り小天井部に展望窓が設けられ、手動式だったドアはエンジン付きのドアになった。

倒木被害防止のため、架線レスシステムを採用し、電源としてリチウムイオン電池を搭載する。

摩耶ケーブル駅で待機中の1号車「ゆめあじさい」

神戸六甲鉄道（六甲ケーブル）

本社：神戸市灘区六甲山町一ヶ谷1-32
設立：1923（大正12）年10月14日
路線：六甲ケーブル線
営業キロ：1.7km（鋼索鉄道）
駅数：2駅
車両数：4
軌間：1067mm

　神戸六甲鉄道は、阪急阪神ホールディングス傘下の企業で、神戸市の六甲山において六甲ケーブルとバスを運営している。従来、同グループの六甲山観光事業は六甲山観光が行っていたが、交通事業のみ独立させた。

　同社が運営する六甲ケーブルは、六甲越有馬鉄道株式会社によって1932（昭和7）年に開業した。

　社名からわかるように、元来は、六甲山を越えて、有馬温泉に向かう鉄道として計画された。神戸市側の山麓と、六甲山の山頂部および北側山麓に電車を走らせ、この3区間の電車を鋼索鉄道で連絡するというもので、1922年に免許を得ていた。短区間で何度も乗り換える手間を省くため、平坦線の電車がそのままケーブルカーの台車の上に乗るという、壮大かつ奇抜なしくみが構想されていた。

　同社はのちに阪神電鉄の傘下に入るが、阪神はこのアイデアを採用せず、一般的な鋼索鉄道の免許を申請し、1929年に取得した。現在の六甲ケーブルは、この免許によって建設されたものだ。

　ただ、このケーブルカーも変わり種で、完成当初は4台の車両が等間隔でロープに固定され、中間駅で乗り換える方式だった。変わった方法を選ぶのは社風だったのかもしれない。

　この方式は、1939（昭和14）年の水害被害から復旧する際に一般的な方式に改められたが、当初の方式で使われた交換所の跡がいまも残っている。

開通時から使用されている山上駅舎。神戸歴史遺産に認定されている

六甲ケーブル1・3号/2・4号

山上寄りが2号。山麓寄りが4号

 諸元　車体構造：鋼製／編成長：24.171m／幅：2.700m／最大乗車人員：200名＋乗務員名／製造年：1999年／車体製造会社：武庫川車両

1999年3月に竣工した六甲ケーブル3代目車両。2両連結で、1・3号が赤と緑の塗装のヨーロピアン・クラシックタイプ、2・4号がレトロタイプで阪神電車の旧1形と神戸市電をイメージしたレトロタイプになっている。山麓よりの3号と4号はオープンスタイルの車両で、屋根はガラス張りになっている。

山上寄りが1号。山麓寄りが3号

窓ガラスがないオープンスタイルの4号の車内

北条鉄道

本社：兵庫県加西市北条町北条28-2
設立：1984（昭和59）年10月18日
路線：北条線
車両基地：北条町車庫
営業キロ：13.6km（第一種鉄道事業）
駅数：8駅
車両数：3両
軌間：1067mm

　北条鉄道は、JR加古川線粟生から北条町までを結ぶ、単線の非電化私鉄だ。国鉄再建法により国鉄からの分離が決まった北条線を受け継ぎ、1984（昭和59）年に第三セクター鉄道として設立された。

　国鉄加古川線と、加古川線から分岐する鍛冶屋線・北条線・三木線・高砂線は、もとは播州鉄道によって建設された。

　北条線は、粟生〜北条町が1915（大正4）年3月3日に開業した。開業時の途中駅は網引、法華口、長の3駅のみで、その後、1916年6月に横田村、翌年8月に播磨王子（現・播磨下里）、1919年12月に田原が開業した（ただし、田原と横田村は一度廃止され、田原は1952年に復活、横田村は1961年12月に播磨横田に改称されて復活した）。

　その後、播州鉄道が経営不振に陥ったため、各線は播丹鉄道に譲渡され、さらに1943（昭和18）年6月に国に一括買収されている。なお、戦時中に大規模な脱線事故があったことが知られている。

　1945年3月、試験飛行中の海軍戦闘機「紫電改」がエンジントラブルにより不時着し、その尾輪によって網引駅付近のレールが破壊されたため、列車が脱線した。この列車を牽引していたC12形蒸気機関車189号機の動輪は、現在、京都鉄道博物館で展示されている。

　加古川線は国鉄再建法による廃線対象にはならなかったが、加古川線とともに国有化された旧播丹鉄道高砂線・三木線・北条線・鍛冶屋線は経営分離対象となった。

　三木線と北条線は第三セクターで存続することになったが、鍛冶屋線は廃止された。三木線は三木鉄道が継いだが、すでに廃線となり、いまは北条鉄道だけが残っている。

　北条線は、国鉄から北条鉄道に移管され、1985年4月1日に開業した。開業時の車両は富士重工製のレールバスだった。

　低コストなレールバスは、国鉄から転換した第三セクターのほか、地方私鉄でも導入されたが、従来の鉄道車両と比べるとやはり乗り心地が劣り、車体の耐久性も低かった。

　このため、いずれも長くは続かず、北条鉄道のレールバスも2000年にフラワ2000形と入れ替えられた（うち2両は紀州鉄道に引き取られた）。

　2020年、列車頻度を上げるため法華口の交換設備を復活させるにあたり、票券にICカードを使用する票券指令閉塞式を全国で初めて導入した。

▼ 北条鉄道フラワ2000形

増発のために交換設備を復活させた法華口ですれ違う、フラワ2000-1と同-2

 諸元　車体構造：鋼製車体／全長：18.5m／全幅：2.8m／全高：3.99m／扉数：2／座席：セミクロスシート、ロングシート（2号のみ)/動力伝達方式：液体式／制動方式：非常弁付き直通空気ブレーキ／機関出力：295PS／台車：軸ばね式空気ばね台車／製造初年：1999年／製造所：富士重工

　フラワ2000は、同社開業時から使用されていたフラワ1985の代替として、1999年に富士重工で新製された。

　富士重工のローカル線向け軽量ディーゼルカーLE-DCシリーズに属する。形式名は、加西市の観光名所「県立フラワーセンター」と運行開始年にちなむ。

　フラワ2000-2は、イベント列車に対応するためオールロングシートで新製された。フラワ2000-3は2008年に廃止された三木鉄道から購入した車両で、2009年に入線した。

フラワ2000-3とフラワ20009-1の2両編成

北条鉄道キハ40形

キハ40 535は、空気ばね台車を履く寒地仕様車。JR東日本在籍時の五能線色で活躍する

 車体構造：鋼製車体／全長：21.3m／全幅：2.9m／扉数：2／座席：セミクロスシート／動力伝達方式：液体式／制動方式：自動空気ブレーキ／機関出力：300PS／台車：円筒案内式空気ばね台車／製造年：1979年／製造所：新潟鐵工所

キハ40は、国鉄が1970年代後半に開発した気動車で、1980年代初頭まで量産された。

キハ40系は、片開き側扉2扉の両運車キハ40、両開き側扉2扉の片運車キハ47、片開き側扉2扉の片運車キハ48の3形式があり、それぞれ暖地形・寒地形・酷寒地形の3タイプが開発され、全国で活躍した。JR発足時に旅客6社に継承され、非電化線区一般形の主力となった。

JR各社は新型ディーゼルカーの開発を進めたが、キハ40系は継承したディーゼルカーのなかでは比較的新しく、両数も多かったため、エンジン換装などの改造を受けて継続使用された。

JR西日本では、さらなる体質改善工事によって延命が図られているが、他社では淘汰が進んでいる（東海ではすでに置き換えが完了し、北海道と四国は全車置き換え計画を公表している。東日本・九州も置き換えが進行中）。

北条鉄道のキハ40形はJR東日本の余剰車で、加西市の助成金とクラウドファンディングによって購入され、2022年から運行されている。車両運行計画は、同社公式サイトで公表されている。

COLUMN　JRに継承されたキハ40三態

　キハ40系は、国鉄閑散線区の第三セクター化が盛んだった時期は、国鉄/JRでも比較的新しいディーゼルカーだったため、私鉄への譲渡はかなり少ない。

　その一方、JR各社で独自にエンジン交換やリニューアルが施工され、さまざまな形態が誕生した。

JR西日本のキハ40。国鉄時代の塗色だが、側窓の交換、側面の行先表示取付により印象がかなり異なる

只見線のキハ40（すでに置き換え済み）。塗色以外は国鉄時代の名残をとどめる

　JR九州のキハ40は、WC用水タンクの床下への移設、ベンチレーター撤去により印象が変わった。コマツ製エンジンも交換された

和歌山電鐵

本社：和歌山県和歌山市伊太祈曽73
創立：2005（平成17）年6月27日
路線：貴志川線
車両基地：車庫（伊太祈曽駅構内）
営業キロ：14.3km（第一種鉄道事業）
駅数：14駅
車両数：12両
電気方式：直流1500V
軌間：1067mm

　和歌山電鐵は、南海電鉄から経営分離された貴志川線を2006（平成18）年4月1日より運営する鉄道会社。岡山県の両備グループの一員だ。

　前身の南海貴志川線は、1916（大正5）年に秋月（現・日前宮）〜山東（現・伊太祈曽）を開業した山東軽便鉄道に始まる。

　1917年、秋月〜中之島が延伸され、起点を中之島に移転。紀勢西線（現・JR西日本紀勢本線）の開業に伴い、1924年に東和歌山（現・和歌山）を開業し、秋月〜中之島間を廃線して秋月〜東和歌山間を開業、起点を東和歌山に変更した。1931（昭和5）年に和歌山鉄道と改称し、その後も延伸と電化を重ね、1943年には全線を電化させている。

　1957年に和歌山電気軌道と合併され、1961年に同社が南海電鉄と合併したことにより南海貴志川線となった。

　その後は南海本線・高野線からの転属車により車両の置き換えが進み、とくに南海電鉄の鉄道区間では唯一昇圧されなかったため、1970年代前半には戦前南海線の標準型として幅広く使用されたモハ1201形に統一された。また1976年には高野線のモハ21201形が転属している。

　1990年代に入り、貴志川線車両の更新が計画されたが、曲線の関係で20m車は入線できなかった。そこで高野線用22000系をワンマン運転対応など貴志川線用の仕様に改造し、2270系にして投入。これにより貴志川線の車両は2270系に統一された。この2270系が和歌山電鐵に引き継がれている。

　南海ではこのように経営合理化を進めたものの、収支の改善が進まないため廃線の意向を固めたが、沿線住民の反対運動で自治体が動き、新たな経営事業者を公募することとなった。

　その結果、岡山県でバスや路面電車、フェリーなどの交通事業の実績がある両備グループが新しい事業者として選ばれた。こうして、同グループの一員で岡山市内の路面電車を営業する岡山電気軌道の子会社として「和歌山電鐵」が設立された。

　終点の貴志駅は、猫が駅長を務めていることで知られる。南海時代から同駅の売店に居ついていた猫の話を聞いた両備グループ代表の小嶋光信社長がその猫を駅長に任命し、「たま駅長」が誕生した。このことがネットなどを通じて世界的に知られるようになると観光客が増えた。経営環境は盤石とまではいかないが、比較的安定した状態といえる。

和歌山電鉄2270系

「たま電車ミュージアム号」

 車体構造：鋼製／全長：17.725m／幅：2.740m／扉数：2／座席種別：ロング／電気方式：直流1500V／制御方式：抵抗制御／制動方式：発電ブレーキ併用電磁直通ブレーキ／主電動機出力：90kW／台車：ウイングばね式コイルばね台車／改造初年：1990年／製造所：東急車輛

　2270系は、和歌山電鐵が南海貴志川線だった時代に投入された車両。もとは南海高野線用の22000系で、支線区向けに転用改造が行われた。

　貴志川線への転入にあたり、22000系はワンマン運転に対応させるべく大がかりな改造を受けたため、2270系に形式変更された。具体的には、前扉を片開きにして運転室直後に移設、車両前面を非貫通式に改造し、3枚窓となった。また、その当時の貴志川線は600Vだったため、1500Vから降圧改造された。2両編成6本が改造を受け、南海時代の塗色のまま全数が和歌山電鐵に引き継がれた。

　2006年6月の会社設立1周年を記念し、地元特産のいちごをテーマとする車両への改造が計画され、水戸岡鋭治氏デザインによる「いちご電車」が誕生した。

　改造は多岐にわたり、車内床材は既設のロンリウムから楢の木のフローリングに変更され、連結妻部には木製のベンチシートとサービスカウンターが設置され、扉間のロングシートはいちご柄になるなど、内装が一新された。

　2007年に登場した「おもちゃ電車」では、床にライナーパネルのフローリングが敷かれ、妻部にはおもちゃの展示棚、木製のカウンターとベンチが設

置され、さらにベビーサークルも設けられた。

さらに2009年には、貴志川駅のスーパー駅長「たま」にあやかり、「たま電車」が登場。外板には101匹のたまが描かれ、車内もたまをモチーフにしたソファやベンチが置かれるなど猫一色で、たちまち人気を博した。

また2016年には、貴志川線開業100周年と和歌山電鐵開業10周年を記念し、和歌山特産の梅干しをテーマにした「うめ星電車」が登場している。外観は紫蘇漬けをイメージした赤紫、車内床はフローリング、座席はさまざまな木製座席に交換されている。

貴志川線開業100周年を記念して登場した「うめ星電車」。外部塗装の紫は紫蘇漬けをイメージしたもの

「うめぼし電車」の車内

「チャギントン電車」

和歌山電鐵

「たま電車」

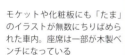
モケットや化粧板にも「たま」のイラストが無数にちりばめられた車内。座席は一部が木製ベンチになっている

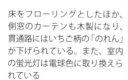
床をフローリングとしたほか、側窓のカーテンも木製になり、貫通路にはいちご柄の「のれん」が下げられている。また、室内の蛍光灯は電球色に取り換えられている

紀州鉄道

本社：東京都中央区日本橋箱崎町1番7号
設立：1928（昭和3）年12月24日
路線：紀州鉄道線
車両基地：紀伊御坊車両区
営業キロ：2.7km
車両数：3両
電気方式：非電化
軌間：1067mm

紀州鉄道は、和歌山県御坊市内で鉄道事業を行うとともに、全国で不動産事業・ホテル事業・観光開発を行っている。

紀州鉄道線の歴史は、御坊市街地から離れた場所を通る紀勢本線の御坊駅と連絡するために設立された御坊臨港鉄道にさかのぼる。同鉄道は1931（昭和6）年に御坊～御坊町（現・紀伊御坊）間を開業させ、1934年には日高川まで全通した。

日高川は、王子製紙工場の原材料の受け入れ、製品発送の拠点として貨物需要があり、1955年には西御坊からの大和紡績専用線が開通した。これらの貨物輸送も紀州鉄道の収入源となっていた。

しかし1984年に国鉄貨物合理化により御坊駅の貨物扱いが廃止されると、紀州鉄道の貨物輸送の継続もできなくなり、西御坊～日高川間は1989年に廃止された。

なお、昭和40年代に入ると深刻な経営不振となり、事業を全国展開するため「鉄道事業」の看板を求めていた不動産会社が経営権を握ることになった。1972年に紀州鉄道と改称し、鉄道事業以外で全国に展開している。

路線は非電化で、ディーゼルカーによる単行で運転している。かつては、大分交通で使われていた液体式ディーゼルカーのキハ600形や、鉄道の旅客車ではめずらしい2軸のレールバスを使用していたこともあり、ローカル鉄道の車両が好きな人の注目を集めていた。

折返し待機中のKR形205号

紀州鉄道KR形

紀伊御坊で留置中のKR形301号

[KR301] 車体構造：鋼製車体／全長：15.5m／全幅：3.09m／全高：4.01m／扉数：2／座席：セミクロスシート／動力伝達方式：液体式／制動方式：自動空気ブレーキ／機関出力：250PS／台車：軸箱守式空気ばね台車／製造初年：1995年／製造所：富士重工

　紀州鉄道KR形は、信楽高原鐵道から譲渡された。

　KR301は、1995年12月に信楽高原鉄道が新製した元SKR301。富士重工のLE-DCシリーズに属するディーゼルカーで、紀州鉄道には、2015年10月に入線し、翌年1月に入籍した。

　KR205は、1992年7月に信楽高原鉄道が新製した元SKR205。富士重工のローカル線用ディーゼルカーが、LE-CarからLE-DCに移行する過渡期の車両だ。新製時はセミクロスシートだったが、信楽在籍中にロングシート化された。紀鉄には、2017年4月に入籍した。

　両車両は、エンジン、台車、全長、全幅など共通点は多いが、信楽高原鐵道時代は別形式だった。車体形状などが異なり、部外者には同一形式には見えないが、紀州鉄道では同一形式として認可を受けているようだ。

　入線からしばらくの間、信楽時代の塗装で使用されていたが、2020〜21年に塗装を変更し、紀鉄オリジナルの塗装で運行されている。軽快気動車を導入した事業者は、凝った塗装も少なくなかったので、昭和中期のように落ち着いた塗装は、紀鉄のような生活密着路線にふさわしいといえよう。

紀伊御坊駅近くのガソリンスタンド跡居にあるキハ603（元大分交通）。地元商店会が設けた「ほんまち広場603」に2017年から保存されている。半車を飲食店に貸出し、半車を住民の交流拠点として開放し漫画などを置いていた

残念ながら、飲食店は早々に退去し、交流スペースの開放も中止された模様。地元紙の記事によれば、2022年に飲食店跡を設計事務所が借りたようだが、現在も借用を継続しているかは不明

鉄道用語の基礎知識

1 軌道と鉄道の違い

　レールを使う線路など専用の走路を走る交通機関は、法的には「軌道」と「鉄道」の2種類に分けられる。見た目には区別がつかなくても、法律上は違うシステムというケースもある。

　「軌道」には「軌道法」という法律が適用され、「鉄道」には「鉄道事業法」という法律が適用される。

　「軌道法」は本来、路面電車のように軌道を道路上に敷設することを前提としたもので、道路を管轄する省庁（国土交通省発足までは建設省）と鉄道を管轄する省庁（国土交通省発足までは運輸省）が関わってきた。道路上に敷設された区間は「併用軌道」、やむを得ず道路上ではなく専用の敷地に敷設された区間は「新設軌道」と呼ぶ。

　大阪市では、地下鉄は公道敷地内の地下に建設するため「軌道法」に基づく特許が適当と考え、地下鉄を軌道として建設した。

2 軌間とその種類

　レールを使用する鉄軌道では、左右のレールの間隔（頭部内側の距離）を"軌間（ゲージ）"と呼ぶ。

(1) 標準軌（Standard Gauge）

　欧米を中心に、世界的に多く採用されている1435mm軌間を「標準軌」と呼ぶ。日本では、新幹線と関西の私鉄の多くで採用されている。一方、関東の私鉄で標準軌を採用する線区は少ない。

(2) 狭軌（Narrow Gauge）

　標準軌より軌間の狭いものを「狭軌」と呼ぶ。JR在来線をはじめ、国内で最も普及している1067mm軌間は「狭軌」に分類される。明治初期に鉄道が導入された際に1067mm軌間が採用されたのを皮切りに、貨車を直通させる目的で全国的にこの軌間が普及した。そのため、古いマスコミ報道や文献などでは、広く普及していた1067mm軌間よりも広いということで、標準軌を「広軌」と呼ぶことも多かった。なお、近鉄では三重県下にあった762mm軌間の路線を特殊狭軌、1067mm軌間の路線を狭軌と呼んでいた。

(3) 広軌（Broad Gauge）

　標準軌よりも広い軌間を「広軌」と呼ぶ。日本国内の営業鉄道では実在しないが、製鉄所の構内鉄道など特殊な鉄道では存在する。なお、ロシアやスペインなどで普及している。

(4) 改軌

　軌間を変更する事を「改軌」と呼ぶ。国内では、近鉄名古屋線や志摩線（ともに1067mm→1435mm）や京成（1372mm→1435mm）が大規模な改軌例として有名だ。

3 電気鉄道における電気方式

　鉄道の電化方式には、動力源として供給する電気の種類や供給方式によっ

て以下のように分類される。

●電気供給方式

⑴架空電車線方式（架線式）

線路上の架設された架線（かせん）から、パンタグラフ等で受電する方式。鉄道会社の部門によっては河川との混同を避けるため架線を「がせん」と呼ぶこともある。

⑵第三軌条方式

線路沿いに敷設した第三軌条（サードレール）より、集電靴で受電する。日本では地下鉄や地下鉄と直通運転を行う一部鉄道で採用されている。

●電化の種類

鉄道の動力源に使用される電気の種類としては以下の例がある。
直流600V：阪堺電気軌道など
直流750V：大阪市営地下鉄の第三軌条式区間
直流1500V：JR在来線と私鉄の大半
交流20000V：JR北陸本線敦賀以北
交流25000V：新幹線
三相交流600V：ポートライナーなど

●昇圧

走行用電気の供給電圧を上げること。電圧を上げることで、多数の車両に電気の供給が可能となるので、増発や増結、高速化が可能となる。関西では、多くの私鉄で600V→1500Vの昇圧が行われている。

●直流と交流

直流とはプラスの電気とマイナスの電気が常に一定の方向に流れる電流のことで、交流とは定期的にプラスとマイナスの向きが変わる電流。家庭では、乾電池などで発生する電流は直流、電力会社からコンセントを介して流れるのが交流となる。

鉄道の電化方式では古くから発達している直流電化のほうが多い。古い技術では直流のほうが鉄道に応用しやすかったからだ。

交流電化のほうが変電所の数が少なくて済み、経済的だといわれた時代もあって、その時代から電化を進めた鉄道では交流電化を採用した国もある。日本でも同様の理由で交流電化が進められた地域がある。

現在では、半導体技術の進歩によって、直流電化と交流電化の技術的な差異は小さくなり、経済的な面での損得はあまりないといわれている。ただし、新幹線のような高速鉄道では高圧で電流を供給する必要があり、その場合は直流よりも交流のほうが向いているため、高速鉄道では交流電化を採用するのが一般的になっている。

4 電車制御方式の種類

電車など電気を動力源とする鉄道車両の制御方式としては、以下のような種別がある。

⑴抵抗制御

直流電気の電圧を、抵抗器を使用して制御、直流主電動機（モーター）の回転速度を変えることで速度を変える方式。

(2)電機子チョッパ制御

直流電気の電圧を、チョッパ制御装置を使用して制御、直流主電動機（モーター）の回転速度を変える方式。抵抗制御では、抵抗器を用いて不要な電気を熱に変えて電圧を下げるが、熱に変えた分、エネルギーのロスが出る。チョッパ制御ではこのような無駄な電力消費がなくなる。また、電気ブレーキ作動時には、チョッパ制御装置を用いて発生した電気の電圧を上げ、架線に電気を戻す（回生ブレーキ）ことが可能となる。

(3)界磁チョッパ制御

一般的に用いられる直流直巻電動機の代わりに複巻電動機を使用、分巻界磁電流を界磁チョッパ装置で制御することで発生電圧を上げて回生ブレーキを可能とした制御方式。

加速時の制御には抵抗制御を用いるが、抵抗制御による電力損失より、回生ブレーキによる省エネ効果が大きく、電機子チョッパよりも価格が抑えられるメリットがある。このため、複巻電動機の保守に問題がないと判断した私鉄で幅広く導入された。

(4)界磁位相制御

三相交流を補助電源とする界磁電流制御回路を使用し、回生ブレーキを可能とする方式。半導体素子を用いなくとも回路構成が可能なため、古くから存在したが、補助電源が必要なため採用は限定的だった。

(5)界磁添加励磁制御

直流複巻電動機よりも保守が簡便な直巻電動機を用い、電機子チョッパ制御よりも安価に回生ブレーキを可能とした方式。界磁位相制御同様、補助電源が必要だが、抵抗制御方式からの改造が容易であるという特徴もあった。国鉄末期からJR初期に幅広く採用され、一部の私鉄でも採用された。

(6)VVVF制御

半導体技術の進歩により実用化された制御方式。主電動機に交流電動機（三相誘導電動機または同期電動機）を用いることが特徴。

これまでの直流電動機は低速回転でもトルク（回転力）が大きく、始動時に大きなトルクが必要な鉄道車両の動力源に向いた特性を持つが、回転部に対してブラシによる接触給電が必要なため、保守に難点があった。一方、保守性に優れた交流電動機を直流電動機のような特性で使用するには、電圧と周波数の双方を制御する必要があったため、以前は現実的ではなかった。

しかし、半導体技術の進歩により、インバータ装置で電圧と周波数を制御するVVVF制御が実用化されると、交流電動機の使用が一般化した。なお「VVVF」とは、可変電圧可変周波数を直訳した「Variable Voltage Variable Frequency」の頭文字を取ったもの。これにより、電気鉄道の省エネ化は格段の進歩を遂げている。

5 集電装置の種類

動力源である電気を取り込む装置。架空電車線方式の場合、パンタグラフが一般的で、主に以下の3種類が使用

される。

(1)菱形パンタグラフ

最も一般的な形状のパンタグラフだったが、屋根上の専有面積が広く、重くなりがちなため、現在では数を減らしている。

(2)下枠交差式パンタグラフ

折りたたみ時に必要なスペースが小さくて済み、屋根上にクーラー搭載のスペースを確保するのに好都合。冷房化とともに採用例が増えた。

(3)シングルアーム式パンタグラフ

一見、下枠と上枠各1本で構成されているようだが、上枠に並行して平衡棒が、下枠に並行して釣合棒があり、

リンク機構ですり板を支え、枠が垂直に上下する構造になっていることは、他の方式と変わらない。シンプルな構造で保守性が良くて軽量なため、採用例が増えている。

(4)集電靴

第三軌条式では、台車に取り付けられた「集電靴」と呼ばれる集電装置を使用する。サードレール上面に接触させて集電する。

6 車両の分類

電車・気動車(ディーゼルカー)では、以下のように分類される。

●形態からみた分類

(1)先頭車

運転台を備えた車両のこと。車両の片側だけに運転台を備えた「片運車」と、(単行〔1両だけの運転〕などに備えて)車両の前後に運転台がある「両運車」がある。

(2)中間車

運転台がない車両。編成の中間に入る。

●動力種別による分類

(1)電車

最近は鉄道車両の総称として「電車」と呼ぶケースが少なくないが、厳密に

は間違いだ。正しくは、動力源に電気を使用する鉄道車両で、客室や荷物室等を備えるか、コンテナなど貨物搭載スペースがある車両が「電車」となる。

(2)気動車

気動車とは、客室や荷物室等を備えるか、コンテナなど貨物搭載スペースがある車両のうち、床下などに動力源となる内燃機関（ディーゼルエンジンやガソリンエンジンなど）を備え、自走できる車両を指す。

● **運転上必要な機能による分類**

かっこ内のカナはJRで用いる記号。
①制御車（ク）：運転台はあるが、主電動機を装備しない電車
②付随車（サ）：運転台も主電動機も装備しない電車
③電動車（モ）：運転台は備えないが、主電動機を装備する電車
④制御電動車（クモ）：運転台を備え、主電動機を装備する電車
⑤ディーゼル動車（キ）：走行用ディーゼルエンジンを装備する気動車。気動車の場合、先頭車か中間車かを示す記号をJRでは定めていない
⑥ディーゼル制御車（キク）：運転台はあるが、走行用エンジンを搭載していない気動車
⑦ディーゼル付随車（キサ）：運転台も走行用エンジンも装備しない気動車
※JRでは、以上の運行に関する機能を示す記号のあと、用途を示す記号（ハ＝普通車、ロ＝グリーン車など）を付加し、車両形式の記号が定められる。たとえば、「クモロハ286」なら、287系の制御電動普通・グリーン合造車を示すという具合だ。

7 台車

現在の鉄道車両は、1両に付き2軸台車（2対の車輪を持つ台車）を2組で支える構成が一般的だ。台車は車両の乗り心地や走行性能に影響を与えるので、さまざまな台車が開発された。台車の様式は、車輪を支える軸箱の取付方式、台車と車体を介在する枕ばねの種別などで示されるケースが多い。以下は台車の一例。

円筒案内ウィングばね式空気ばね台車

積層ゴム式空気ばね台車

8 連結器の種類

車両を連結させる装置を連結器と呼ぶ。連結運転を行わない路面電車を除き、原則として連結器が装備されてい

る。代表的な連結器は以下の4種。

(1)自動連結器

ナックル部が開いた状態で連結を行うと、自動的に閉じた状態で固定されるため「自動」連結器と呼ばれる。アメリカで普及し、日本でもアメリカ式で整備された北海道で導入され、のちに全国的に統一された。現在でも、JR貨物では標準になっている。

(2)密着自動連結器

自動連結器では水平方向にわずかに隙間が残るほか、上下方向には固定されていないため、自動連結器の左右に爪を付加することで密着するようにしたタイプ。自動連結器との連結も可能。JRグループの客車と気動車の標準になっている。

(3)密着連結器

連結器同士が、完全に密着する連結器で、世界にはさまざまな様式があるが、日本では鉄道省(のちの国鉄)の技手が開発した柴田式密着連結が普及している。貨物列車のように、連結器に大きな力が働く車両には向かないが、空気管や電気回路の連結も行えることから、電車では広く普及している。JRグループでは、新型気動車にも多く導入されている。国鉄で最初に本格的に導入されたのは、1934年の吹田〜須磨間電化時から。

(4)棒連結器

永久連結器とも呼ばれる。上記の3種類は、連結と開放を繰り返すことを前提としているが、近年は基本的に編成を崩さない運用が増えており、車両基地等で工具を使用しての切り離しを前提とする連結器が増えている。

❾ 打子式ATSとは？

ATS(自動列車停止装置)は、信号の指示に従わない場合、強制的に列車を停止・減速させる保安装置。その最も単純なタイプが、打子式ATSだ。

赤信号になると線路内に設置された「打子」が立ち上がるという単純な仕組みで、信号指示通り列車が止まれば、何も起こらない。万が一、列車が停止しなければ、車両床下のブレーキコックに打子が当たり、ブレーキが作動して列車が止まるという仕組みだ。単純

だけに確実なシステムで、日本初のATSとして、東京地下鉄（現・東京メトロ）に導入され、続いて開業した大阪市営地下鉄でも開業時から装備された。戦後登場した名古屋市営地下鉄でも導入しているが、現在ではさらに進化したシステムに更新されている。

🔟 標識灯

自動車にヘッドライトやブレーキランプがあるように、鉄道でもさまざまなランプを装備している。

(1)前灯

いわゆるヘッドライトを指すが、鉄道の場合、自動車とは違い、運転士が前方を確認することが目的ではない。法的には車両の進行方向を示す「前部標識」という扱いだ。

(2)通過標識灯

法的な義務はないが、大手私鉄等では、前頭部に通過標識灯（急行灯あるいは単に標識灯ともいう）と称する白色ないし黄色のランプを装備する。駅員などに通過列車の種別を知らせるのが目的で、左右2灯点灯は特急、左1灯点灯なら急行、右1灯点灯なら準急という具合に使い分ける会社もある。

(3)後部標識

いわゆるテールランプは、法的には列車の進行方向を示す後部標識という扱いだが、法的には表示の義務はない。前述の通過標識灯の点灯色を切り替えるケースもある。また、貨物列車は、赤い円盤状の標識を掲示するのが一般的だが、冬期に降雪地帯を走る列車はテールランプを使用する。

11 車両メーカーの系譜

関西で走る車両を製造したメーカーは以下のとおり。

● 現在も盛業中のメーカー

(1)**川崎車両 兵庫工場**（旧川崎重工業、神戸市）：JR西日本新幹線および在来線、山陽電鉄、神戸電鉄など

(2)**近畿車輛**（東大阪市）：近鉄、JR西日本新幹線および在来線、阪神など

(3)**総合車両製作所**(旧・東急車輛←旧・帝國車輛。横浜市)：南海など

(4)**日立製作所**（下松市・ひたちなか市）：JR西日本新幹線、阪急電鉄など

(5)**日本車輌**（豊川市）：JR東海新幹線など

(6)**東芝**（府中市）：JR貨物など

(7)**新潟トランシス**（新潟県聖籠町）：信楽高原鐵道など

(8)**アルナ車両**（←アルナ工機←ナニワ工機。摂津市）：阪堺電気軌道など

● 現在は車輌製造から撤退したメーカー

(1)**武庫川車両**（西宮市）
現・阪神車両メンテナンス

(2)**新潟鉄工所**（新潟県聖籠町）
会社を整理

(3)**富士重工業**（宇都宮市）
鉄道車両事業から撤退

参考資料〈鉄道車両メーカーの系譜〉

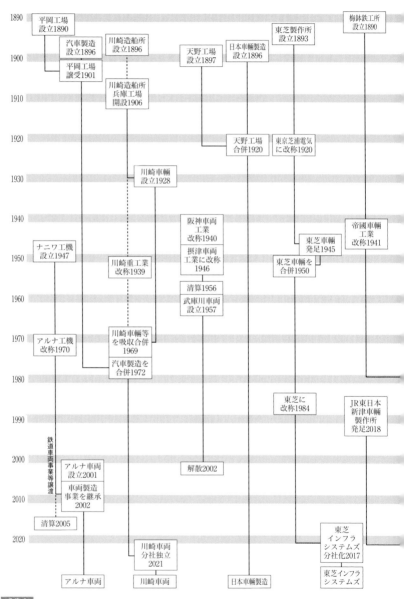

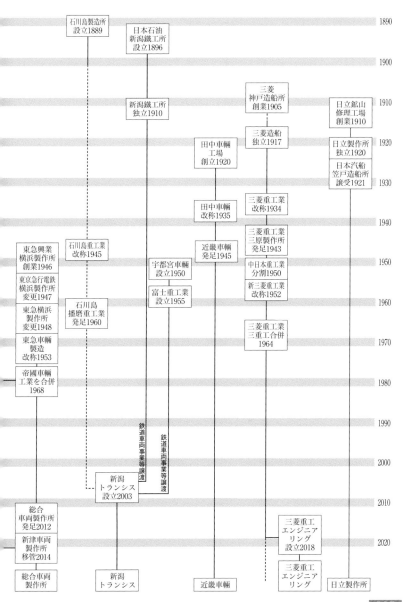

参考文献

- 『鉄道ピクトリアル』各号（電気車研究会）
- 『鉄道ファン』各号（交友社）
- 『鉄道ダイヤ情報』各号（交通新聞社）
- 『とれいん』各号（エリエイ）
- 『JTB時刻表』各号（JTBパブリッシング）
- 『JR車輌ハンドブック2007』（ネコパブリッシング）
- 『私鉄車両編成表2022/2023』（交通新聞社）
- 『JR電車編成表2022冬/2023夏/2024冬』（交通新聞社）
- 『JR気動車客車編成表2022/2023』（交通新聞社）
- 『私鉄車両年鑑2022/2023』（イカロス出版）
- 『路面電車年鑑2023/2024』（イカロス出版）
- 『日本鉄道旅行地図帳』8～10号（今尾恵介、新潮社））
- 『ローカル私鉄車輌20年　西日本編』（寺田裕一、JTBキャンブックス）
- 『ローカル私鉄車輌20年 第3セクター・貨物専業編』（寺田裕一、JTBキャンブックス）
- 『ローカル私鉄車輌20年　路面電車・中私鉄編』（寺田裕一、JTBキャンブックス）
- 『日本の路面電車Ⅲ　廃止路線西日本編』原口隆行　JTBキャンブックス）
- 『近鉄電車』（三好好三、JTBキャンブックス）
- 『近鉄特急 上』（田淵仁、JTBキャンブックス）
- 『近鉄特急 下』（田淵仁、JTBキャンブックス）
- 『阪神電車』（岡田久雄、JTBキャンブックス）
- 『南海電車』（高橋修、JTBキャンブックス）
- 『阪急電車』（山口益生、JTBキャンブックス）
- 『近畿日本鉄道50年のあゆみ』（近畿日本鉄道）
- 『近畿日本鉄道創業90周年記念 最近10年のあゆみ』（近畿日本鉄道）
- 『京阪百年のあゆみ』（京阪電気鉄道）
- 『100年のあゆみ 部門史』（阪急阪神ホールディングス）
- 『令和5年度 鉄道要覧』
- 各社公式ホームページ
- 日本民営鉄道協会ホームページ

著者紹介

来住憲司（きし けんじ）

1961年東京生まれ。明石市在住。父が転勤族だったため、生後半年ほどで四国・松山に転居したのを皮切りに、西日本各地を転々とする少年時代を過ごす。現役蒸機時代末期と重なったこともあり、各地で蒸機撮影にいそしむ。サラリーマン時代にはリゾート開発に関わり、技術的な折衝で頻繁に運輸局に出入りした時期もある。その後は鉄道のCD-ROMコンテンツや鉄道誌・旅行誌への寄稿、鉄道をテーマとする単行本を手がける。著書：『鉄道手帳』（2022年版〜、監修）、『京都鉄道博物館ガイド』、『「見る鉄」のススメ──関西の鉄道名所ガイド』、『関東の鉄道車両図鑑①②』、『東京の地下鉄相互直通ガイド［第2版］』（共著）、『全国駅名事典』（編集協力）など。

車両の見分け方がわかる！
関西の鉄道車両図鑑［第2版］

2017年9月20日　第1版第1刷発行
2024年6月20日　第2版第1刷発行

著　者	来 住 憲 司
発行者	矢 部 敬 一
発行所	株式会社 創 元 社

http://www.sogensha.co.jp/
本社 〒541-0047 大阪市中央区淡路町4-3-6
　　　Tel.06-6231-9010　Fax.06-6233-3111
東京支店 〒101-0051 東京都千代田区神田神保町1-2 田辺ビル
　　　Tel.03-6811-0662

印刷所　　　　　　　図書印刷株式会社

©2024 Kenji Kishi, Printed in Japan
ISBN978-4-422-24107-4

装丁　濱崎実幸　　図版制作　河本佳樹

本書の全部または一部を無断で複写・複製することを禁じます。
落丁・乱丁のときはお取り替えいたします。

JCOPY〈出版者著作権管理機構 委託出版物〉
本書の無断複製は著作権法上での例外を除き禁じられています。
複製される場合は、そのつど事前に、出版者著作権管理機構
（電話 03-5244-5088、FAX 03-5244-5089、e-mail: info@jcopy.or.jp）
の許諾を得てください。

鉄道手帳［各年版］
来住憲司監修／創元社編集部編　鉄道情報満載の唯一の専門ダイアリー。路線図、イベント予定、資料編40頁超を収録。　　　　　　　　　　　　B6判・248頁　1,400円

鉄道の基礎知識［増補改訂版］
所澤秀樹著　鉄道システム全般をより幅広く、より精緻に解説。あらゆる鉄道ファンに捧げる著者入魂の1冊。　　　　　　　　　　　　　　A5判・624頁　2,800円

車両の見分け方がわかる！ 関東の鉄道車両図鑑①
来住憲司著　関東で見られるJRグループ、東京を除く6県1地方の中小私鉄、公営鉄道、軌道32社局の現役車両を収録。　　　　　　　　四六判・288頁　2,000円

車両の見分け方がわかる！ 関東の鉄道車両図鑑②
来住憲司著　関東の大手私鉄9社と東京都内の中小私鉄・公営鉄道ほか計26社局のあらゆる現役車両を収録。　　　　　　　　　　　　　四六判・256頁　2,000円

東京の地下鉄相互直通ガイド［第2版］
所澤秀樹、来住憲司著　車両の運用から事業者間の取り決めまで、世界一複雑かつ精緻な東京の相互直通運転の実態を徹底解説。　　　　A5判・192頁　2,200円

決定版 日本珍景踏切
伊藤博康著　全国に点在するユニークな踏切をまとめた唯一無二のガイドブック。魅惑の「踏切ワールド」が堪能できる一冊。　　　　　A5判・144頁　2,000円

鉄道快適化物語──苦痛から快楽へ　第44回交通図書賞［一般部門］受賞
小島英俊著　安全性やスピードの向上はもとより、乗り心地の改善、車内設備の進化など、快適性向上のあゆみを辿る。　　　　　　　四六判・272頁　1,700円

鉄道高速化物語──最速から最適へ
小島英俊著　在来線の速度向上から新幹線の成功、リニア新幹線の開発まで、技術発達と工夫の数々を語りつくす。　　　　　　　　　四六判・288頁　1,700円

EF58 国鉄最末期のモノクロ風景
所澤秀樹著　昭和60年3月14日ダイヤ改正から昭和62年3月31日国鉄最後の日までの写真を厳選収録。その輝かしい勇姿を追憶する。　　B5判・196頁　2,500円

EF58 昭和50年代の情景
所澤秀樹著　昭和21年に登場し、50年以上にわたり旅客列車用の機関車として活躍したEF58。その多岐にわたる活躍をたどる。　　　　B5判・232頁　2,600円

飯田線のEF58
所澤秀樹著　三遠南信を駆け抜けた、ありし日のゴハチの記録。蔵出し写真360点を収録。オールカラー。　　　　　　　　　　　　　　A5判・192頁　2,400円

＊価格には消費税は含まれていません。